*El otro árbol
de Guernica*

Luis de Castresana, seated in front of the tree of Guernica
Foto Bonilla, Guernica

LUIS DE CASTRESANA

El otro árbol
de Guernica

Edited by
LEO HICKEY, M.A., Ll.B.,

Lic. en Fil. y Letras, Dr. en Fil. y Letras,
Barrister-at-Law

Lecturer in Spanish
University of Salford

MODERN WORLD LITERATURE SERIES

Nelson

Thomas Nelson and Sons Ltd
Nelson House   Mayfield Road
Walton-on-Thames   Surrey
KT12 5PL   UK

51 York Place
Edinburgh
EH1 3JD   UK

Thomas Nelson (Hong Kong) Ltd
Toppan Building 10/F
22A Westlands Road
Quarry Bay   Hong Kong

Distributed in Australia by

Thomas Nelson Australia
480 La Trobe Street
Melbourne   Victoria 3000
and in Sydney, Brisbane, Adelaide and Perth

This edition First published by Harrap Limited 1972
(under ISBN 0-245-53405-9)
This edition reprinted twice
Fourth impression published by Thomas Nelson and Sons Ltd 1986
ISBN 0-17-444679-9
Reprinted 1987
NPN 9 8 7 6 5
Printed in Hong Kong

CONTENTS

	page
Author's prologue	7
Introduction	9
Biographical note	24
The works of Luis de Castresana	25
Select bibliography	26
EL OTRO ÁRBOL DE GUERNICA	29
Notes	247
Vocabulary	260

ILLUSTRATIONS

Luis de Castresana, seated in front of the tree of Guernica   *frontispiece*

Front page from "La Tarde", Bilbao, 20 March 1937   *page* 51

Santi and Begoña in Brussels, 1937   109

A page from "Euzkadi", Bilbao, 27 February 1937   136

Pelotari and pelotaris playing in a pelota frontón   182

A chistulari playing at a Basque fiesta   199

Map of the Bilbao area   246

Author's prologue

El otro árbol de Guernica es, con todas sus consecuencias, una novela que ha sido vivida antes de ser escrita. La experiencia del exilio es terrible; es algo que jamás podrá comprender quien no la haya vivido en su propia carne. Y lo es todavía más para el niño que yo era en aquellos años de la guerra civil española, que fueron para mí los años del éxodo y del llanto. Porque a veces es más fácil trasplantar quirúrgicamente un corazón que trasplantar geográficamente a un ser humano.

Más que *contar cosas*, en este libro he querido *transmitir vivencias*, recrear el clima psicológico y la atmósfera ambiental de lo que el éxodo representó para nosotros. He procurado que mi prosa tuviera el "sabor" y esa como música de caracola de mar que tienen los recuerdos de infancia. Mi niñez la rompieron los adultos de mi país como se rompe un juguete. Jugaron los mayores de edad al juego incomprensible y terrible de la guerra y nosotros, sus hijos, dejamos de ser niños para ser exiliados o víctimas. (Otros, miles de otros niños, no fueron ni eso: sólo cadáveres).

No sé si realmente he conseguido lo que me propuse al escribir esta novela-testimonio; un escritor nunca lo sabe. Además, de todas mis novelas ésta es la que me resulta más difícil juzgar. Estoy demasiado cerca, demasiado dentro de ella. Durante treinta años estas emociones y añoranzas fueron creciendo conmigo; y de pronto, un día, buscaron la salida y no tuve más remedio que ponerlas de pie sobre el papel. Y entonces

7

me di cuenta de lo mucho que me habían hecho sufrir, de lo mucho que aún me dolían.

Ya sé que algunos de los episodios y personajes de este libro parecen un tanto excesivos; los "retratos" que hago de Mlle Tys y de Mlle Jacquot, por ejemplo. Como novelista yo hubiera inventado para ellas unas psicologías menos extremas, más verosímiles. Pero ha podido en mí más la fidelidad del testigo que las ideas del escritor; y he descrito a Mlle Tys y a Mlle Jacquot exactamente como eran (¿o las he descrito como yo creo que eran . . . o quizá como creo que recuerdo que eran?). Lo de la bicicleta es cierto, real al pie de la letra; y lo del Ateneo; y lo . . .

Ni pude ni quise traicionar mis recuerdos. Me hubiese indignado tremendamente conmigo mismo si en un episodio crucial de mi autobiografía el "yo" escritor se hubiese impuesto en mí al "yo" hombre. Por eso en mi novela no he "retocado" ningún recuerdo sustancial: ni siquiera aquellos con los que hoy no estoy identificado.

Por diversas y hondas razones, me satisface mucho que *El otro árbol de Guernica* llegue a los estudiantes británicos que se preocupan por la Lengua y la Literatura españolas. Ojalá su lectura no les decepcione demasiado.

Mi gratitud a la editorial George G. Harrap & Company Ltd., de Londres. Mi gratitud, también, al Dr. Profesor Leo Hickey por su rigurosa y lúcida Introducción.

Y aquí pongo punto final. No es prudente aburrir a los estudiantes con prólogos demasiado largos.

LUIS DE CASTRESANA
Bilbao, 6 setiembre, 1971

INTRODUCTION

When the Spanish civil war broke out in July 1936, the Basque provinces, which had long been agitating for autonomy, fought mainly on the side of the Republic against General Franco and the nationalists. Shortly after the outbreak of war, in October 1936, the Statute of Basque Autonomy was in fact approved by the Madrid Government, and the provinces—Euzkadi—were then fighting in the hope of preserving their status as an autonomous republic, a position which would not be tolerated if the nationalists won.

El otro árbol de Guernica begins with the evacuation, early in 1937, of a group of children from the Basque province of Biscay and its capital city Bilbao, to save them from the dangers and horrors of war. These were particularly acute in the north, where bombing and shelling were becoming quite frequent, law and order was breaking down (after the bombing on January 4th, angry mobs massacred 194 prisoners), food was very scarce and people were often hungry, Bilbao contained some 100,000 refugees from Guipúzcoa alone, the nationalists were gaining ground all the time (in a single night in December 1936, 400 Basques died from gangrene after their defeat by Franco's army at Villarreal de Álava), and already it was clear that the situation was going to deteriorate even further, although it was not until June 1937 that Bilbao was actually taken by the nationalists.

So the children leave a divided Spain, a country not simply

severed in two, but torn by several conflicting factions and forces based on political, religious, economic and geographical differences, and sharing little but the sufferings, torments and humiliations of war. The war is therefore the cause of the children's exile and so the starting point of the story, but it also forms a continuous and tragic background to all the adventures and misadventures which the children experience while abroad. Consequently the whole of the book may be regarded as an anti-war plea or protest, which not only shows the uselessness but also emphasizes the cruelty and pathos of such conflicts: remnants of the 1914–18 war are found by the children while playing; one of the most sympathetic of all the characters, Monsieur Bogaerts—possibly the author as he sees himself in adulthood—has been left partially deaf by that same great disaster; the enormity of the Spanish war is seen obliquely, in reflection as it were, throughout the novel, not in its political implications, but in terms of human hardship; the second world war is just beginning when the exiles are returning home. Not that it is on this account a thesis novel, that is to say, it is not a mere literary device contrived in order to prove that war is evil, or even specifically to show how much suffering it can cause. It is simply that as the reader follows the children's odyssey, which unfolds itself in incident after incident, he sees the effects of the war on their innocent lives and, accidently or secondarily, so to speak, becomes more and more filled with a conviction that fighting is a brutal and senseless way of solving differences. This lesson, implicit in concrete events and characters throughout the novel, is emphasized or summed up in more general and explicit terms in the thoughts that run through the protagonist's mind at various points, and particularly when he alights from the train at Irún on his return to Spain. The message may be a secondary one, but the author wants to ensure that the reader does not miss it.

The children in the novel have their differences too,—on a lower level than the national conflict, of course, though the latter forms the background and the youngsters' problems are the foreground—and it is suggested throughout that, apart from one or two incidents such as the row between Santi and Javier, theirs is the right way to resolve or prevent them: by joining together as a team, helping and caring for one another, searching for what they have in common and trying to ignore the issues that divide them. The tree in the grounds of the "Fleury", which the children rechristen the tree of Guernica—the oak, or rather succession of oaks, which from time immemorial has marked the place from where Biscay was governed and where the overlords of the province swore to respect the rights, liberties and privileges of the people—becomes for them a symbol of unity, patriotism, mutual respect and social responsibility, but above all a symbol of adherence and loyalty to their native village, province and country. And these are major themes in Luis de Castresana's novel.

The patriotism in question, it will be realized, is the extreme patriotism of exiles, of Spanish exiles and even more particularly of Basque exiles. The author in an interview which he gave shortly after the novel was awarded the 1967 Miguel de Cervantes National Prize for Literature, said: "Yo creo que una de las tragedias más grandes para un hombre es no poder vivir en su patria. Y sobre todo para un español. Porque el español es muy español" (Lola Aguado: "Luis de Castresana, premio Miguel de Cervantes", in *Informaciones*, 6th January 1968). Some readers may question certain of the qualities of this patriotism, or may feel that in places it degenerates into the kind of unhealthy sentiment which Spaniards call "patrioterismo". Not everyone may readily sympathize, for instance, with the determination to remain unequivocally Spanish and to resist all foreign influences and ways, the deliberate isolation from the problems and life in the foreign country, the insistence that man's roots, given him by God, are in the place where he was born and that any attempt to transplant him will and should make him restless, the order of priorities which puts loyalty to one's village and province before loyalty to one's country, the extreme emphasis on nationality, not to say on race, the subjective approach to history and the limitations on foreigners' rights to criticize a country, which they will find in this novel.

But the patriotism is sincere and deeply-felt, while nevertheless it does not blind the children to at least some of the objectively superior aspects of the countries they visit (see pages 105-6, for instance). They love their country and their province, and this love makes them quick to resent any insults to it; it also encourages them, as we have said, to try and settle their own differences, organize games and choral recitals, study Spanish literature and geography, support one another against all outsiders and, especially, to feel proud of being Spanish and Biscayan. So it is a practical as well as a sentimental patriotism. Santi's beret symbolizes this pride and determination to retain his racial and personal identity, and the unity they all manage to preserve in a strange environment is the concrete reward of their efforts to maintain their national characteristics and cherish in their hearts the reality and greatness of the country from which they are involuntary exiles. When the children from Biscay are joined by children from other parts of Spain they all gradually become united by their love of their native country, and after an initial closed concept of nationality, they later open their ranks and allow a young Belgian, André, to join them: their regional, national and human feelings are all reconciled.

Another aspect of the patriotism which permeates the entire book is the author's own serene and forgiving attitude to the war which drove him from his country as a child. The novel he has written shows no bitterness, anger or even judgment; no one is blamed for the war, or at least if anyone is at fault the whole of Spain is at fault: the *Fuenteovejuna* attitude is felt to be a just one (see note 3 to page 162). Neither do his characters take sides,—in fact the youngsters scarcely know what the war is about, which makes them even more pitiful and pathetic as victims—but rather they feel sad, disappointed and ashamed at the way in which their fellow-countrymen have been killing one another and dividing the country while they themselves are fighting their own personal battle abroad precisely to remain united among themselves, loyal to the concept of Spain which they brought with them and which they value so highly and convinced that, whatever differences may divide their people at home at that or any other moment in history, there are far more points which they have in common and should unite them. That is why the author says: "Este no es un libro de restas sino de sumas."

Yet another element of the patriotism which *El otro árbol de Guernica* advocates is implied in the recurring image of the tree and the mast, an image used more than once by the author in many of his novels (for instance, *Adiós*), stories (*Juan el botero*), and interviews (in *Vasconia Express*, 11th February 1969). He conceives of the rootless person—Agustín in particular, but even Begoña is implicitly criticized for speaking too much French—as someone of little worth and little character, lacking stability and balance. Indeed Agustín has so far cut himself away from his Spanish origins that he holds himself apart from the group; he remains a mere individual, whereas the others fulfil their functions both as individuals, each with his own particular problems, and as members of the group, sharing in the collective conscience, joys and difficulties. The complete person, represented, of course, by Santi, the "hombre-árbol" *par excellence*, is presented throughout as having roots solidly planted in one place—home—and belonging always to a group, with a social role to play in the collective enterprise. These two attitudes are closely associated throughout.

Unlike their elders, the children achieve a large measure of success in the struggle to preserve their unity despite various personal idiocyncracies, to retain their good humour and determination in the face of exile and loneliness, to practise mutual respect and comradeship though their nerves are obviously on edge all the time. They return at the end to a Spain that shows all the changes and scars which one would expect from such a devastating war as the one just ended, but they bring with them fresh and favourable attitudes, tremendous optimism and

13

strength of character, courage and determination, forged by the experience of almost three years of exile, during which they learned to love their native land as they might never have done otherwise. That is why it is, as the author says in his prologue to the original edition, "una novela de esperanza española y una declaración de amor a Vizcaya".

At the end of the novel the boy Santi promises to write some day the story of the adventures and experiences he had while in exile. Luis de Castresana has fulfilled that promise, and has identified Santi totally with himself, even giving his age, date and place of birth, as well as other interesting personal data. In fact with only very few minor alterations all of the characters, events, places and problems described in the book were real. In lectures, interviews and newspaper articles, the author has repeated that everything in *El otro árbol de Guernica* is true. Some, but not all, of the proper names have been changed: for instance, Tío Lázaro was Tío Lázaro, Hélène was Hélène and the place names are all authentic. We may even detect (on pages 110–11 and 118–19) a personal message from the author to the Dufours telling them how grateful he is, in spite of everything, for what they did for him. Therefore the question may be asked whether this is a novel in the usual sense at all, or whether it is not rather a memoir or piece of factual reporting. This is an interesting question, because while memoirs and reports are written in a manner intended to inform, to communicate particular or specific facts, conclusions and opinions which in themselves are considered likely to be of interest to readers, a novel's primary objective is to stimulate a personal experience of an aesthetic nature, by presenting general or universal truths and attitudes through the medium of particular, that is to say individual, characters and episodes.

Having posed the question of the book's position in this regard, we may perhaps suggest that the answer is to be sought in the consideration that it is not the historical accuracy or political significance of the events described which provide the main interest in this case, but rather the human genuineness of

the psychologies and conflicts and the inter-relationships between these and the particular situations and episodes. An
autobiographical novel may contain a larger element of fact
than does the average fictional novel, but this is quite incidental,
for all novels contain some factual material: it is merely a
question of proportion, not one of basic classification of genres.

So we may call this an autobiographical or documentary
novel. It is valuable as a document in that its background,
atmosphere, plot and characters are true and historically
accurate. It is a novel because of the way in which the facts
and the fiction are presented: as already suggested, the characters and events, and the patterns of relationships between them,
are given importance as interesting components of the plot as a
whole and as showing the significance of general truths, the
workings of the human soul and such abstract forces as patriotism, pride, loneliness, friendship and all the other points which
are implied by the story, rather than as facts significant for their
own sake or for any historical reasons.

It is difficult to define—especially with any brevity—what
the aesthetic experience is, but most aestheticians would say
that one of its qualities is a fundamental 'disinterestedness', by
which is meant that it does not move the reader directly to any
action and that it allows a certain 'distance' between him and the
cause of his experience, in other words, it does not excite any
excessive, inordinate or over-passionate involvement in him.
Luis de Castresana allowed thirty years to elapse between the
events which he describes and his setting pen to paper to write
what may even be called a novelized history, and we may
say that, as a result, although he undoubtedly "bears witness
to his time and to himself" (see: "El 'Miguel de Cervantes' a
Luis de Castresana" in *Pueblo*, 21st December 1967), nevertheless there is at least no conscious attempt to move readers to any
immediate action or to take up any strong political position.
However, some no doubt may feel that there is a clear attempt
to inspire in them a considerable degree of indignation at the
outrages committed knowingly or unknowingly against the

protagonist or his country. Some of these elements, notably the indelicacy of Madame Dufour, the insulting behaviour of Mademoiselle Jacquot and the infuriating rantings of the history teacher, might be considered too exaggerated to be realistic if we did not know that they actually happened. However, one may ask whether the historical aspect saves them, whether their emotional effect on the reader is not too strong and undiluted—not to say crude—to have a place in a good novel. Are they episodes which, if they were not historically real, "no good novelist would dare attribute to a single character"? This last phrase is a quotation from Luis de Castresana's own prologue to his biography of Catalina de Erauso, in which he says that this lady had such an adventurous life that as a novelist he would never have dared to invent or imagine it for fear of being too unrealistic. Does the fact that these events are factually true save them—or do they need such saving—from appearing exaggerated or inverisimil when inserted into the novel? On this point each reader will have to form an opinion for himself, based on his personal reaction to the relevant episodes as he reads through the novel.

However, there can be little doubt that this is an emotional and sentimental book. Incident after incident is heavily charged with emotive content, from the very first pages which relate the sorrow of the children's departure, weeping and leaving their weeping parents behind, to the restrained excitement of their return three years later.

The basic tone throughout is one of a gentle, melancholic nostalgia which the children feel for their homeland, mingled with a deep though courageous sorrow which they cannot fully avoid in spite of their continuous efforts to keep up their spirits and maintain some self-control. They dream of their families, especially at Christmas and at holiday times; they miss their friends and the places where they used to play; they look forward to the day when they may return to their homes. Even the sight of a father punishing his son makes them long for a healthy beating from their own fathers in their own homes.

For the most part it is a gentle, tender longing, but sometimes it does break out in tears, and occasionally degenerates into a morbid kind of pessimism or self-pity. Through this sadness, the external odyssey—the journey from their homes into exile and back again—is paralleled by a continuous internal development, strengthening or growing in character, maturity and love.

Death and love are two themes which frequently recur in Castresana's works. He closely relates one to the other and associates both with distance, which brings people together, sorrow, which evokes serenity, and mystery, which throws light on everyday things. The love referred to is not carnal love, but rather charity, the concern and consideration felt by human beings for one another; and death is not something tragic or incomprehensible, but rather simply a start to a new existence which itself gives insight into the mysteries of this earthly life. Eusebio's death had a tremendous effect on the author as a boy, and he himself now suffers from a serious illness, Ménière's disease, which is making him gradually deaf and which motivated him to write what may well be regarded as his best work, *Adiós*. This novel also contains an account of Eusebio's death, and is an extremely serene, happy and christian look at his own death, set down in the form of fiction. Castresana considers *El otro árbol de Guernica* not to be his best novel, but says "pero sí es la más mía, con mi voz", and is his favourite. Most critics consider that it is, in fact, his best novel, though perhaps only because they were writing before publication of *Adiós* in 1969. The melancholy is interrupted in many cases by elements of tension: at the start of the rebellion in the "Fleury", while waiting for the consequences of erasing the words "papá y mamá" on the card which accompanied the bicycle presented to Santi by the Dufours, and at the impending death of Eusebio. The tension is sometimes the natural consequence of allowing time to elapse between the beginning of an episode and what follows, but in one or two cases it is induced by a simple reference in advance to something which is about to happen—a technique which the author uses in many of his works. Examples are the sentences, "Dos días después llegó la noticia" (p. 215) and "Y el día siguiente, que era miércoles, fue el día de la rebelión" which ends chapter X. These and other similar elements also introduce a large amount of dramatic interest into the crises, as one follows the other.

Though the novel is composed of a long series of such crises, challenges, adventures and episodes, we may suggest that these are all woven into a plot of great uniformity and balance, in which they are linked to one another by memories, flashbacks and particularly by the unity of the atmosphere and the depth and authenticity of the psychology of the children. The novel is thus a very unified and homogeneous whole that affects the reader continually and repeatedly in almost exactly the same way throughout. Indeed the psychology of the children, and especially of Santi, the protagonist who is also presented as a little hero, is one of the main successes of the work, so much so that the state of the children's minds interests the reader more than the numerous events recounted. Think, for instance, of the genuineness of the child's feelings about going to the toilet (p. 101) and indeed all of his fears and inhibitions in the Dufours' house, or his remorse after striking his friend Javier (p. 214). Santi is Luis de Castresana, as we have said, though we suspect that he is presented more serenely and more maturely than he would have been if this novel had been written, say, in 1940. Santi perhaps is shown as more sure of himself, more clear-cut, than he might be in real life, almost as any adult would like to have been in his schooldays. He displays all the attitudes and fulfils all the duties associated with patriotism, concern for his companions and fellow-men, sense of responsibility, hatred of injustice, determination, courage, loyalty and nobility. He is stable and strong-willed, quick to make decisions, ever thinking of his *patria chica*, Baracaldo, Bilbao and Biscay as well as Spain itself. He is honest,—apart from his motives for fielding Luisito, when nascent adolescent love intervenes and the temptation is too much for him—expedient and relatively

18

calm in a crisis, as well as sentimental and quick-tempered, ready to back up with actions—or with apologies if he considers them appropriate—what he first feels and says out of passion and intuition. He can even feel sorry for what he has to do, while yet not hesitating to do it, which is surely a very mature attitude: such are his complex sentiments about leaving the Dufours.

Yet Santi is only a child and, when faced with hostile or unreasonable adults, has all the feelings of inferiority, insecurity and even fear which any child would have. He is proud, and when his pride is hurt he feels shame or anger: shame at being dependent on strangers for everything he has and when he thinks his clothes are too poor for the elegant house in which he finds himself, anger when an unjust superior mistreats a companion and when another boy makes fun of him. His sense of responsibility is quite equal to the onerous task placed upon his young shoulders, though he may lack some of the moderation or restraint which might blend well with his other virtues in an older person. Yet, as a child, he is completely vulnerable to the indelicacies and even the most blatantly coarse injustices of grown-ups. He reacts and defends himself, but his sufferings and feelings of helplessness are disproportionate to the importance of the cause. The child's world must always take second place to the adult's, the child is gravely conscious of his secondary position and if he loses confidence in the grown-ups or if they do not treat him justly and gently, his world becomes a place of terrible dilemmas and torments. This is one reason why Santi tends to lapse at times into a somewhat morbid type of pessimism or self-pity. His sense of justice equals his anger and ruthlessness in handling unpleasant people or situations, and poor André is a victim of his single-mindedness when dealing with a problem. Whether Santi is a born leader or whether circumstances have simply thrown him into a situation where his qualities are called into action, indeed whether in fact only his vanity deludes him into thinking that he leads at all, are questions which a reader may well ask himself as he goes through the book.

But Santi is the protagonist, not primarily because of his great qualities, but because of his loyalty to his parents, his birth-place and his country and because of his determination to maintain unity in the ranks of his comrades. Only in this sense is he really presented as a hero. For we suspect that Santi is too much an intellectual and an introvert, too much a man of thought and of feelings, to be a great man of action. His internal or spiritual struggle to grow up and adapt to his external circumstances reaches several crises which he has to handle with very little, if any, outside help, while at the same time continuing to exercise his own moral authority over the others. His situation as an exile only speeds up and intensifies the inevitable process of maturing and allows him to show himself, on the whole, equal to the difficulties. He certainly can claim a victory at the end, a victory whose merit is not in the least lessened by the fact that he is no average child, as at least one critic has pointed out (Mercedes Gómez del Manzano: "El españolito de Alsemberg" in *Revista*, May 1968). For Santi is obviously more intuitive than most normal children. For instance, the moment he arrives at the Dufours', he "knows" he will be unhappy and feels that he will not stay there long, and when he goes to the "Fleury" he again "knows" he will be happier there, and in both cases he is right. He feels intuitively that André is not really angry with the Spaniards though he appears to be, that Ramón has suffered a lot and that Lucía's mocking smile really hides her sadness.

Whether all these feelings and prophetic intuitions attributed to a young boy of twelve do not detract from what is basically a realistic novel is a point worth considering; indeed one may suspect that, rather than true fictional elements, they are the results of the author's own hindsight in real life. They may, however, be regarded as fitting in well with Santi's sensitive nature, with the character of a child who is quite content to spend hours just looking at a tree, who throws his catapult away and examines all his clothes to make sure they are clean when he finds himself in a high-class house, who never again goes fishing after noticing how silent the fish are, who is horrified and immobilized at seeing a cat lying in wait for a bird and gets physically sick when the bird is caught. He is also an emotional person: we are shown how sharply he reacts when Raymond tries to take him under his wing, how he is moved when he sees in Oléron the label his father put on his suitcase before leaving Bilbao, and how he retreats into a private attic of his own imagination whenever things go badly.

The reader may well wish to consider whether Santi's sensitivity, self-righteousness and readiness to take offence do not become so extreme at times as to be a little irritating. It will be relevant to this consideration, however, to remember that Santi is a member of a noble and proud people, that he is young and that he is away from the country which he loves and feeling all the loneliness and insecurity which are a natural consequence of his situation.

Some critics (R. M. de Hornedo in *Reseña*, April 1969 and Manuel Navarro in *El Magisterio Español*, 29th February 1968) have hailed *El otro árbol de Guernica* as a pedagogical book, a book containing lessons of particular value to young people, lessons, we may presume, of love of one's country, of loyalty to one's principles, of constancy in spite of feelings of insecurity, of how children should behave in unfamiliar and difficult situations. And there can be little doubt that children will sympathize with Santi and his friends, and will feel on their side all through the book. So again one may ask whether in fact the author is using the medium of his novel to teach or demonstrate such lessons, lessons which might be more explicitly, though perhaps less forcefully, formulated in a text-book or school-room lecture. But again one can probably answer that this is not so: all these lessons may indeed derive or be abstracted from a reading of the novel, but only as a by-product or secondarily; they emerge as they would from similar situations in real life, and not as if these were artificially thought up for the purpose of teaching morals or civic virtue. It is true, however, that one of the novel's greatest virtues, as we suggested earlier, is the close unity between the plot or story which is really a kind of adventure story, always interesting and full of anecdotes and incidents each following fast upon the other, and the more general or universal meanings of the plot, summarized in the tree-mast antithesis, which is so prominent throughout the novel, and exemplified in the other virtues, conflicts and solutions which arise. If anything, it would seem that in the story-meaning composite, the former element probably outweighs the latter, though both are combined in a way which is so clear that no reader is likely to miss any of the points involved.

Clarity and simplicity are in fact two main characteristics of the style of this novel. The language is of two levels: the literary level of the narration and the colloquial or popular language of the children in the dialogues and the thoughts which run through their heads, which in general are a faithful representation of the outspoken ways in which children would talk and think. The literary level is sometimes so casual that it becomes careless: the cacophony of noble roble (p. 209), equipo used in two senses (p. 117), notas . . . notaba (p. 186), undue repetition of vocabulary or grammatical forms such as *supo* etc. are examples of this. At other times there are poetic elements: for instance the pathetic fallacy which accompanies the start of the rebellion (p. 149) or the phonic value of names such as Ninde-lez-Tremoloo.

The tempo of the narration varies from very slow, suggesting the tedium and monotony of time dragging by (as on p. 148), as is natural in the case of children who think and dream of practically nothing but going home, this tempo being further emphasized occasionally by the repetition of scenes or memories (pp. 218, 229), to very fast, when Santi occasionally does not remember or prefers to pass over some part of an incident (as on p. 70). Exemplification is one of the author's favourite techniques: he gives one instance of some element, such as the humiliations of war (p. 39) or the delicacy with which the children treat the boy who stammers (p. 139), from which the reader is intended to generalize and understand a whole atmosphere or attitude. The point of view is almost always that of Santi, that is to say practically everything is presented as it would appear to him. However from time to time the reader is taken completely outside of him and is shown things as a spectator would see them: we are shown the hospital (on p. 124), for instance, before Santi sees it (on p. 126), we see the effect of his reading the letter from home before we know its contents (p. 79) and we are told how the Dufours prepared for his coming before he arrived (p. 99).

The secondary characters, in general, are adequately portrayed, though at no time is there any doubt about the fact that they are secondary to Santi: it is his story, not theirs, which is being told; it is his problems we are sharing, though theirs may sometimes coincide or converge with them. But at no time do we really enter into their hearts or minds: we are told things about them, sometimes more than once—as when we are reminded on page 71 and again on page 135 who Javier Aguirre Albizu was, or on page 95 who Lucía was—but remain outside of them, just, in fact, as Santi does. Some of them, Lucía for instance, never become anything more than shadows that flit past for a moment and disappear from view, though the function they fulfil may be quite an important one for the development of the novel, as when Aresti and Agustín symbolize respectively interest and disinterest in one's fellow-countrymen. Mademoiselle Jacquot's evil character may be too exaggerated and the contrast between her and Mademoiselle Tys too simple to be entirely satisfactory, and may well be considered as lowering the level of part of the novel to that of a book for children. Santi is actually presented and shown to us, we get to know him, while all the others are simply people about whom we are *told* things. Yet the novel is not written in the first person, as it might have been, and this allows the author to change his point of view on occasion and give the reader a perspective which Santi could not share. Apart from these rare occasions, however, the reader has the impression that Santi and the narrator are the same person—as indeed they are.

Whether and to what extent each reader will enjoy and benefit from his perusal of their story will depend on the effort he puts into his reading, his personal judgment and indeed his taste. This brief Introduction has attempted only to make some suggestions as to what points he might consider worthy of attention, but ultimately he has to read and judge the book for himself.

BIOGRAPHICAL NOTE

Luis de Castresana was born on the 7th May 1925 in Ugarte, a district of San Salvador del Valle, in the Basque province of Biscay. After the sad adventure of the evacuation to France and Belgium which he narrates in *El otro árbol de Guernica*, he continued his education first in Bilbao and later in Amsterdam. He had many jobs, including one as a circus hand and another as a painter, before joining the Madrid evening newspaper *Pueblo* as a reporter. He was the London correspondent of that paper for three years, travelled widely, particularly to the Arctic Circle and all over the Middle East, and gave talks on the BBC and Radio Nederland. He has written thousands of newspaper articles, dozens of short stories and over twenty books, as well as the Spanish dialogues for the Russian films of Don Quijote and Hamlet. His novel *El otro árbol de Guernica*, of which a film has been made, won the Miguel de Cervantes national prize for literature in 1967, and his biography *Catalina de Erauso* was awarded the Fastenrath prize by the Royal Spanish Academy in 1969. Luis de Castresana makes no secret of the fact that he now suffers from very poor health and lives a quiet life, with his wife and son, partly in Madrid and partly in Bilbao, where his work consists mainly of writing novels, biographies and newspaper articles.

THE WORKS OF LUIS DE CASTRESANA

Novels:

Nosotros, los leprosos. Bilbao, E.S.M., 1950.
Gente en el hotel. Madrid, La Nave, 1951.
Somos así. Madrid, La Nave, 1951.
La posada del bergantín. Barcelona, Caralt, 1952.
Un puñado de tierra. Barcelona, Caralt, 1952.
La muerte viaja sola. Madrid, La Nave, 1954.
The Sower. London, Four Square Books, 1961.
La frontera del hombre. Barcelona, Plaza y Janés, 1963.
El otro árbol de Guernica. Madrid, Prensa Española, 1967.
Adiós. Madrid, Prensa Española, 1969.
Retrato de una bruja. Barcelona, Planeta, 1970.

Other volumes:

Cuentos del dolor de vivir. Bilbao, Gil, 1948.
Dostoievsky. Barcelona, Caralt, 1953.
Rasputín. Barcelona, Caralt, 1956.
Spaanse Verhalen. Utrecht, Het Spectrum, 1958.
Europa de punta a punta. Bilbao, Paulinas, 1960.
Neurotic or Saint. London, Aquin Press, 1962.
Inglaterra vista por los españoles. Barcelona, Plaza y Janés, 1965.
Elogios, asperezas y nostalgias del País Vasco. Bilbao, La Gran Enciclopedia Vasca, 1968.
Catalina de Erauso, la monja alférez. Madrid, A. Aguado, 1968.
El pueblo olvidado y otros relatos del País Vasco. Bilbao, La Gran Enciclopedia Vasca, 1969.
Vida y obra de Iparraguirre. Bilbao, La Gran Enciclopedia Vasca, 1972.

SELECT BIBLIOGRAPHY

ANON.: "El 'Miguel de Cervantes' a Luis de Castresana" in *Pueblo* (21st December, 1967).

ANON.: "Luis de Castresana" in *ABC* (18th January, 1968).

ANON.: "Luis de Castresana: Documento personal" in *SP* no. 384 (4th February, 1968).

AGUADO, LOLA: "Luis de Castresana, premio Miguel de Cervantes" in *Informaciones* (6th January, 1968).

ALCÁNTARA, MANUEL: "El otro árbol de Guernica" in *Arriba* (28th November, 1967).

BLANCO VILA, LUIS: "Los niños de la guerra y su aventura europea" in *Ya* (7th December, 1967).

CASTRESANA, LUIS DE: "Autorretrato" in *Pueblo* (19th January, 1968).

CEREZALES, MANUEL: "El otro árbol de Guernica" in *El Alcázar* (8th January, 1968).

CONTE, RAFAEL: "Dos novelas sobre la guerra española" in *Informaciones* (2nd December, 1967).

DIAZ-PLAJA, GUILLERMO: "El otro árbol de Guernica" in *ABC* (28th December, 1967).

FENTANES ARIÑO, JACINTO: *El mundo vasco en la obra de Luis de Castresana*, La Gran Enciclopedia Vasca, Bilbao (1972).

GÓMEZ DEL MANZANO, MERCEDES: "El españolito de Alsemberg" in *Revista*, Madrid (May, 1968).

HORNEDO, R. M. DE: "El otro árbol de Guernica", in *Reseña* no. 27 (April, 1969).

MANRIQUE DE LARA, JOSÉ GERARDO: "Dos novelas de la guerra civil" in *Cuadernos Hispanoamericanos* no. 222 (June, 1968).

MIAJA, FRUCTUOSO: "Merecido galardón a un libro" in *El Faro de Ceuta* (22nd March, 1968).

M.R.: "Luis de Castresana, el hombre y el escritor" in *Vasconia Express*, Bilbao, no. 2 (11th February, 1969).

NAVARRO, MANUEL: "El otro árbol de Guernica: ¿Libro de lectura escolar?" in *El Magisterio Español* no. 7968 (29th February, 1968).

OTERO SECO, ANTONIO: "Luis de Castresana ou l'enfance exilée" in *Le Monde*, Paris (4th May, 1968).

PERLADO, JOSÉ JULIO: "El otro árbol de Guernica" in *Nuevo Diario* (28th January, 1968).

PLANS, JUAN JOSÉ: "Los españolitos de Alsemberg" in *La Estafeta Literaria* (9th March, 1968).

SALCEDO, EMILIO: "Luis de Castresana, con raíces como el árbol de Guernica" in *El Norte de Castilla* (27th October, 1968).

U(RIARTE), L. L.: "Premio nacional de literatura", in *La Gaceta del Norte*, Bilbao (31st December, 1967).

VALENCIA, ANTONIO: "La guerra les hizo hombres" in *Arriba* (28th January, 1968).

VÁZQUEZ-ZAMORA, RAFAEL: "Los pequeños e involuntarios emigrantes" in *España*, Tánger (25th August, 1968).

GARCÍA VENERO, MAXIMIANO: *Historia del nacionalismo vasco*, Madrid, Editora nacional, 1968.

THOMAS, HUGH: *The Spanish Civil War*, London, Eyre & Spottiswoode, 1961.

El otro árbol
de Guernica

NOTE

An asterisk in the text indicates that a word or phrase so marked is dealt with in the Notes beginning on page 247.

PRIMERA PARTE

LA PARTIDA

De los sus ojos—tan fuertemente plorando
volvía la cabeza—y estábalos mirando.

POEMA DEL MÍO CID

I

Iban calle Portu abajo, camino de la estación. Había llovido mucho durante la noche y soplaba ahora un viento frío y húmedo, pero la mañana era soleada y tranquila. Si Santi no hubiera mirado hacia la derecha, hacia el túnel de la pequeña vía férrea, con su boca casi tapada por los sacos de arena, hubiera podido pensar, por un momento, que en Baracaldo todo era paz y quietud.

Pero no había paz en Baracaldo, sino guerra; y eran las diez de la mañana de un miércoles y no uno de aquellos domingos en que iban a Bilbao a ver a los abuelos y regresaban a casa, cansados y alegres, al anochecer. Si hubiera sido un día como los demás, al ver a Santi, como ahora, pisar los charcos con sus zapatos nuevos, su madre le hubiera dicho: "Así es como los echas a perder en seguida" y hubiera movido la cabeza con reproche; y su padre le hubiera dirigido una de aquellas miradas suyas, graves y silenciosas, que a Santi le dolían más que unos azotes.

Pero hoy su madre parecía no ver cómo Santi hundía sus zapatos, con rabia y adrede, en todos los charcos del camino; y el padre, que llevaba las dos pequeñas maletas, miraba hacia adelante sin expresión alguna. En aquella mañana no había espacio para los reproches.

Begoña miró lentamente a Santi, le cogió la mano y se la apretó con fuerza. "Tiene miedo de perderme, miedo de hacer el viaje sin mí. Me necesita", pensó Santi confusamente. Miró a

Begoña con una breve sonrisa de aliento y le oprimió suavemente los dedos. Ella tenía la expresión un poco asustada y parecía aun más pequeña, más niña de lo que era. Llevaba calcetines blancos, zapatos de charol y un lazo amarillo y muy grande en la cabeza. Cuando su madre se lo puso, aquella mañana, Santi había dicho: "Parece un lazo de caja de bombones." Su madre no había dicho nada. Le había mirado largamente y luego, de pronto, había ido corriendo a la cocina. Ya sabía Santi a qué: a llorar.

Ahora caminaban los cuatro en silencio, muy serios y graves. Juanito no había podido acompañarles. Aquella mañana se había levantado muy temprano, para ir a la tienda de Cirilo, en la plaza de los Fueros. La noche anterior una vecina le había dicho a la madre de Santi, muy en secreto, que había visto cómo Cirilo y sus dos dependientes metían en la tienda, con sigilo, tres grandes sacos de azúcar morena.

Juanito y Santi compartían la habitación. A veces, antes de dormirse, Juanito le confiaba muchas pequeñas cosas, hablándole como a un chico mayor. Le hablaba de sus estudios, de que quería empezar a trabajar y ganar dinero. A Santi le gustaba que su hermano le tratase de igual a igual, como si tuviesen la misma edad. Porque Juanito tenía ya diecisiete años, llevaba pantalón largo, fumaba a escondidas y los domingos bailaba con las chicas en Portugalete. "Bueno, ahora no", se corrigió Santi; desde hacía algún tiempo Juanito sólo bailaba con Miren, una muchacha de Erandio que era medio novia suya. Una vez, después de cenar, Juanito había preguntado: "Padre ¿puedo salir esta noche? Hay música en la plaza de arriba y he quedado con unos amigos." Santi se sintió emocionado y un poco asustado ante la pregunta. Aguardó expectante la respuesta paterna y quedó mirando a su padre y a Juanito, a Juanito y a su padre. Y el padre depositó la mirada en el rostro de Juanito y permaneció un rato en silencio. Después dijo a la madre: "Dale la llave del portal", y a Juanito: "Vuelve pronto." "Sí, padre", dijo Juanito; y cuando la madre vino con la llave del portal, una llave grande y muy pesada, de hierro, y se la entregó a Juanito, Santi supo que aquél era un momento decisivo en la vida de su hermano.

Santi suspiró y se pasó mecánicamente la mano por las mejillas y la barbilla. Todavía le sonaban en los oídos las palabras que su hermano le había dicho hacía unas horas: "Cuida a Begoña y no hagas ninguna barrabasada por ahí." Le había hablado con el acento un poco despegado de una persona mayor que se dirige a un niño, pero de súbito, antes de salir, Juanito le había abrazado y le había dicho: "Pronto te va a salir la barba." Era lo más halagüeño que su hermano le había dicho jamás, y Santi le miró con ternura y gratitud. Luego Juanito había salido muy de prisa, sin decir nada más, y había marchado a ponerse en la cola del pan. Santi le había oído cerrar la puerta de casa muy despacio, procurando no meter ruido.

Ahora, mientras bajaban por la calle Portu, la madre miraba de vez en cuando de reojo a Santi y a Begoña, y parecía que iba a decir algo y callaba y tragaba un suspiro. Santi se esforzaba en no responder a su mirada. No quería mirarla de frente porque sabía que si lo hacía, a ella se le desmoronaría la serenidad y rompería de nuevo en sollozos.

Unos niños jugaban a la pelota utilizando como frontón la pared trasera de una casa. Estaban *el Pecas*, Sabino, Joaquín y un grandullón de Santander que había venido hacía unas semanas con sus padres. Era un chico ágil y fuerte, pero muy torpe jugando a la pelota.* No sabía ni hacerla botar y quien le tenía de compañero en un partido estaba listo: perdía siempre.

—Hola, Santi —dijo *el Pecas*—, ¿adónde vas?

Santi se mojó los labios y siguió caminando.

—¿No juegas? —gritó Sabino.

Santi dijo que no con la cabeza. Sabía que si hablaba se darían cuenta de que tenía la voz húmeda.

—Santi y Begoña se van de viaje —explicó el padre.

—¿Volverán pronto? —preguntó *el Pecas.*

—No sé —dijo el padre, sin mirar a nadie—. Depende. Cuando esto acabe.

La mujer suspiró ruidosamente y los párpados le temblaron.

—Mujer, por Dios —murmuró él.

Siguieron caminando y Sabino y los demás reanudaron el juego. Santi volvió la cabeza para mirarles. Y tuvo de pronto un deseo enorme de quedarse allí, quitarse los zapatos y ponerse las alpargatas. Entonces vería el santanderino aquel cómo se jugaba a la mano.* Porque siendo todavía un crío, cuando una vez le preguntaron: "¿Qué vas a ser tú cuando seas mayor?" Santi respondió, sin dudar: "Yo, pelotari." Pasaba las horas, después de salir de la escuela, jugando en el frontón o en las paredes traseras de las casas o en los soportales de la iglesia. Al principio era un poco torpón con la mano izquierda; y durante más de dos semanas, pretextando una pequeña herida, había llevado vendada la mano derecha. Así no tenía más remedio que utilizar la izquierda. Cuando le hacía falta una pelota, Santi se la fabricaba él mismo: enrollaba lana alrededor de una canica y ya estaba.* A veces le cosía badana por encima, usando hilobala, y la frotaba con sebo para que pareciese una pelota de las de verdad, de las* que se utilizaban en el frontón.

Joaquín le hizo un saludo con la mano y Santi movió el brazo en un gesto de adiós y volvió la cabeza. En la plaza de abajo, junto al mercado, mujeres y niños hacían cola. En lo alto de un tejado se veían tres grandes letras, U. H. P., y junto al kiosco de música unos letreros pregonaban *Euzkadi Azkatuta* y *No pasarán.** Los altos hornos arrojaban débiles bocanadas de fuego y el tranvía 1, el de Bilbao a Santurce, el que Santi solía coger cuando iba a ver a los abuelos, pasaba con ruidoso traqueteo.

—Justo a tiempo —dijo el padre—. El tren vendrá en seguida.

Santi miró el reloj de la fachada de Altos Hornos:* las diez y veinticinco. El aire olía a lluvia y a humo. Un chaval con gorro de miliciano ponía chapas de botellas de cerveza y de Iturrigorri* en los rieles del tranvía para que las ruedas las allanasen. Una mujer cantaba y colgaba ropa en el tercer piso de la casa alta frente a la estación.

En la sala de espera había poca gente: tres mujeres de aspecto aldeano hablaban en voz baja; dos milicianos, armados, se pasaban la petaca y liaban calmosamente un cigarrillo; una niña con un aro en la mano parecía estar esperando algo. Habían abierto uno de los puestos del mercado y se oían voces airadas de mujeres protestando porque alguien quería pasar saltándose la cola.

En la sala de espera todos estaban de pie; no había nadie sentado en los bancos de madera, lustrosos y amarillentos, adosados a la pared. Santi, su madre y Begoña tampoco se sentaron. El padre dejó las maletas en el suelo y fue a sacar los billetes. Dijo:

—Para Bilbao. Dos de ida y dos de ida y vuelta.

Y entonces fue cuando* Santi rompió a llorar. Begoña lloró también, frotándose los ojos con la palma de las manos; y la madre, que aquel día le había puesto a Santi fijador en el pelo, le rodeó con un brazo la cabeza y le despeinó.

—Cuida a tu hermana, hijo —musitó.

—Sí, madre.

—Tú eres ya un chico mayor, Santi; tienes once años.

—Casi doce —puntualizó Santi, un poco ofendido—. Los cumplo en mayo.

—Sí, hijo —dijo la madre. Y añadió: —Cuídala mucho. Que no le pase nada a Begoña.

—No, madre.

—No la riñas sin ton ni son. Y no le pegues; que a veces, cuando te sale el mal genio . . .

—No, madre.

Santi se desasió de Begoña y sacó un pañuelo para secarse el sudor de las manos. Begoña le cogió el pañuelo y se sonó.

Hacía ya días que Santi sabía que él y Begoña se marcharían. Hacía ya días, semanas, que todo habían* sido esperas, pequeñas compras, suspiros y largos silencios y lágrimas de su madre a escondidas. (Por mucho que su madre llorase a escondidas, Santi siempre lo adivinaba.) Pero solamente entonces, cuando ante la ventanilla de la estación dijo su padre: "Dos de ida y dos de ida y vuelta", sólo entonces comprendió Santi que era verdad que él y Begoña se iban, que se iban y que tal vez nunca más volverían a Baracaldo. Pensó: "Y acaso un día cualquiera, en un bombardeo de los aviones o del *Cervera*,* o tal vez hoy mismo, cuando nosotros nos hayamos ido . . ."; y experimentó un dolor tan grande que no pudo seguir su pensamiento, porque le resultaba insoportable la idea de que su madre y su padre pudiesen quedar un día enterrados bajo los escombros de una casa bombardeada.

El padre se apartó de la ventanilla con los billetes en una mano y llevándose la otra, con los cambios, al bolsillo. Santi le miró, miró a su madre y supo entonces cuánto les quería y les necesitaba y qué desamparado se iba a encontrar sin ellos allá fuera, lejos de Baracaldo. Pero inmediatamente transfirió estos pensamientos a su hermana y pensó, como una promesa: "Yo te cuidaré, Begoña." Y le inundó una gran ternura hacia la niña de los zapatos de charol y del lazo amarillento doblado sobre el pelo como sobre una caja de bombones.

—Bueno, vamos. Parece que viene el tren —dijo el padre.

Santi pronunció mentalmente: "Cualquiera sabe dónde estaremos mañana a estas horas"; empuñó él mismo las dos maletas —pesaban muy poco— y pasaron al andén. Su padre le puso una mano sobre los hombros.

—¿Cómo estás, hijo?

—Bien —dijo Santi—. Bien, padre.

El tren venía a lo lejos. Se le veía doblando la curva del puente de hierro, sobre el río, dejando nubarrones de humo a su paso. ¿Cuántas veces, en aquellas aguas del Galindo, había ido Santi a coger gusanos entre el fango, al bajar la marea, para que sirvieran de cebo cuando iba de pesca al Morro y a la Punta, junto a las grúas y los talleres, junto a las vagonetas y gabarras cargadas de mineral? "¿Cuántas?", se preguntó Santi; y durante un rato estuvo buscando la respuesta. Pero habían sido demasiadas para recordarlas todas. Movió la cabeza y levantó la mirada hacia el hospital militar de lo alto del monte, en Sestao. Desde el andén de la estación tenía algo de fortaleza y de navío extrañamente anclado en la cima del monte. Allí estaba él, allí estaba Tío Lázaro. "Tío Lázaro", musitó entre dientes. Durante un rato le tuvo a su lado; durante un rato Santi oyó su voz y vio su sonrisa, sus dedos huesudos y sus pasos lentos y tranquilos.

Al estallar la guerra Tío Lázaro había sido uno de los primeros en ir al frente. Había sido también uno de los primeros en volver: un balazo le había atravesado el pulmón. Los médicos dieron a entender, vagamente, que no viviría mucho tiempo. Santi y los suyos solían ir a visitarle una vez a la semana, los jueves por la tarde. Tío lázaro siempre les daba algunos *richis* o panecillos que él iba "ahorrando" de su ración a lo largo de la semana. "No, Lázaro, de ningún modo", había dicho la madre de Santi el primer día, cuando el herido, a la hora de la despedida, les había dado dos panecillos. Pero él insistió: "No los necesito, de verdad." Luego, mirando a Santi, añadió: "Anda, llévatelos. Para los chicos."*

Habían vuelto a casa con los panecillos, un poco avergonzados, pero como si llevaran un tesoro bajo el brazo. Los alimentos estaban racionados y la comida no sobraba en Baracaldo. Desde entonces todas las semanas, cuando iban a visitarle, Tío Lázaro les daba dos, tres y hasta cuatro richis; y Santi, que le quería mucho, llegó a preguntarse si iban a verle para eso, para verle, o para que les diera los richis que él no comía. A Santi le hubiera gustado que Tío Lázaro no les diera nada. Hubiera querido pasar hambre y que Tío Lázaro supiera que le visitaban porque le querían, porque era Tío Lázaro, no por lo otro.

Sin darse cuenta dijo, como si pensara en voz alta:

—No morirá, ¿verdad?

Su padre le miró, extrañado.

—¿Qué te pasa, Santi? —preguntó la madre, preocupada.

—Tío Lázaro —explicó Santi— no morirá, ¿verdad?

El padre era serio y grave y no respondió; pero la madre estaba acostumbrada a sacrificarse y a mentir si era necesario para tranquilizar a Santi y a sus hermanos. Y dijo:

—No, hijo. ¡Qué ocurrencia!

Santi supo* que mentía y se lo agradeció con una triste sonrisa. El tren se paró, jadeante. Una puerta les tocaba justo en frente y el departamento estaba casi vacío. Como siempre, Santi y Begoña se sentaron junto a las ventanillas. Nadie hablaba. Santi se asomó y miró ávidamente a su alrededor, como si respirase hondo por los ojos. De pronto todo lo vio como si fuese la primera vez, con virginidad de ciego que recobra la vista. Y todo en aquel pequeño mundo familiar de Baracaldo tuvo para Santi otra dimensión y otro sentido.

La calle Portu, que siempre le había parecido empinada como la ladera de una montaña, larga como un día aburrido, era ahora una calle ligeramente en cuesta, breve y corta. Aquellas casas, aquellas calles y aquellas plazas, que siempre le habían parecido grises y un tanto tristes y vulgares, aparecían ahora, de repente, llenas de encanto y de entrañabilidad. Y cada metro de calle, cada arco de la plaza, cada piedra, cada persona que cruzaba una calle o se asomaba a una ventana, cada aldaba de portal y cada chimenea, cada tejado, tenían una sobria ternura infinita. Y Baracaldo no era un pueblo tan grande como Santi había pensado durante años, sino algo tan pequeño y tan suyo que él podía llevárselo consigo a todas partes.

Quedó pensativo, un poco desconcertado y angustiado por su súbito descubrimiento. Era que la hora de la partida había llegado y Santi sentía ya, confusamente, como una borrosa premonición, la melancolía del exilio.

—Santi —dijo Begoña—, ¿qué piensas, qué te pasa?

—Nada, Bego —dijo él.

La* sonrió tratando de infundirla los ánimos que a él le faltaban. Sonó vibrante el pitido del jefe de estación, un pitido que siempre le recordaba a Santi el silbato del árbitro en Lasesarre, y el tren dio un tirón y se puso lentamente en marcha. Santi tuvo de súbito una enorme, una indecible necesidad de mirar nuevamente hacia la derecha, pero no al puente de hierro ni al hospital, sino a ras de tierra. Allí estaba el campo de fútbol del *Baracaldo Fútbol Club* —"su" equipo— y allí estaba la gran pradera donde se celebraban todos los años las fiestas del Carmen.* Allí, una noche, cuando estaba sentado en una cervecería al aire libre con sus padres, Begoña y unas familias amigas (Juanito estaba bailando con una chica que no era Miren), mientras alrededor todo era alegría y olor a churros, música, cohetes, girar de tío-vivos y júbilo, mientras Santi se mecía en la silla-tijera y su madre le decía por décima vez: "Que te vas a caeeer", allí, hacía unos meses, una noche de julio, alguien dio la noticia: "¿No sabéis? Ha estallado la guerra. Lo acaba de decir la radio."

Todos habían permanecido unos instantes en silencio y luego habían hablado de política y de cosas que Santi no comprendía. "¡Dios mío!", había dicho su madre; y el padre* había mirado a Santi y a Begoña y ya nadie se burló de Santi porque a él no le gustaban ni el chacolí ni el vino. Su padre tuvo un momento de irritación y gritó de pronto, airado; "Santi, ¿no oyes lo que dice tu madre? ¡Deja de balancearte!" Se pasó una mano por la frente y añadió, con una voz diferente, más apagada y meditativa: "Nada, hijo. Haz lo que quieras." Pero Santi ya no volvió a mecerse en la silla-tijera. Regresaron a casa en seguida, apenas sin hablar, y aquella noche Santi no se durmió hasta muy tarde. Estuvo mucho rato acurrucado en su lecho, con los ojos abiertos, oyendo cómo en el comedor su madre rezaba con voz suave y monótona a la Virgen de Begoña.*

Las ruedas del tren giraban ahora más rápidas y decían: "Me-voy-me-voy-me-voy." Lasesarre y su verbena de Nuestra Señora del Carmen y su campo de fútbol se fueron alejando, alejando, alejando. Santi acarició inconscientemente el cinturón nuevo —de hebilla y con el escudo y los colores del *Baracaldo F. C.*: amarillo y negro— que su padre le había regalado aquella mañana. Un segundo después el túnel les dejó a oscuras y las palabras familiares del padre sonaron cálidas y reconfortantes, como si en vez de hablar hubiera encendido una cerilla en la oscuridad. Y dijo:

—Sube las ventanillas, Santi. Que no se os meta carbonilla en los ojos.

Santi subió las ventanillas y se quedó mirando delante de sí sin ver nada.

II

Lo primero que solía hacer Santi siempre que iba a Bilbao, al bajar del tranvía o del tren, era dar unos pasos, pararse y mirar despaciosamente a su alrededor. La gran ciudad le impresionaba un poco. Le había impresionado la primera vez, cuando era tan pequeño que apenas sabía hablar, y había seguido impresionándole todas las veces que había ido a pasar el domingo a casa de sus abuelos. Le gustaba mirar las luces, el tráfico, la gente, los puentes y, sobre todo, la ría. Aunque él no era hombre de mar, sino de tierra, muy de tierra adentro, a Santi le cautivaban la ría y sus márgenes llenos de grúas; la ría y su olor a brea, a marea baja y a café con leche; la ría y los barcos con sus pequeñas y chatas chimeneas metálicas, sus arboladuras y sus labores de carga y descarga.

Se tardaba media hora en tren y una hora en tranvía, que era más barato, en recorrer los siete kilómetros que separan Baracaldo de Bilbao. Pero aquel trayecto había constituido siempre, para Santi, una aventura. En Baracaldo, que era un pueblo grande, y fabril, la vida era más sencilla y espontánea, más familiar. Allí las calles y las plazas estaban para quedarse en ellas charlando o jugando con los demás chicos; aquí, en cambio, las calles, eran como vehículos que sólo servían para llevarle a uno a alguna parte.* En la gran ciudad los niños, había observado, parecían más graves y serios, como si estuviesen enfermos. Casi todos parecían vestidos siempre de domingo, con zapatos y chaqueta y algunos incluso con corbata. Santi no había visto

42

nunca a ningún chaval jugar a la pelota tras las casas, y sólo una vez, en la calle Dos de Mayo,* había visto a unos chicos jugar al fútbol con un balón de goma. Pero apareció un alguacil, un chico gritó: "¡Que viene el agua!", y todos corrieron en desbandada, dejando abandonado el balón como una vergonzosa proclamación de huida. Hacía mucho tiempo, mucho tiempo, Santi había visto un perro de lanas al que todas las tardes sacaba de paseo una solterona rica de Baracaldo. Era un can tan buenecito, estaba tan domesticado, que el pobre no sabía ni ladrar; y cuando venía a Bilbao y veía a algún niño Santi pensaba, no sabía por qué, en aquel perro.

Santi tendió la mirada hacia arriba, hacia la Gran Vía, giró la cabeza y alzó los ojos para otear Archanda* y abarcó luego de una ojeada el Arenal, el muelle de la Merced y la Ribera.

—Bueno, ya hemos llegado —dijo el padre.

Señaló con la barbilla el Ayuntamiento, que era el lugar de partida. Se veía mucha gente ante la escalinata; unos autobuses estaban parados en medio del gentío; sonaba una banda de música.

Cruzaron el puente. La madre dijo algo que Santi no entendió y el padre la miró con expresión preocupada.

—¿No te encuentras bien?

—No es nada —musitó ella.

—Aún hay tiempo. ¿Quieres tomar algo?

—Sí, un café —dijo la madre.

Entraron en el café del *Arriaga* y el padre pidió dos cafés con leche.

—¿Tú quieres algo, Santi?

—No, padre.

—¿Y tú?

—Un vaso de leche —dijo Begoña.

—¿No quieres comer algo, hija?

—No —dijo Begoña—. Sólo un vaso de leche.

Santi se quedó mirando por la puerta acristalada. Le gustaba mirar tras los cristales, apretando la frente, achatando la nariz y viendo cómo poco a poco su aliento creaba una pequeña opacidad vaporosa en el cristal.

—¿Qué haces, Santi? —preguntó el padre.

Tomaba a pequeños sorbos el café caliente, servido en vaso, y liaba nerviosamente un cigarrillo.

—Miro —dijo Santi.

Le gustaba mirar, ver. Era capaz de pasarse horas enteras mirando un árbol, como si le estuviese viendo crecer; o a una lagartija asomada entre las rendijas de una tapia, tomando el sol; o a unos hombres que hablaban en la calle, que se decían "Bueno, hasta luego" veinte veces y que seguían sin despedirse. La vida le entraba a Santi por los ojos y si de algo tenía miedo en este mundo era de quedarse ciego. Era un muchacho reconcentrado y con una gran curiosidad por las pequeñas cosas. Todos los días, al leer un libro, al asomarse a la ventana de su casa o al hablar con algún chico nuevo que iba a su clase, descubría algo que ensanchaba su campo de experiencias y que le hacía, él lo sabía, un poco más rico. Era como tener constantemente algo nuevo en los bolsillos; pero no en los del pantalón —en ésos sólo tenía alguna canica, alguna perra chica y el pañuelo— sino en otros bolsillos que se había hecho en alguna parte dentro de sí.

Santi guardaba muchas cosas en aquellas breves alforjas misteriosas que nadie conocía: recuerdos de rostros y de voces amigas; sabor a tierra mojada; sonidos de hojas secas pisadas en la aldea; olor a humo de fábricas; tardes de lluvia cuyas gotas escopeteaban como perdigones los tejados o ponían visillos en los cristales; el sabor de las patatas asadas entre las cenizas del fogón o de la chimenea; el chillido del hijo pequeño de doña Susana cuando en Ugarte, al cruzar la carretera, le pilló un camión que venía de Somorrostro; la luz de la bicicleta con farol de carburo deslizándose al oscurecer sobre el camino de Galindo, hacia la *Babcock Wilcox*;* amaneceres gloriosos en los montes de las Encartaciones,* cuando el cielo se rasgaba la piel entre las ramas de algún árbol y su sangre goteaba como el grifo mal cerrado de la fuente de la cocina; melancólicas y ateridas tardes de otoño, cuya luz tenía como un sabor de membrillo; júbilos y tristezas que le exaltaban o deprimían enormemente y mil emociones, sonidos, sabores, olores e imágenes que nunca compartió con nadie y que nadie conocía, ni siquiera su madre. Santi almacenaba todas estas cosas en un desván que tenía escondido en alguna parte. Y de vez en cuando se encerraba silenciosamente en él y hacía el inventario de los pequeños trastos y tesoros que tenía.

Ahora, por ejemplo, mientras tras los cristales del *Arriaga* miraba hacia el Ayuntamiento, no pensaba ni en su próxima partida al extranjero, ni en su padre, ni en Begoña, ni en la guerra. Santi se había metido en el desván y estaba mirando al gato, a aquel gato malévolo que era la única cosa que él hubiera querido arrojar del desván. Pero no podía, y esto le perturbaba.

Había ocurrido hacía casi siete años, en la casa a la que habían ido a vivir, en Retuerto, cuando abandonaron Ugarte. Estaba cerca de la escuela, en la carretera principal que conduce de Cruces a San Salvador del Valle, y era una casa pequeña, de planta baja y un piso. Tenía unos palmos de tierra en la parte trasera y, allí, una higuera. Tenían un gato en casa, un gato blanco, de ojos relucientes como grandes botones dorados.

Una ventana del comedor daba a la higuera y una tarde al salir de la escuela, cansado de intentar vanamente hacer una suma de tres números, Santi oyó cantar a un pájaro y se asomó a la ventana para mirarlo. Al principio sólo vio las ramas verdosas del árbol y algo que se movía en una quima, allá arriba. Pero ¿era una hoja o era el pájaro? Santi se acodó en el alféizar y observó atentamente. Sí, era el pájaro. Sonrió mirándolo y pensó: "Voy a echarle migas." Y entonces vio al gato. El felino había adoptado una actitud de alerta y concentración infinitas. Sus ojos dorados no se apartaban del pájaro. Santi permaneció inmóvil, como hechizado a pesar de sí mismo, y miró al gato y al pájaro, al pájaro y al gato. Hubiera querido gritar, hacer o decir algo para espantar al gato o al pájaro. Pero no hizo nada. El espectáculo del gato con expresión malévola, acechando pacientemente a su presa, le horrorizó, inmovilizándole. Y transcurrieron veinte minutos y el gato se arrastró como un reptil sobre el breve tronco de la higuera; y el pájaro picoteaba sin cambiar de lugar. Y transcurrieron varias horas más —¿o habían sido sólo unos minutos?—y el gato malévolo ascendió de nuevo, arrastrándose. Y de súbito dio un salto prodigioso, el pájaro aleteó desesperadamente, sus patitas se estiraron rígidas y su chillido se confundió con el murmullo de las hojas y el runruneo del gato. Santi vio, horrorizado, cómo el gato bajaba del árbol con su presa colgándole de la boca y cómo buscaba un lugar discreto para celebrar su festín. Y Santi vomitó. Aún ahora, después de tantos años, el muchacho tenía pesadillas en las que intervenían la higuera, el pájaro y el gato malévolo.

—Vamos, se nos va a hacer tarde —dijo el padre—. Son ya las once y cuarto.

La cita era para las once y media. Santi se adelantó y cogió una maleta. Su padre empuñó la otra. Salieron y cruzaron el Arenal camino del Ayuntamiento. La madre parecía más diminuta y pálida que nunca. Al pasar frente a la iglesia de San Nicolás vieron a tres niños y dos matrimonios con bultos y maletas. Uno de los hombres llevaba cartuchera y pistola sobre su traje de paisano y fumaba en pipa. "Esos también se van", pensó Santi mirando a los niños. Eran dos chicos de unos ocho años y una muchacha un poco mayor que ellos, como de diez u once años, que llevaba un pañuelo rojo sobre el pelo. Los tres parecían muy contentos.

Al llegar ante el Ayuntamiento la madre de Santi sacó un peine del bolso. Santi, alarmado, se apartó de ella.

—Ven que te peine —dijo la madre.

—No quiero* —se negó él.

La gente les miraba. La niña del pañuelo rojo dirigió a Santi una mirada burlona, dijo algo a los otros niños y rieron los tres. Santi se sintió avergonzado. ¿Es que su madre no se daba cuenta de que no podía peinarse a un chico mayor como él delante de toda aquella gente y, sobre todo, delante de otros niños? "Van a pensar que soy un crío", se dijo malhumorado. La madre seguía con el peine en la mano.

—Déjale, mujer —dijo el padre.

Santi le dirigió una rápida mirada de gratitud. La madre, resignada, guardó el peine en el bolso. Santi exhaló un suspiro de alivio. Comenzaron a subir las escalinatas por entre la gente.

Todo era confuso y aglomerado: niños y mujeres que lloraban; maletas y bultos que estorbaban el paso; chistularis cuya música oían todos y no escuchaba nadie; trompetas y trombones y platillos cuyo metal brillaba al sol; personas uniformadas que subían y bajaban apresuradamente; padres que permanecían graves y ausentes, como irritados por tanto lloriqueo.

Ante la puerta del Ayuntamiento, en lo alto de la escalinata, el padre de Santi preguntó:

—¿Dónde es lo de los niños que marchan hoy?*.

—Primer piso, en la sala grande de la derecha. —Y añadió el hombre gordo, con humor inconsciente—: No hay pérdida.

No había pérdida, no. Estaba toda la escalera interior llena de gente, haciendo cola a fin de encontrar un hueco y entrar en la sala grande del primer piso a la derecha.

—¿También ellos se van? —preguntó el padre de Santi sin dirigirse a nadie en particular.

—Sí —añadió una mujer de mejillas muy sonrosadas.

Y miró con lágrimas repentinas a un niño de unos seis años que estaba callado e inmóvil a su lado, con la mirada clavada en el suelo.

Fueron ascendiendo poco a poco, conforme la gente entraba en la sala. A cada escalón que ascendían se hacía más fuerte la presión de Begoña en la mano de Santi y cada vez palidecía más la madre, que empezó a jadear y parecía no poder respirar. Por fin entraron y esperaron largo rato, sin poder moverse, como enladrillados entre la muchedumbre. El padre de Santi empezó a liar un cigarrillo, pero la madre observó:

—Nadie está fumando.

El padre musitó: "Es verdad", y se guardó la petaca. Los minutos se fueron alargando y el tiempo se hizo como goma que se estiraba. Muchos niños querían ir al lavabo y sus madres les hablaban en voz baja diciendo: "Pero, hombre, ¿no puedes aguantar un rato?"

Santi hubiera querido meterse de nuevo en el desván, no oír los lloriqueos, no estar entre tanta gente y poder caminar o al menos cambiar de posición los pies. Los dedos de Begoña estaban tan húmedos que resbalaban de la mano de Santi y no había ni espacio para meterse la mano en el bolsillo y sacar el pañuelo.

De pronto sonó una voz y nadie oyó lo que decía. Sonó de nuevo la voz y tras algunos murmullos cesó el rumor. La voz, de acento cordial, dijo:

—Vamos a ver si organizamos esto un poco.

En el vacío formado por el silencio se oyó un chistu, solo, sin tamboril, sólo un chistu, tocando un zortziko habitado de melancolía.* Y un dolor súbito se desparramó por toda la sala.

—Cierren las ventanas —ordenó alguien.

Luego sonó de nuevo la voz:

—Todas las maletas y bultos van a ser llevados ahora a los autocares; así que, si quieren, pongan los nombres de los chicos para que luego no se armen líos innecesarios.

Hubo menos espacio que nunca mientras los adultos se pedían unos a otros lápiz o estilográfica y escribían los nombres de sus hijos en un papel que ataban de cualquier modo a las maletas y a los bultos. Unos hombres fueron bajándolos a los autobuses.

—Todos, todos los bultos sin excepción —dijo la voz—. No se preocupen por la comida. Todo está previsto. Los chicos no necesitarán nada durante el viaje. Y ahora, por favor, pónganse todos ahí al fondo, lo más cerca posible de la pared. Vamos a leer los nombres de los chicos. Conforme se les llame, que pasen aquí, junto a mí.

Hubo un inmenso oleaje sonoro.

—Luego podrán despedirse, no se preocupen —advirtió la voz.

Y otra voz, una voz de mujer, muy suave y muy firme, comenzó a leer nombres. La expectación se hizo tangible, sólida.

—Javier Aguirre Albizu.

Un niño un poco escuchimizado, con boina y jersey de cuello con cremallera, salió el primero. Parecía avergonzado de ser el primero de la lista y de caminar sintiendo todas las miradas fijas en él. Un hombre alto y grueso, con gafas, se puso de puntillas entre el gentío para hacerle una seña de ánimo con la mano. Alguien sacó fotos del chaval.

—Pedro Alfau Ramos, Ignacio Alvarez Sotomayor, José Luis Amaro Ripalda, Manuel y Sabino Guisasola Unamuno.

Sonaban los nombres como zumbidos de abejas en el silencio de la sala.

—Miguel Barrenechea Urquijo, José María Berriatúa García . . .

"Nosotros llegamos en seguida", pensó Santi mirando a Begoña. "Estamos en la C."

—Santiago y Begoña Celaya . . .

Santi no esperó a oír el segundo apellido. Cuanto antes acabase todo aquello, mejor. Cogió a Begoña de la mano y, sin mirar a nadie, sin mirar a ninguna parte, avanzó hacia la pared de enfrente.

—José Luis Cilaurre Gabaldón . . .

Una señora colocaba a cada niño un cartoncito.

—¿Tú eres Santi? —preguntó—, ¿y tú Begoña?

—Sí —dijo Santi.

Pero ya la señora había puesto a cada uno el cartoncito, sin esperar la respuesta, sujetándolo cerca del cuello con un imperdible.

Santi sentía en sus ojos la mirada de su madre y mantenía la cabeza un poco inclinada, concentrada en la alfombra, espesa y de colores, en la cual se había tejido el escudo de Bilbao y una inscripción que decía: *Muy noble, muy leal e invicta villa de Bilbao*. El zapato izquierdo de Santi, ahora seco y sucio, descansaba sobre la segunda *b* de Bilbao. Tenía la garganta un poco ronca y le empezó a picar la nariz. Se rascó e inmediatamente le surgió un gran picor en la mejilla derecha. Se ordenó: "No te rasques más", porque sabía que si continuaba rascándose iba a sentir picor por todo el cuerpo, y cuanto más se rascase más ganas iba a tener de seguir rascándose. Y al pensarlo, sólo al pensarlo, sintió que le picaba todo el cuerpo. Movió la cabeza, miró a su madre y a su padre, y al ver la sonrisa de su madre, que intentaba darle ánimos, el picor se le pasó.

Ya estaban todos los niños a un lado y los padres al otro. No había ninguna maleta, ningún bulto, y todos los niños tenían ya su cartoncito de identidad en el pecho. La voz habló y dijo algo que Santi apenas escuchó: que todos los niños —eran alrededor de los seiscientos— serían cuidados amorosamente y volverían pronto; que esta expedición iba al mando de don Segundo Muñoz, maestro de la escuela municipal del barrio de San Vicente, de Baracaldo; que la guerra acabaría con toda probabilidad dentro de unas pocas semanas o meses; que todos los niños mandarían regularmente noticias a casa, incluso los que no sabían escribir . . .

Una mujer gritó:

—¡José, hijo mío! . . .

Rompió a llorar, se desmayó y hubo que sacarla al pasillo. Un niño empezó a llorar de un modo raro, como si riera; pero era un llanto que se le metió a Santi en las venas y le heló, porque era el sollozo más angustioso que había oído en su vida.

—Calma, calma, por favor. Por favor —dijo la voz. Y añadió—: Llevamos media hora de retraso sobre el horario previsto. Dos barcos de guerra ingleses les esperan en Bermeo. Y ahora . . . despídanse ustedes.

Se armó un barullo inmenso. Las miradas, los pasos y los brazos de unos y otros se buscaban a través de las lágrimas. Todo era un patético vocerío: "¡Madre!", "¡Oh, hijo, hijo!", "Cuídate mucho", "Escribe", "No comas mucho regaliz, que te hace daño a la tripa", "Sé bueno", "No dejes de escribirnos todos los días . . . bueno, por lo menos una vez a la semana", "Papá, no quiero irme; quiero quedarme en casa", "Ya lo sé, hijo; yo tampoco quiero que te vayas. Pero no hay apenas comida, son más frecuentes los bombardeos, te puede pasar algo. Y yo también tengo que ir al frente. No, hijo, es mejor que te vayas", "Bueno, papá, lo que tú digas", "Arrópate", "Dile al maestro que te gradúen la vista de vez en cuando. A lo mejor necesitas cambiar de gafas", "Toma estos tres duros. Guárdalos bien, por si acaso", "No te mojes mucho el pelo, que así te vas a quedar calvo", "Cuídate mucho y abrígate bien, que por ahí hace mucho frío" . . .

Santi y Begoña abrazaron a su padre y a su madre. La madre

LA TARDE

CONCURSO DE SILUETAS LITERARIAS

Esta mañana han salido de Bilbao con dirección a Francia cuatrocientos cincuenta niños

El viaje por tierra y el embarque en Bermeo se efectuaron felizmente

Los niños, en la ambulancia del Ayuntamiento, poco antes de fotografiar minutos antes de emprender el viaje. (Fot. Elorza)

Euzko - Gudarostia

BATALLON DE AMETRALLADORAS "ARIZTIMUÑO"

LOS GUDARIS DEL "AMAYUR" EN ASTURIAS

LOS LECTORES ESCRIBEN...

PETICION DE UN REFUGIADO

LOS APARATOS DE RADIO

OPINIONES
LA HISTORIA SE REPITE

(Fot. Elorza)

†
La señora
Doña Emma Beltrán de Gorriarán
(Q. E. P. D.)
Falleció en Góriz el día 19 de marzo de 1937,
a los 52 años de edad

Lea Vd. LA TARDE

¿Quien es el personaje silueteado?

EL REMITENTE.

dijo, una vez más, con voz ahogada:

—Cuídala bien, hijo.

—Sí, madre.

—Escribid mucho —dijo el padre.

—Sí, padre.

—Ya habéis oído lo que ha dicho ese hombre: la guerra acabará pronto.

—Sí, padre —dijo Santi.

Begoña no dijo nada. Estaba abrazada a su madre, con los ojos abiertos, sin llorar, sin ver nada.

—Vamos, vamos. Dénse prisa, por favor —sonó la voz.

Tras un breve silencio, intentando dar a las palabras un acento optimista, como de despedida de excursión, añadió:

—Y ahora, vámonos ya.

La sala se fue despejando lentamente, muy lentamente.

—Bueno, nos vamos —dijo Santi.

Miró largamente a su padre, acarició las manos de su madre, se desasió de ella —que en seguida le había apretado fuerte una mano, como reteniéndole— y dio media vuelta llevándose a Begoña consigo.

—Maldita guerra, malditas sean todas las guerras —chilló su madre con súbito furor.

Santi cruzó la puerta. Venció el deseo de volver la cabeza y bajó corriendo las escaleras. No se dio cuenta de que, al correr, la mano sudorosa de Begoña había soltado la suya y la niña quedaba sola, a unos metros de distancia, en la escalera.

—¡Santi, Santi! —gritó ella.

Había un asomo de pánico en su voz. Santi se volvió y la sonrió. La esperó, la cogió de la mano (nunca había querido tanto a su hermana como en aquel momento, cuando ella le llamó "¡Santi, Santi!", con miedo de separarse de él) y juntos bajaron la escalinata. Cruzaron ante la banda de música y los chistularis y entraron en uno de los autobuses, que ya estaban casi llenos.

Los adultos iban ahora mirando las ventanillas de los autobuses, golpeando cristales, gritando las últimas recomendaciones, blandiendo pañuelos. Santi vio cómo sus padres bajaban de prisa la escalinata y corrían hacia los autobuses.

Una señora vestida de blanco, con una cruz roja en la manga, cerró la puerta del autobús desde dentro y preguntó:

—¿Estáis todos bien?

Unos querían ir al lavabo, otros tenían sed, los más se sentían como mareados y vacíos por dentro. Pero ninguno pronunció una palabra. Y la señora dijo:

—Muy bien. Pues allá vamos, niños.

Hubo un gran griterío en la calle. Sonó más fuerte la banda de música. El primer autobús salió y tras él, immediatamente, otro. El tercero, en el que iban Santi y Begoña, puso en marcha el motor y todo el vehículo retumbó un poco. Los rostros de los padres de Santi temblaron tras los cristales y después todo se fue quedando atrás lentamente, entre palabras ahogadas por la música, el ruido del motor y la pared de los cristales.

Inmóvil en su asiento, Santi miraba la cabeza de Begoña apoyada en su hombro. Veía por el rabillo del ojo cómo los árboles y las casas se alejaban corriendo, cada vez más de prisa, en dirección opuesta a la del autobús. El lazo de Begoña estaba arrugado y parecía menos brillante, menos amarillento. "Ya no serviría para adornar una caja de bombones", pensó Santi. Begoña alzó la mirada y le miró a los ojos.

—Volveremos pronto, ¿verdad Santi? —preguntó.

—Sí, muy pronto —dijo Santi—. No te preocupes, Bego. La guerra acabará en seguida. Ya verás.

Begoña apoyó nuevamente la cabeza en el hombro de Santi y suspiró con alivio. Sabía que se podía fiar de Santi. Si él decía que volverían pronto, entonces es que volverían pronto. Sintió el peso protector y reconfortante de la mano de Santi sobre su pelo y oyó su voz que repetía, como acunándola:

—No te preocupes, Bego. Pronto estaremos otra vez en casa.

III

Aquellos sí que eran barcos de verdad, pensó Santi, y no como la gasolinera que hacía el recorrido Baracaldo-Erandio ni como los botes que cruzaban en Bilbao la ría, incansables, del Campo Volantín al muelle de Uribitarte y del muelle de Uribitarte al Campo Volantín.

"Destroyers", había dicho don Segundo* que eran, y había añadido el maestro que "destroyers" significaba "destructores". Porque eran navíos ingleses y no españoles; y de guerra, con cañones como los de una escopeta, pero gigantescos, enormes. Todo el esqueleto, de proa a popa, de babor a estribor, desde lo más hondo de la quilla hasta lo más alto del puente de mando, estaba totalmente cubierto con grandes y espesas chapas de acero. Al subir a bordo, en Bermeo, Santi se había fijado en el nombre pintado en grandes letras negras: *H. M. S. Campbell*. Miró los salvavidas y los botes de salvamento, para confirmar el extraño nombre, y vio que en todos estaba escrito igual. El otro navío se llamaba *H. M. S. Franch;* Franch o algo así:* Santi no estaba muy seguro. Lo miró ahora, sin distinguir las letras por la distancia, y le vio navegar un poco a la izquierda y ligeramente adelantado, a media milla o así, levantando grandes olas y arrojando un humo muy prieto y muy negro por la chimenea.

Santi había estado un día en La Naval* y había visto la botadura de un mercante. Había estado también dentro de un barco de Sota y Aznar* y lo había visitado por dentro, desde el puente hasta la sala de máquinas, desde la cabina del telegrafista hasta el largo túnel en el cual giraba el eje inmenso de las hélices. Pero aquellos barcos mercantes, o de pasajeros, eran diferentes; uno comprendía que iban a flotar. En cambio aquí, a bordo del *H. M. S. Campbell*, Santi se preguntaba cómo era posible que un "destroyer" como éste, tan pesado, todo él de acero, pudiera mantenerse sobre el agua como si tal cosa,* sin irse a pique.

"Me gustaría ser ingeniero naval y construir barcos", pensó Santi. Pero no se hizo demasiado caso a sí mismo porque recordó inmediatamente que desde que tenía uso de razón había querido ser un montón de cosas: primero, cuando a los tres años vio a unos obreros construir una casa, junto a la plazuela de Ugarte, quiso ser albañil; luego, cuando iba a coger castañas a Durañona* y desde allí se quedaba mirando los montes de arriba, viendo cómo los hombres empujaban las vagonetas llenas de mineral, minero; otra vez, cuando vio cómo el cura escribía con letra despaciosa en la sacristía y qué paz se respiraba allá dentro, y cómo olía a cera, y cómo los niños y las mujeres le besaban la mano, cura; en otra ocasión, cuando fue con su padre a la *Babcock Wilcox,* quiso ser, en menos de una hora, "chapista" (así llamaba Santi al celador que recogía las chapas de los obreros al entrar y salir del trabajo),* delineante, oficinista y tornero; otro día en Baracaldo, cuando Bata y Gorostiza* pasaban por la calle y todo el mundo les señalaba, diciendo: "Son Bata y Gorostiza, los del Athletic", futbolista. Santi también había querido ser jardinero como Tiburcio, que a todos los niños llamaba "robaperas" y cuyos cerezos daban las cerezas más rojas, grandes, prietas y apetitosas de la aldea, y no de una en una, sino casi siempre en horquillas de dos, tres o cuatro cerezas a la vez; y aviador como su primo Antonio, que estaba por cumplir o acababa de cumplir veinte años y era piloto de guerra, conocía a Indalecio Prieto,* era uno de los aviadores más jóvenes y valientes de Vizcaya y tan simpático que las mujeres se lo rifaban* e incluso había salido su foto en algún periódico de Bilbao, y cuando Santi se hacía el remolón sobre los libros, en casa le decían: "A ver si* estudias mucho como tu primo Antonio"; y capataz, para quedarse fumando pitillos mientras miraba con expresión de hombre importante cómo trabajaban los demás; y afilador, para ir recorriendo todos los pueblos de los alrededores y pasarse los días hablando con la gente y diciendo: "¿Cómo está el chico? ¿Malucho? Vaya, hombre, vaya", "¿A usted todo le va bien, doña Susana?", y luego tocar aquella especie de armónica que emitía unos sonidos muy raros y marcharse poco a poco con su curioso carro de una sola rueda, gritando: "El afiladoooor";* músico, para tener un traje azul con botones dorados y gorra de plato, subirse al kiosco y tocar mirando en el papel pautado que, a falta de atril, sostenía un chaval con las manos; y tranviario, y maestro de escuela, y capitán de barco, y tendero, y médico, y maquinista de tren, y pelotari, sobre todo pelotari . . .

Algunos niños visitaban el *H. M. S. Campbell* acompañados de las señoritas de la Cruz Roja y de un oficial inglés que chapurreaba un poco de español. Los demás estaban sobre cubierta mirando las olas y las gaviotas o pensando en sus cosas. Muchos estaban mareados y vomitaban y palidecían y querían volverse a casa. Begoña estaba también un poco pálida y mareada.

—Eso se te pasa en seguida —le dijo Santi, tratando de consolarla—. ¿Quieres agua? ¿Quieres que pida un vaso de leche o algo?

Pero Begoña no quería nada. Sólo volver a tocar tierra firme.

—¿Tardaremos mucho, Santi?

—No. Tú procura descansar. Verás qué pronto llegamos.

Pero aún se veía, allá al fondo, a popa, el puerto de Bermeo y la costa delineándose como una delgada mancha negra con sombras de montañas diluidas como nubes.

—Voy a ver si duermo un rato —dijo Begoña. Cerró los ojos y los abrió en seguida con expresión asustada—. Santi, no te vayas.

—Claro que no —dijo él—. Además, ¿dónde quieres que vaya?

—Claro —suspiró Begoña, aliviada.

Cerró los ojos y su respiración se hizo más lenta y pacífica.

El tiempo era apacible y la mar estaba tranquila. Pero Santi se sentía un poco impresionado, un poco asustado. Aunque no se había mareado, tenía que ejercer cierto control sobre sí mismo cada vez que veía cómo las olas subían y bajaban, grandes y rítmicas, como si el mar, al respirar, hiciese temblar la superficie. El paisaje, a los pies y allá a lo lejos, en el horizonte, era el de un cielo puesto del revés. Había un momento en que Santi no sabía dónde comenzaban las nubes, y dónde terminaban las aguas.

El *H. M. S. Campbell* iba dejando a su paso una estela muy blanca, como una gran carretera plateada sobre el pavimento verdiazul del mar.

Unos chicos cantaban *No hay en el mundo puente colgante*. Santi detuvo su mirada en una niña sentada de espaldas, cuyo pañuelo rojo, que le cubría la cabeza, parecía parpadear a la luz del sol. Era la niña que había visto cómo su madre había querido peinarle al entrar en el Ayuntamiento, la niña que luego había dicho algo a los dos niños que la acompañaban, riéndose los tres. Santi estaba seguro de que habían hablado de él, que se habían reído de él. Hubiera querido apartar la mirada del pañuelo rojo, pero continuó mirándolo. La niña sintió la mirada clavada en su nuca, volvió la cabeza y contempló a Santi con sus ojos grandes y burlones. Se miraron durante largo rato, sin parpadear.

—¿Cómo te llamas? —preguntó Santi.

—¿A ti qué te importa?* —dijo ella. Pero añadió, tras un breve silencio—: Lucía.

El no dijo nada, y ella prosiguió:

—Tú te llamas Santi.

—Sí. ¿Cuántos años tienes?

Lucía lo pensó un instante.

—Diez y medio —dijo al fin—. ¿Y tú?

—Yo tengo doce —dijo Santi.

Le molestó su mentira y se corrigió inmediatamente:

—Bueno, los cumplo en seguida.

La miró despacio, desde el pañuelo rojo, que dejaba ver sus cabellos castaños, hasta la punta de las botas katiuskas.

—Pareces mayor —observó Santi—. Podrías tener once o

doce.

—¿Tú crees? —preguntó ella.

Su voz, hasta hacía un rato cordial y amistosa, tenía ahora un acento hostil. Había dicho "¿Tú crees?" como si quisiera darle a entender que él, en cambio, parecía más pequeño de lo que era.

—Sí —dijo Santi.

Pensó que ella iba a añadir alguna impertinencia. Estaba seguro de que la niña del pañuelo rojo iba a decirle: "Vi cómo tu madre quería peinarte al entrar en el Ayuntamiento y tú no querías." Pero Lucía permaneció callada.

Junto a ella, sentados y ojeando un tebeo, estaban los dos niños a los que Santi había visto frente a la iglesia de San Nicolás y en las escalinatas del Ayuntamiento.

—¿Son tus hermanos?

—No —dijo Lucía—. Vecinos.

—¡Ah . . . ! —Santi señaló a Begoña, que continuaba adormilada—. Esa es mi hermana.

Lucía se levantó sin decir nada y comenzó a pasear por cubierta con andar un tanto petulante, como diciendo: "Aquí estoy yo, y no me mareo", muy enhiesta como una mujercita, segura y sin tambalearse, manteniendo las piernas ligeramente abiertas para no perder el equilibrio, como una buena marinera. Cada vez que pasaba junto a Santi le miraba burlona, sin decir nada.

Rodeado de un grupo de niños, don Segundo explicaba algo. Santi se les acercó. Don Segundo le vio y dijo:

—Hola, Santiago.

—Hola, —dijo él.

Le produjo una gran satisfacción que don Segundo le recordase y le llamase por su nombre delante de los demás niños. Porque Santi conocía ya a don Segundo. Hacía apenas una semana que había ido a visitarle, con sus padres y Begoña, a su escuela de San Vicente; pero ya antes se habían saludado en otra ocasión, hacía mucho tiempo, cuando Santi le vio pasear por la plaza de los Fueros con don Esteban, que era el director de la escuela de Arteagabeitia, donde Santi había estudiado cuando vivía en aquel barrio, antes de mudarse a una casa de cuatro pisos cerca de la calle Portu. Alguien le había dicho que don Esteban y don Segundo eran hermanos.

—Estas primeras letras del barco, H. M. S. —dijo don Segundo como si continuara una lección— significan *His Majesty Service*, que quiere decir "Al servicio de Su Majestad"* En Inglaterra todos los servicios oficiales y todos los aviones y barcos de guerra llevan estas tres letras.

Santi miró a don Segundo con expresión de respeto. Era un hombre paciente y comprensivo que trataba a los niños como si fueran un poco mayores, dándoles importancia, no como otros maestros, que trataban a los alumnos como si fuesen todos unos críos.

Don Segundo siguió paseando por cubierta y explicando cosas a los niños que le seguían, pero Santi permaneció inmóvil.

Atardecía ya. El sol se hundía suavemente en el mar y era ahora como una luna roja y metálica cuyos reflejos ponían en las aguas pinceladas de color verde, de color violeta, de color morado, de color amarillo. A lo lejos, apenas echando un hilillo de humo como un cigarrillo, navegaba un barco de pesca rumbo a Bermeo. Empezaba a sentirse frío, ya no se veía ninguna raya de tierra por ninguna parte, y en el atardecer, a la intemperie, el ruido que subía desde la sala de máquinas, los coletazos de la hélice y los chillidos de las gaviotas sonaban con acento ligeramente hostil. Santi percibió una destemplanza súbita en su interior y en la alta mar. Y por un momento añoró intensamente su casa, el calor de la cocina, la mesa del comedor con el mantel de flores bordadas, la radio sobre el aparador, una radio que a veces se paraba y que volvía a funcionar cuando se daba una patada al aparador, la habitación que compartía con su hermano, el olor del tabaco negro del padre, cuando después de cenar fumaba un cigarrillo calmosamente, como un rito, dejando la petaca, el cuadernito de papel de fumar y el mechero sobre la mesa . . .

—Santi —llamó Begoña.

Bostezó y miró un poco sorprendida a su alrededor.

—¿Estás mejor, Bego?

—Sí —dijo ella. Y aunque estaba consciente de que seguía en el barco, preguntó—: ¿Aún no hemos llegado?

—No. Ya falta poco.

Y Santi se dijo en voz baja, pronunciando mentalmente con mucha claridad cada palabra, que ya no podría meterse en su desván cuando quisiera, porque ahora tendría que cuidar de Begoña, hacerse fuerte ante ella y no demostrar ningún miedo ni ninguna preocupación, porque entonces ella se asustaría más y sería peor.

Lucía seguía paseando, imperturbable, con su pañuelo rojo tapándole el pelo. De vez en cuando miraba a Santi con su eterna sonrisa burlona, una sonrisa que le bailaba en los ojos, sólo en los ojos, sin descender a la boca, y que le pareció a Santi, de pronto, que no era una sonrisa burlona, sino también triste, muy triste. La miró de frente, sonriéndola, y ella continuó caminando, erguida y silenciosa.

El niño escuchimizado que llevaba boina y jersey de cuello con cremallera y que había sido el primero de la lista cuyo nombre había leído la señorita del Ayuntamiento (se llamaba Javier, Javier Aguirre Albizu, recordó Santi) estaba de pie en medio de un corro de niños que permanecían sentados mirándole. Javier tenía humor, un buen talento imitativo, y parodiaba el habla de los marineros de a bordo. Los niños se reían a más no poder y cuanto mejor imitaba Javier el sonido de las palabras, más y más reían los niños.

—*Aloo, jau ar yu, bois? Nais dei gui jav tudei. Com, com, bois. Dis güey, plis.**

Aquello les hacía tanta gracia que casi todos los niños soltaban unas carcajadas tremendas, y dos de ellos parecían enfermos de risa. Se apretaban las tripas con ambas manos, se contorsionaban y lágrimas de júbilo les caían como riachuelos por la cara. Santi pensó una vez más, mirándoles, en las gaviotas que al chillar parecían a punto de ahogarse por falta de aire. Cuando se oía la risa de los niños sin mirarles más parecía que estaban relinchando que riéndose.

Y fue pasando el tiempo, lento, muy lento, a bordo del *H. M. S. Campbell*. Al otro barco, al* *Franch*, apenas se le divisaba por la distancia y la oscuridad creciente. Santi sabía dónde estaba el *Franch* por su humo denso y negro, que subía a borbotones y luego se iba deshilachando y desvaneciéndose en el cielo.

Unas señoritas de la Cruz Roja y unos marineros que vestían chaquetilla blanca, como los camareros de algunos cafés elegantes de Bilbao, fueron ofreciendo bocadillos y galletas y jamón de York y vasos de leche y de limonada. Pero casi ningún niño tenía ganas de probar nada. Cada vez hacía más frío y todos estaban deseando atracar en tierra firme y poner los pies en un suelo que no se moviera.

Y entonces alguien gritó:

—¡Eh, mirad, mirad!

Santi y los demás miraron. Y era tierra. Un chico dijo que aquello era Francia, un puerto que se llamaba San Juan de Luz o que estaba cerca de San Juan de Luz o algo así, que él le había oído decir a don Segundo que allá iban todos los barcos.

Santi cogió a Begoña de la mano, se asomó con cuidado, mirando a proa, y divisó enfrente, a lo lejos, unas luces que brillaban y parecían tintinear como si además de luces fuesen campanillas.

—Estamos llegando, Bego —dijo—. ¿Ves?

Ella lanzó la mirada hacia el horizonte y preguntó:

—¿Tendremos que ir más veces en barco, Santi?

—No lo sé —dijo Santi—. No lo sé. Pero tú no estás preocupada, ¿verdad? Ya sabes que siempre estaré contigo.

Las luces se fueron acercando. Se vio primero una raya negra entre el cielo y la mar y después más luces y manchas lejanas como sombras de casas. Todos los niños del *H. M. S. Campbell*, todos, incluso los que estaban mareados y habían vomitado, se asomaron a la borda para mirar hacia adelante. Y hubo abrazos y palabras de alegría y sonaron más risas, y los chicos que antes habían cantado *No hay en el mundo puente colgante* lo cantaron ahora una y otra vez, y muchas voces se les unieron. Don

Segundo miraba hacia adelante y luego a los niños, y luego hacia Francia. Y era ya noche oscura y estaban llegando.

Santi se metió durante un momento en el desván, sólo durante un momento, y pensó en aquel chaval baracaldés del que le había hablado su padre y que hacía muchísimos años se había ido como grumete con Juan Sebastián Elcano* a dar la vuelta al mundo. Santi regresó del desván sintiéndose él también grumete rumbo a lo desconocido, pero sin experimentar ya destemplanza alguna, alegre y optimista. Buscó a la chica del pañuelo rojo con la mirada y no la vio. Puso sus manos sobre los hombros de Begoña y dijo:

—Estamos tocando tierra, tierra de Francia.

Ya se oían voces, gritos y ruidos en el puerto. Se veían las casas y se distinguían qué luces eran de las casas, qué luces eran de las calles y qué luces eran de coches que pasaban por alguna parte, allá, a lo lejos. De pronto se le hizo muy raro a Santi pensar que aquellas luces y aquellas casas no eran de España, sino de otro país, de otras gentes. Quedó expectante y alerta, con los ojos muy abiertos, apretando fuerte la mano de Begoña.

Y justo en aquel momento, mientras el *H. M. S. Campbell* disminuía la velocidad, en el cielo comenzaron a encenderse las estrellas de una en una.

IV

Todo era silencio y oscuridad allá fuera, tras los cristales. Lejos y arriba, por encima de la cabeza del chófer, el cielo era negro y las estrellas brillaban como pequeños ojos sin párpados que mirasen muy fijos.* Santi pensó confusamente en un amigo suyo de Baracaldo que miraba de una manera casi descarada, sin parpadear nunca. Muchas veces Santi se decía: "A ver quién parpadea antes, si él o yo"; y siempre era Santi. Le miraba intensamente, diciendo: "No cerraré los ojos, no cerraré los ojos", pero cuanto más se ordenaba no cerrarlos, más difícil se le hacía mantenerlos abiertos. Y entonces parpadeaba no una, sino varias veces, como si le hubiese entrado un tic nervioso. Y el otro chico, que se llamaba Gumersindo, seguía mirando tan campante, sin parpadear ni siquiera una vez.

Todo era silencio en el autobús. Hacía rato que se habían apagado las últimas canciones, los últimos murmullos, y todos los chicos dormían; todos menos Santi y una niña que ocupaba el asiento de delante, a la que Santi veía con la cara pegada al cristal de la ventanilla, mirando no sabía qué. Nada, porque todo era oscuridad en la carretera. Ni siquiera se adivinaba la presencia de árboles, de postes o de casas. La señorita había apagado las luces hacía rato y ahora sólo brillaba una lamparita de color azul cerca de la puerta de entrada, no lejos del chófer.

De tarde en tarde cruzaban por un pueblo y ramalazos de luz entraban como rayos en el autobús, dejando ver los rostros cansados de los niños, apoyados unos sobre su compañero de asiento, otros con los brazos doblados sobre el respaldo del sillón de delante, otros con la cabeza apoyada en su propio asiento, de cara al techo y con la boca abierta . . . Cuando cruzaban un lugar habitado, Santi miraba por la ventanilla, ansioso de captar la experiencia de ir de noche en autobús y cruzar pueblos dormidos, pueblos desconocidos en cuyas casas vivían gentes que hablaban un idioma extraño. No vio a nadie en ninguno de los pequeños pueblos por los que pasaron.

Begoña dormía plácidamente. Había apoyado su brazo derecho sobre el cristal y su mano hacía de almohada sobre la que descansaba la cabeza. El *chori*, aquel amarillento y rígido lazo que había estrenado por la mañana, estaba ahora completamente arrugado; y el rostro de Begoña, distendido y pacífico, revelaba un cansancio infinito.

Santi se sentía molesto, con las piernas entumecidas y la garganta seca. Además, sufría de los pies y los sentía ardientes y abotargados por tenerlos todo el día dentro de aquellos zapatos que le apretaban un poco en la punta de los dedos y mucho en el contrafuerte, justo en el lugar donde el pie dejaba de ser pie para ser tobillo. Le hubiera gustado huir de su forzosa inmovilidad y de aquel sudor seco que era como goma arábiga que le ceñía pegajosamente la ropa al cuerpo. Pensó con alivio en el momento en que acabaría el viaje y podría pasear o tumbarse en una cama, o en tierra, y estirar hasta el máximo piernas y brazos.

Cerró los ojos y pensó: "Debe ser muy tarde y a lo mejor pasamos en el autobús toda la noche. A ver si puedo dormir un rato." Permaneció largo tiempo amodorrado y cuando ya notaba cómo el sueño le venía poco a poco (lo notó en la lasitud de sus músculos; incluso creyó oír los pasos del sueño acercándose a él despaciosa y silenciosamente, como una aparición), justo entonces cruzaron otro pueblo y el autobús se inundó con la luz de las lámparas de la calle. Este no era un pueblo pequeño como los que habían cruzado hasta entonces, sino un pueblo muy grande, con muchas más luces y muchas más casas. El chófer tocó la bocina dos o tres veces, al cruzar calles principales, y Santi oyó cómo un niño bostezaba y cómo otro, al fondo, junto a la larga ventanilla trasera, se desperezaba y preguntaba en voz alta:

—¿Dónde estamos?

Nadie le respondió. Santi dijo, volviendo la cabeza:

—No sé.

Observó a Begoña, volvió de nuevo la cabeza y alzó la voz sólo lo preciso para que el otro le oyese:

—Y no grites, tú, que los vas a despertar a todos.

El autobús se hundió de nuevo en la oscuridad. El chófer cambió de velocidad y Santi calculó que ahora iban mucho más de prisa, tal vez a ochenta o noventa kilómetros. Casi ni se notaba que las ruedas tocaban el suelo.

Cerró de nuevo los ojos. Sonaron unos bocinazos y Santi se sobresaltó. Le parecía que había permanecido todo el tiempo despierto, pero algo le anunció que no, que se había dormido y que por alguna razón acababa de despertarse ahora. Se incorporó, mirando hacia la ventanilla, y no vio nada. Pero había algo raro, algo había cambiado, algo pasaba: lo supo con certeza absoluta. De pronto se dio cuenta: el autobús se había parado.

Dos niños de delante se levantaron del asiento. Uno de ellos preguntó:

—¿Qué pasa?

—No es nada, niños. Seguid durmiendo —dijo la voz de la señorita—. Parece que se ha averiado uno de los autobuses.

—¿Puedo bajar un momento, señorita? —preguntó otro niño.

—¿Para qué? —indagó la voz femenina. Añadió tras un instante de silencio—: Esperad un momento.

La señorita ocupaba uno de los asientos de delante. Dijo algo al chófer, abrió la puerta y salió. Un ramalazo de aire fresco, como el vientecillo de un ventilador, se introdujo en el autobús. Begoña no se había despertado. Pasaron unos momentos y Santi vio, a un tiempo, cómo brillaban carretera adelante las luces traseras de otro autobús y cómo la señorita volvía con pasos apresurados.

La señorita entró y quedó de pie en el estrecho pasillo. De

65

ella se desprendía un sabor a frío, a oscuridad y a intemperie.

—¿Quién quería bajar? —preguntó la voz femenina.

—Yo —dijo uno de los niños de delante.

—Y yo —dijo su compañero de asiento.

—Y yo —dijeron varios desde atrás.

Santi levantó la mano, como hacía en la escuela, y dijo:

—Yo también, señorita.

Y la señorita dijo:

—Bueno, bajad los que queráis. Pero sin moveros de ahí, ¿eh? —ordenó señalando la puerta abierta.

Santi bajó y experimentó un enorme placer al sentir hierba bajo la suela de sus zapatos. Estiró los brazos y las piernas hasta desgañitarse. La noche era fría, tranquila. El cielo no estaba negro, como a Santi le había parecido desde su asiento, sino bastante azul, sin nubes; y las estrellas no eran ojos sin párpados (nada más pensar "ojos sin párpados" Santi se sentía turbado) sino criaturas amigas que desde lo alto parecían hablarle en morse, con destellos misteriosos y gratos. Dos de las estrellas del carro hasta parecían hacerle guiños a Santi.

Niños y niñas subían y bajaban y el autobús semejaba ahora otro: más habitable y lleno de vida, más fresco y agradable que antes. Cuando estuvieron todos ocupando de nuevo sus asientos, la señorita dijo:

—Algunos de los niños del autobús averiado vendrán aquí. Procurad hacerles un poco de sitio, ¿eh?

Era una señorita de Bilbao, elegante y simpática, que se pintaba los labios y llevaba una melena muy corta, muy graciosa. Era una mujer ya mayor. —"Tiene por lo menos veinte años", había calculado Santi— y cuando hablaba, al final de cada frase, decía casi siempre: "¿Eh?"

Santi se repantigó en el asiento, gozoso de sentir un poco de frío. Vio cómo entraban algunos niños y buscaban un sitio en el que sentarse. Pero sólo había dos asientos vacíos y habían subido nueve niños. Siete permanecieron de pie, sin saber qué hacer, hasta que la señorita ordenó:

—A ver; apretaos un poco para que todos podáis ir sentados.

Santi levantó la mirada y escrutó los rostros de los dos niños que estaban de pie en el pasillo, a su lado. Y volvió a mirar la cara de uno de ellos y no lo podía creer.

—¡Felines! —llamó.

El chico se volvió, le miró en la oscuridad y preguntó:

—¿Hay sitio ahí? ¿Puedes apretarte un poco?

—Sí —dijo Santi—. Siéntate.

Le hizo sitio procurando no despertar a Begoña. Felines se sentó. Tenía la expresión adormilada y el pelo cortado a flequillo.

—Le ha pasado algo a nuestro autobús, ¿sabes? —explicó—. Ibamos la mar de tranquilos y de pronto empezó a oler a quemado y hemos tenido que bajar. Fíjate qué gracia, si se incendia el motor y prende la gasolina y nos pilla dormidos.

Santi pensó: "No me ha reconocido." Aquello le entristeció un poco, pero se sobrepuso en seguida diciéndose que Felines a lo mejor ni le había podido ver la cara con tan poca luz.

—Pero, hombre, Felines —dijo—, ¿no me recuerdas? Soy Santi.

Felines le observó como si no hubiera conocido en su vida a ningún Santi. Acercó su cara a la de Santi, como si estuviese un poco cegato, para verle mejor, y abrió mucho la boca y se le abrieron mucho los ojos.

—Tú eres Santi Celaya, el de Ugarte.

—Pues claro —dijo Santi.

Felines seguía mirándole con los ojos muy abiertos.

—Parece mentira —musitó. Y luego, con otro voz—: Hola, Santi.

—Hola, Felines. Cuánto tiempo,* ¿eh?

—Hace que no nos vemos, pues . . . lo menos dos años.

—Sí, por ahí —dijo Santi—. ¿Recuerdas cómo saltábamos juntos las hogueras la noche de San Juan?*

Se miraron dichosos y alegres, conscientes de que eran como adultos que tienen muchas cosas que recordar, mucho pasado en común.

—¿Qué tal por Ugarte? —preguntó Santi.

—Como siempre —dijo Felines—. Tú sigues en Baracaldo,

¿verdad?

—Sí.

—¿Y qué tal por allí? ¿Te gusta?

—Bueno . . . —Santi alzó ligeramente los hombros—. Ya sabes . . .

Señaló a la niña dormida a su lado, junto a la ventanilla.

—Es Begoña.

—¿Qué Begoña? —preguntó Felines.

—Mi hermana, hombre —dijo Santi.

—Era una cría de nada* cuando estaba en Ugarte —comentó Felines—Hay que ver* cómo pasa el tiempo.

—Es verdad —asintió Santi.

El autobús se puso en marcha, hizo una maniobra para pasar al autobús averiado, que continuaba parado tapando más de la mitad de la carretera, y echó a correr por la oscuridad. Todos los niños estaban ahora sentados y de nuevo reinaban el calor, la quietud y el silencio. Pero Santi sabía que él y Felines tardarían algún tiempo en dormirse, porque tenían muchas, muchas cosas que contarse.

Y hablaron recordando viejos tiempos, hablaron durante mucho tiempo, no sabían cuánto. Ninguno de los dos quería ser el primero en dejarse vencer por el sueño. Bostezaban en silencio, a escondidas, y de vez en cuando Santi decía: "Parece mentira; habernos encontrado aquí", y Felines hacía gestos de que sí* con la cabeza y decía: "Mira que no habernos visto* en el Ayuntamiento ni en el barco."

—¿Todo va igual por Ugarte? —preguntó Santi.

—Sí, todo igual. Ya sabes cómo es aquello.

—Sí —dijo Santi.

Sentado entre Begoña y Felines, con la cabeza apoyada en el asiento, se sentía nostálgico. Nunca había estado ni tan lejos ni tan cerca de Ugarte como en este momento; y aquello, durante un instante, le produjo un dolor atroz, tan natural y sencillo, que casi se le saltaron las lágrimas.

Cruzaron de nuevo por un pueblo mudo, vacío, y otra vez débiles ramalazos de luz penetraron por los cristales y se derramaron, fugaces, por todos los rincones del autobús.

—Felines —pronunció Santi en voz baja.

—¿Qué?

—¿Cómo están tus padres?

—Bien. ¿Y los tuyos?

—Muy bien —dijo Santi.

—Me alegro.

—Tienes sueño, ¿no? —observó Santi.

—Un poco . . .

Lo dijo desmayadamente, como si hablar le costase un enorme esfuerzo. "Está medio dormido", dedujo Santi. Cerró él también los ojos después de mirar por la ventanilla —todo era oscuridad allá fuera— y volvió a pensar en Ugarte. Todo lo de su aldea* le gustaba: el espectáculo de los volatineros; la tienda en la que se vendía desde velas y comestibles hasta alpargatas, azadones, caramelos, y cachavas; el paso del afilador, del quincallero, del paragüero y del hombre que arreglaba pucheros y cacerolas derritiendo plomo para tapar los agujeros;* el bosque de castaños de Durañona, donde iba a coger castañas y donde una vez, en invierno, había visto a un lobo. Recordaba, también, aquellos domingos en que iba con su hermano y otros chicos mayores a San Salvador del Valle, a Portugalete o a Baracaldo; recorrían entonces a pie varios kilómetros para ir al cine a ver películas de *cow-boys* de Ken Maynard y de Tom Mix, de Buck Jones, de Bob Steele y de Tim MacCoy, que llevaba un sombrero cónico, muy alto. Recordaba, con especial cariño, el árbol cerca del lavadero, a orillas del arroyo, en cuya corteza había grabado, con una navaja, las iniciales de su nombre.

A pesar de que Felines no decía nada, ni roncaba, Santi no necesitó mirarle para saber que se había dormido. Todavía era de noche, pero comenzaba a clarear y el cielo, antes negro o azul, se veía ahora, más allá de la cabeza del chófer, de color ligeramente blanco, como si alguien pintase lentamente, con una enorme tiza, el encerado del horizonte.

El autobús rodaba con monotonía, con un sonido denso y uniforme, adormecedor. Santi bostezó. "Tengo sueño", se dijo.

Nada más pensarlo, los párpados se le hicieron pesados, como persianas de plomo, y le fue imposible mantenerlos abiertos. De repente no pensó nada más y se hundió en un túnel lleno de penumbra y de lasitud. Estiró las piernas cuanto pudo, la cabeza se le derrumbó sobre el pecho y la respiración, al pasar silbando por entre sus dientes, produjo un ruido extraño y leve, igual que cuando una brisa muy suave menea las hojas de los árboles.

Y de pronto* ya estaban andando todos los niños por las calles pueblerinas y recoletas de la isla de Olerón. Begoña iba de su mano y Felines caminaba con ellos. Santi bostezó y se frotó los ojos. Recordaba confusamente que habían bajado del autobús, que todos los niños se habían puesto a mear casi al mismo tiempo al borde de la carretera y que muchas niñas habían hecho pis en la cuneta del otro lado. (Santi distinguía estas cosas muy bien: los chicos meaban; las niñas orinaban o hacían pis.)* Recordó también, como en brumas, como si lo hubiera soñado, que habían ido un rato en barco, que alguien había cantado y que don Segundo había dicho: "Mirad, ahí nos dirigimos. Esa es la isla de Olerón", y había añadido: "¿Recordáis vuestras lecciones de geografía?: las islas son pedazos de tierra rodeadas de agua por todas partes."

—¿Estás bien, Bego? —preguntó Santi.

—Sí —dijo ella—. Un poco cansada.

—Ahora podremos descansar.

Santi tenía la garganta seca, frío y mucho sueño. Sus pies estaban tan abotargados que casi no sentía el peso de sus zapatos y tenía por momentos la impresión de que otro niño caminaba por él. Se volvió a Felines y comentó:

—¿Quién nos lo iba a decir, verdad? Tú y yo juntos en un pueblo extranjero.

—Ya ves* . . . —murmuró Felines.

Anduvieron durante unos minutos, hablando y riendo de nuevo, mirando las casas pequeñas y viendo cómo algunos lugareños les decían cosas en francés y les hacían gestos de cordial bienvenida. Y allá, tras las casas y el camino orillado por helechos y moreras y grandes hileras de olmos, estaba la colonia escolar:

varios edificios de aspecto alegre, con amplios ventanales, y flores y yerba, y una playa grandísima, interminable, mayor que las de Las Arenas y la de Plencia* juntas. Santi todo lo miraba medio dormido. Recordó que Tío Lázaro le había contado que un día, en el frente, había tenido tanto sueño que había caminado asido a la brida de un caballo (que tiraba de un pequeño cañón) durante varias horas, completamente dormido, andando mecánicamente como un sonámbulo.

Se armó un gran lío cuando cada cual hubo de recoger su maleta. Begoña se fue al dormitorio de las niñas con las demás chicas y Santi se fue con Felines y los demás chicos a uno de los edificios de los niños. El dormitorio era grande, la mañana era bella y luminosa, y entraba el sol a chorros por las ventanas abiertas. Todo estaba muy limpio; junto a cada cama había un armario grande, de color verde.

Cuando Santi puso la maleta sobre una de las camas —las otras dos vecinas las ocuparon Felines y Javier Aguirre Albizu, el que en el barco parodiaba a los marineros ingleses— pasó don Segundo y le saludó:

—¿Cómo estás, Santi?

—Muy bien, don Segundo; gracias —respondió Santi.

Le preguntó que qué hora era y don Segundo sacó un reloj muy grande del bolsillo del chaleco, y dijo que las diez y veinte y Santi pensó: "Parece mentira." Tenía la impresión de que habían pasado días y días desde aquel momento en que, veinticuatro horas antes, bajaba con Begoña y sus padres por la calle Portu, cuando metía adrede los pies en todos los charcos, Joaquín y *el Pecas* y Sabino y el grandullón de Santander jugaban a la pelota, y él había mirado al hospital militar de Sestao y había pensado en Tío Lázaro. "Parece mentira", se repitió, y le pareció oír las palabras de su padre sonando cálidas en la oscuridad del tren cuando iniciaron el viaje: "Sube las ventanillas, Santi; que no se os meta carbonilla en los ojos."

Santi miró la maleta y se enterneció al ver el papel en el que su padre había escrito a lápiz, en la sala del Ayuntamiento, *Santiago Celaya.* Cuando abrió la maleta se le asomaron unas

lágrimas al pensar que las ropas y las cosas que allí llevaba las
había colocado su madre, con sus manos pequeñas y suaves.

—Oye, Santi —dijo Felines.

—¿Qué?

—¿Tú crees que la guerra acabará pronto?

—Sí —dijo Santi—. Yo creo que sí.

Se le hizo un nudo en la garganta. Se quitó los zapatos, puso
la maleta en el suelo y se tendió vestido sobre la cama, cerrando
los ojos y sintiendo cómo el sol le golpeaba la cara.

V

Lo que más le gustaba a Santi de la colonia de la isla de Olerón era que allí no había colas para comprar alimentos, ni hombres que iban a la guerra cantando en los camiones y que a lo mejor no volvían ya nunca más a Baracaldo, ni racionamientos, ni bombardeos, ni sirenas que taladraban alarmantemente el cielo ordenando a la gente que se fuese al refugio.

Santi temblaba cada vez que oía la sirena. Al principio no, al principio le había parecido como un juego, como una diversión que por alguna razón asustaba a los adultos. Pero luego, cuando iba al túnel cuya boca estaba tapada por sacos de arena, o cuando bajaba al sótano de la casa, y toda la gente permanecía en silencio o hablaba nerviosamente, esperando que cayese una bomba o sonase de nuevo la sirena, anunciando que los aviones se habían ido, entonces Santi comenzó a tener miedo. Relacionaba a veces el sonido de la sirena con la mirada malévola del gato acechando al pájaro en la higuera. Se sentaba al lado de su madre, o se iba él solo con los amigos al túnel o al refugio más próximo cuando la sirena le pillaba en la calle, y permanecía inmóvil mirando a la gente apiñada a su alrededor, escuchando con un oído lo que decían en el refugio y con el otro expectante, acechando el caer de las bombas. Cada vez que una bomba estallaba Santi intentaba averiguar, por el sonido, dónde había caído. "Esa ha caído a poca distancia", decía un hombre. Y todos le escuchaban con respeto porque parecía que, por ser un hombre, entendía de estas cosas. Santi abría mucho los ojos y

73

casi no respiraba. Aguardaba la próxima bomba y contenía la respiración cuando oía el silbido anunciador y siniestro. Y luego, cuando sonaba de nuevo la sirena y se alzaba en el túnel o en el sótano un suspiro de alivio, siempre había alguien que decía: "Se han ido ya. Podemos salir", y alguien que añadía: "Seguramente ya no volverán hoy", y todavía alguien que preguntaba, como completándole al otro el pensamiento: "¿Volverán mañana?"

Lo que más le gustaba a Santi de la isla de Olerón era, en fin, la paz; y lo que menos le gustaba era que no estaba en España, sino en Francia. No era solamente que Santi añorase* a sus padres y a su hermano y a su pueblo y a sus amigos —que sí que los añoraba, y mucho*—, sino también que allá, en las pocas semanas que llevaba en territorio extranjero, había ido ensanchando paulatinamente, casi insensiblemente, su campo geográfico emocional.

Cuando estaba en Baracaldo y veía el mapa de España colgado en la pared de la escuela, los ojos se le iban hacia Vizcaya y buscaba los nombres familiares de Bilbao, Baracaldo, San Salvador del Valle, Somorrostro, Portugalete. Aquí, en Olerón, había en la clase un mapa de Europa en el cual los nombres de ciudades, provincias, mares y montañas no estaban escritos en español, sino en francés. No decía Mar Cantábrico sino *Mer Cantabrique*; los Pirineos no eran los Pirineos, sino los *Pyrénées*; a San Sebastián la llamaban St. Sébastien; a Barcelona, Barcelone; a Zaragoza, Saragosse; a Córdoba, Cordoue; a La Coruña, La Corogne. Los ojos se le iban a Santi tras el trozo que estaba en la parte baja del mapa, a la izquierda, un trozo en el que se leía *ESPAGNE* con grandes letras mayúsculas. Trataba de localizar las ciudades, las montañas, los ríos, las provincias, las regiones, y pronunciaba con súbita fruición, como saboreándolos, en español, aquellos nombres a los que en sus lecciones de Geografía no había dedicado en Baracaldo demasiada atención. Y decía en voz baja "Sierra de Gredos", "Cataluña", "Andalucía", "Cáceres", "Río Ebro". Pronunciaba "Sevilla" y la buscaba en el mapa y veía que estaba a orillas del Guadalquivir; y le emocionaba, de repente, el hecho de que Séville se llamase Sevilla y el río se llamase Guadalquivir.

Siempre que oía alguna noticia de la guerra y hablaba de pueblos y ciudades de otras provincias, Santi buscaba con vehemencia esos nombres en el mapa. No sabía si esos pueblos y esas ciudades estaban en la zona de la República o en la de Franco, pero sabía que estaban allí, en su tierra, en el trozo de mapa marcado ESPAGNE,* y pensaba en ellos como algo muy suyo y muy próximo, como sitios donde las gentes eran españolas y seguían yendo al refugio y haciendo cola; donde acaso estaban preparando alguna otra expedición de niños que iban a ser evacuados, como él, al extranjero; donde chicos y mujeres se levantaban temprano, como su madre y su hermano, para poder comprar pan o aceite o patatas antes de que se agotase el racionamiento; donde había hombres que estaban muy graves en un hospital militar, como Tío Lázaro, o que pilotaban un avión de guerra y ametrallaban en el cielo a otros aviones, como el primo Antonio.

Para Santi Ugarte había sido siempre su aldea, Baracaldo su pueblo y Bilbao su ciudad.* No admitía ninguna rivalidad entre estos amores porque eran como diversos grados de parentesco y por cada uno de ellos sentía Santi un afecto que en nada disminuía el afecto que sentía hacia los otros dos. En el primer mes que pasó en la isla de Olerón fue ensanchando estas emociones geográficas en un marco más amplio en el que incluyó todas las ciudades y pueblos cuyos nombres se citaban en los partes y en las noticias de la guerra, que llegaban a la pequeña isla a través de las cartas que recibían de sus padres y de misteriosos rumores y de periódicos de Bilbao que de algún modo se filtraban hasta ellos.

Al principio, Santi se sentía bastante feliz en la colonia: le gustaba ir a clase todos los días, leerle a Begoña las cartas que recibían de casa, jugar con los demás chicos al fútbol y a la pelota, correr por la playa cogiendo caracolas y estrellas de mar y chaporear en el agua, porque nadaba muy mal. Tenían todo el día muy ocupado y por las noches se dormían en seguida, cansados y tranquilos.

Pero conforme pasaba el tiempo Santi y los demás se fueron*
aburriendo; la tranquilidad fue cediendo paso a una sensación
de constante alarma e inquietud. La guerra duraba más de lo
previsto y añoraban sus casas. Lo que al principio les había
parecido unas vacaciones se estaba convirtiendo en una ausencia
demasiado larga, en un exilio.

Aquel día, después de comer, cuando se disponían, como
cada tarde, a dormir un rato la siesta, Juan Mari, un chico de
Santurce, dijo que las cosas iban mal en España y que la guerra
duraría más tiempo de lo que se había creído.

—Pues mi padre me dice que no me preocupe, que ganaremos
la guerra en seguida y volveremos pronto —dijo Santi—. Y lo
mismo dijo ayer don Segundo, que* le oímos Felines y yo.
¿Verdad, Felines?

Felines asintió. Otro chaval, Marcelo, cuyo padre había
muerto en el frente de Ochandiano,* y que por ello imponía un
hondo respeto a todos los chicos e incluso al propio don Segundo,
dijo:

—Eso decía también mi padre, que íbamos a ganar la guerra
en seguida. Pero a él lo mataron y la guerra sigue, y hace ya
varias semanas que estamos aquí. ¿Hasta cuándo?

"¿Hasta cuándo?", se preguntó Santi, meditativo. "¿Hasta
cuándo?". Javier Aguirre Albizu (Santi siempre pensaba en él
llamándole por su nombre y los dos apellidos,* como lo había
oído citar en la lista del Ayuntamiento) preguntó de pronto:

—¿Y si* la guerra no acaba nunca? ¿Y si tenemos que que-
darnos aquí para siempre?

—No seas sinsorgo, tú —le gritó Santi—. ¿Cómo va a durar
la guerra toda la vida? Unas semanas más y se acaba; fíjate lo que
digo.

—Te apuesto lo que quieras a que no —dijo Javier.

Se hizo un hondo silencio en el dormitorio y los niños se
miraron unos a otros con expresión asustada. Aquellas palabras,
dichas entre adultos y en Bilbao, hubieran tenido un cierto
asomo de derrotismo, casi de traición; y todos los niños lo

sabían.

Gabino, que era de Zorroza y siempre llevaba un palillo entre los dientes, dijo, mirando primero a Javier y luego a los demás:

—A lo mejor éste no es de los nuestros.*

Javier se le echó encima, con los ojos llenos de lágrimas, y le pegó y le arañó en la cara. Santi y el chico cuyo padre había muerto en Ochandiano intervinieron y les separaron.

—Pues claro que Javier es de los nuestros —proclamó Santi—. ¿Verdad, Javier?

Javier dijo, con la voz muy húmeda:

—Pues claro. Pues claro.

Gabino se le acercó tímidamente.

—¿Amigos, Javier? —y le tendió una mano.

Javier dijo que sí con la cabeza y otros niños le tocaron en el hombro. Pero Javier sabía que aquello no bastaba, que tenía que explicar por qué había dicho lo que había dicho.

—Mi hermana mayor me escribió ayer diciéndome que están preparando otra expedición de niños para evacuarlos al extranjero. ¿Comprendéis? —preguntó—. Nosotros no vamos a volver todavía, sino que otros van a marcharse de Bilbao. Ya sabéis lo que eso quiere decir.

Sí, todos sabían —o al menos, todos los mayorcitos sabían— lo que aquello significaba. Significaba que la guerra iba a durar más de lo que ellos pensaban y que habría cada vez más bombardeos y más colas y más camiones con hombres yendo al frente. Y que sólo Dios sabía hasta cuándo estarían ellos allí, en Olerón.

Al día siguiente, que era jueves,* no había clase por la tarde. Felines, Javier y otros de la pandilla dijeron a Santi que don Segundo les había dado permiso para hacerse unas cañas e ir a pescar. Llevaban consigo muchas ramas bastante largas, hilo fuerte, alfileres que habían doblado en forma de anzuelo y bolitas de miga de pan para que sirvieran de cebo.

—Hacemos las cañas y nos vamos a pescar —dijo Felines.

—Yo, no —murmuró Santi.

—¿Pero por qué? —preguntó Javier.

—Porque no —dijo Santi.

Había pescado muchos mubles en La Punta y muchos panchos junto al rompeolas de Santurce. Había cogido un saco de mojojones en Las Arenas, sirviéndose de una navaja para arrancarlos de las rocas a las que estaban pegados como con cemento y había pescado montones de carramarros y quisquillas en unos quisquilleros que él mismo hacía con los chicos del barrio. Pero un día, de súbito, le entró una tristeza inmensa, como una gran vergüenza, al pensar que los peces y los carramarros y las quisquillas eran como reses que iban al matadero y que no podían ni siquiera gritar. Nunca supo por qué le había impresionado de repente tanto el silencio de los peces y de los moluscos, pero el caso es que desde entonces decidió no volver a pescar nunca más, nunca más.

Se quedó mirando a Felines, a Javier y a los demás, que preparaban sus cañas y se iban a la playa, y no sintió ninguna pena. Estuvo dando vueltas por la colonia y fue a ver si había cartas sin esperar el reparto de la noche. La señorita le dijo que sí y se la entregó.

Santi cogió la carta pensativamente, estuvo largo rato con ella entre las manos y la guardó, sin leerla, en el bolsillo. Le gustaba alargar y saborear aquel momento de feliz expectación, aquel momento en que se sentía más rico, con noticias frescas de casa al alcance de su mano y de su mirada. Siempre hacía Santi lo mismo con las cartas que recibía de sus padres: primero las guardaba en el bolsillo, diciéndose con placer: "Luego la leeré"; y las leía siempre dos o tres veces, una con los ojos, sólo con los ojos, y otra pronunciando en voz baja cada palabra, como si fuera un niño que todavía no había aprendido a leer bien del todo. Más tarde se la leía a Begoña y acto seguido la guardaba en su armario. De vez en cuando releía esta o aquella carta; y en todas sus padres y Juanito le decían siempre lo mismo: que cuidase a Begoña, que comiese mucho y se arropase bien por las noches, que estudiase, que la guerra acabaría en seguida, que ellos estaban bien. Acababan diciendo: "Muchos besos y abrazos de vuestros padres y de vuestro hermano, que mucho os quieren", y firmaban.

En el comedor, por la noche, Santi vio a Begoña.

—He tenido carta de casa, Bego. Mañana te la leeré. ¿Estás bien?

—Sí. ¿Y tú?

—Sí —y la sonrió—. ¿Estudias mucho?

—Estoy aprendiendo a multiplicar —dijo Begoña.

—¿En qué tabla vas?*

—En la del siete. ¿Quieres que te la diga?

Pero todo el mundo ocupaba ya su puesto en el comedor.

—Mañana me la dices. Después de que te lea la carta.

—No se te olvide —insistió ella.

Fue a sentarse con otras niñas y Santi se sentó en su mesa, al lado de Felines y de Javier Aguirre Albizu.

Cuando volvieron al dormitorio Santi se desnudó de prisa y se acostó. Abrió el sobre con mucho cuidado, para no romper el papel de dentro, y vio la letra inconfundible de su madre. Miró inmediatamente al final y se tranquilizó: sí, firmaban su madre, su padre y Juanito. Era una carta como las demás, escrita a mano y de dos carillas.

Se quedó mirando la primera palabra, escrita a la derecha, arriba del todo, y que era Baracaldo, antes de la fecha.* Oyó la voz de Felines que le decía: "¿Carta de casa, eh?", y Santi movió la cabeza haciendo un gesto de que sí y siguió leyendo gozosamente, casi golosamente. Al cabo de un rato Felines le preguntó:

—Santi, ¿qué te pasa?

Santi no dijo nada. Felines vio que Santi estaba llorando de un modo raro, en silencio, como un mudo. Felines buscó a Javier con la mirada y le hizo un gesto señalándole a Santi. Se acercaron a ellos otros niños y todos miraron a Santi. Les impresionó mucho verle llorar sin decir nada y seguir leyendo a través de sus lágrimas. Porque Santi continuaba con la mirada fija en la carta, sí, y la estaba leyendo a través de las lágrimas, sí, pero no daba vuelta a la otra carilla. Seguía mirando obsesivamente las primeras líneas de la carta y las veía como si estuviesen emborronadas. Un agua amarga le caía por las mejillas y le picaba y él no se daba cuenta.

Vino la señorita a ver si todo estaba en orden y a apagar la luz, porque ya era hora de empezar a dormir, y vio que algo ocurría. Se acercó a la cama de Santi. Le preguntó qué le pasaba y Santi no respondió. La señorita le pidió con voz muy suave y gentil:

—Déjame ver la carta, ¿quieres?

Extendió una mano para cogerla, pero Santi apartó el papel. Miró sin ver a la señorita y gritó:

—¡No la toque!

Y lo gritó con tal furia que la señorita retiró en seguida la mano y quedó callada durante varios minutos.

—A la cama, niños, a la cama —dijo luego—. Ya es la hora. Si dentro de cinco minutos no está todo el mundo acostado, llamo a don Segundo.

La mujer salió después de mirar tristemente a Santi. Hasta el día siguiente nadie supo, en la colonia, que Tío Lázaro, el tío de Santi y de Begoña, había muerto en el hospital militar de Sestao.

Santi y Begoña estaban ahora juntos más tiempo que nunca. Estaban sin mirarse y sin decirse nada; estaban simplemente juntos, como si no pudiesen estar el uno sin el otro. Santi consiguió en alguna parte un trozo de tela negra y se la cosió él mismo encima de la manga de su jersey.* Al cabo de unos días empezó a juzgarse a sí mismo, con su implacable sentido autocrítico. ¿No se sentía ahora, en el fondo, como un poco satisfecho por la muerte de Tío Lázaro, que le permitía sentirse una especie de héroe entre los demás chicos? Su dolor por la muerte de Tío Lázaro era, desde luego, hondo y sincero y la noticia le había desarbolado, le había inundado de una tristeza que le habitaba por completo desde la punta del pelo hasta la de los pies. Pero ¿no estaría explotando, en cierto modo, acaso sin saberlo, aquella tristeza, aquel dolor?

Y se respondió: "Es verdad; un poco." Murmuró "Tío Lázaro" y rezó por la noche, en silencio, sin que nadie lo supiera, por la salvación de su alma.

Volvió a concentrarse en sus estudios y caminar por la playa, muchas veces solo, cogiendo caracolas y estrellas de mar que luego iba guardando en su armario. Al cabo de una semana las estrellas de mar se habían podrido. Su armario apestaba, el dormitorio entero apestaba, y la señorita dijo que aquello era una porquería y que había que tirarlo. Santi lo tiró todo al mar.

Así pasó un día, y otro, y pasaron dos, tres y cuatro semanas más. Por la colonia comenzaron a correr rumores de que algo iba a ocurrir. *Cuatro Ojos*, que llevaba en el bolsillo un librito de papel de fumar y que siempre estaba sacando una hoja para limpiarse los cristales de las gafas, hizo une tarde una seña a Santi. Santi se le acercó e indagó:

—¿Qué quieres?

—Que no se enteren los demás —previno *Cuatro Ojos*—. Llama a Javier y a Felines.

Cuando estuvieron los cuatro juntos, mordisqueando el panecillo y la onza de chocolate de la merienda, *Cuatro Ojos* dijo:

—Hay noticias.

—¿Sí? —preguntó Santi—. ¿Y qué noticias?

—Nos vamos —anunció *Cuatro Ojos*—. Nos vamos a ir pronto de aquí.

—¿Adónde? —preguntó Javier.

Pero eso *Cuatro Ojos* no lo sabía. Por la noche casi todos los chicos conocían la noticia. *Cuatro Ojos*, que parecía estar enterado de otras muchas cosas, no soltaba prenda y no decía nada más.

—Parece ser que nos van a separar —dijo Gabino—. Todos no vamos a ir al mismo sitio.

—Eso no puede ser. Tenemos que seguir todos juntos —dijo Santi.

Pero Gabino insistió en lo suyo.

—Pues verás cómo unos vamos a un sitio y otros a otro. ¿Verdad que sí, tú? —añadió mirando a *Cuatro Ojos*.

Cuatro Ojos hizo un gesto afirmativo. Los rumores fueron creciendo como bolas de nieve durante los próximos días. Se decía que unos quedarían en Francia, otros irían a Rusia, otros a

Bélgica y otros a Inglaterra. Pero nadie sabía a ciencia cierta de dónde habían salido los rumores.

Santi se decidió y fue a ver a don Segundo.

—Dicen por ahí que nos vamos a ir y que unos van a ir a un sitio y otros a otro. ¿Es cierto, señor maestro?

Don Segundo le miró silenciosamente.

—¿Quién dice eso, Santi?

—Eso es lo que se dice —explicó Santi vagamente—: que unos van a ir a Bélgica, otros van a quedarse aquí, otros van a ir a Rusia y otros a Inglaterra. Yo venía a pedirle a usted . . .

Calló y don Segundo le animó.

—Habla, Santi, ¿qué es lo que quieres pedirme?

—Begoña y yo tendremos que ir juntos donde sea. Donde ella vaya tengo que ir yo.

—No te preocupes. Iréis juntos.

—¿Y a dónde iremos? —preguntó Santi.

Don Segundo le comunicó entonces la noticia:

—A Bélgica. Tú y tu hermana y muchos otros niños vendréis conmigo a Bélgica.

—¿Y los demás? —preguntó Santi.

—No lo sé todavía.

Santi permaneció un rato inmóvil, silencioso, digiriendo la noticia.

—Muchas gracias, don Segundo —musitó—. ¿Manda usted algo?*

—No. Buenas noches, Santi.

—Buenas noches, señor maestro.

Santi abrió la puerta, se volvió y preguntó:

—¿Nos vamos pronto?

—Dentro de unos días.

Y así fue. Seis días después Santi, Begoña y muchos otros niños abandonaron Olerón para siempre y fueron a Bélgica. Otros quedaron en la isla; entre ellos Felines, que quería irse con Santi y a quien le dijeron que no, que eso no podía ser. Fueron en tren hasta París, donde les recibieron con banderas, discursos, golosinas y bandas de música, y allí subieron a unos autobuses.

Viajaron durante mucho tiempo, llegaron a Bélgica, y nada más cruzar la frontera se pararon y les dieron limonada, leche y un queso que parecía igual que una calabaza, completamente igual, pero que era un queso riquísimo, el mejor que Santi había comido en su vida. Siguieron el viaje, llegaron a un sitio que se llama Oostdunkerke, cerca del mar, y el autobús se metió por una carretera que estaba entre dunas. Todo el paisaje olía a sal y estaba lleno de arena; alguien dijo que no muy lejos de allí estaba Ostende. Y rodando, rodando por una carretera casi invadida por la arena, llegaron a un edificio solitario que estaba junto al mar y que tenía muchas ventanas. Se oía el sonido de las olas muriéndose en la playa y había barcos de vela en la mar. Eran las seis o así de la tarde.

Santi, Begoña y los demás bajaron del autobús y aspiraron un fuerte olor a gasolina, a neumático recalentado, a comida caliente recién hecha, a mar y a café con leche. Una señora vestida de blanco, grueso y de pelo rubio, muy limpia y muy amable, de pie ante la puerta, iba tocando levemente a todos los niños en la espalda, como contándolos, y les decía hablando en español: "Bienvenidos, niños, bienvenidos" . . .

VI

Pasaron varias semanas en aquel edificio que parecía mitad hotel y mitad sanatorio. Tenía grandes ventanales, una biblioteca y una sala grande para estar charlando y leyendo. Había muchos periódicos y revistas sobre una mesa muy larga, de madera brillante; había también una chimenea que se encendía al atardecer. Daba gusto estar allí, pensando, leyendo o mirando el mar por el ventanal y oyendo el ruido de las olas, que sonaban igual que las caracolas que Santi cogía en la isla de Olerón y se llevaba a la oreja; y siempre se oía dentro el mismo rumor de viento contenido, como si cada caracola fuese un fonógrafo del mar dándole vueltas al mismo disco.

Por las noches, cuando había tormenta, Santi y sus amigos se asustaban un poco. Algunos pequeños escondían la cara entre las sábanas para no ver el intenso color amarillo que de súbito inundaba el dormitorio, como un calambrazo visual,* y para no oír aquel gran ruido por encima de sus cabezas, un ruido que parecía el de una bomba o, acaso todavía más exactamente, el de una partida de bolos gigantescos que seres ciclópeos lanzaban por encima del cielo y que cuando chocaban unos contra otros parecía que el mundo se resquebrajaba y que cielos y tierra se iban a venir abajo.

En aquellas ocasiones Santi se acercaba al ventanal y contemplaba como hipnotizado los rayos que le abrían las venas al cielo y las aguas revueltas, casi sólidas, que crujían y se agigantaban y eran como monstruos líquidos que de pronto adquirían vida propia. Se desgañitaban y se enfurecían y ululaban y se precipitaban hacia las dunas y allí se deshacían y morían entre chasquidos y espumas de agonía. A veces, por la mañana, encontraban en la playa huellas de algún naufragio: trozos de lona, botellas o cajas vacías y restos de algún velamen que el oleaje de la noche anterior había arrastrado hasta la orilla.

Durante el día, después de las clases —porque tenían siempre clase y estudiaban mucho; don Segundo era muy buen maestro y daba gusto estudiar con él y oírle explicar las cosas— Santi, Javier Aguirre Albizu, Gabino y Aresti (Santi no sabía por qué le llamaba a Aresti Aresti en vez de llamarle Ramón, que era su nombre) iban a pasear por las dunas. En aquel desértico paraje, todo mar, todo duna, todo cielo, Santi y sus amigos se sentían como en un lugar misterioso a miles de kilómetros de cualquier lugar habitado.

Las dunas eran una aventura constante, una experiencia que se renovaba cada día; todo era siempre igual y todo era siempre diferente. Aquí y allá, medio sepultados en la arena, veían pequeños arbustos y plantas que crecían solitarios, en un suelo inhóspito y que también olía a sal por el sabor que allí dejaba el agua del mar. Enterrados entre la arena hallaron huesos de hombres y de caballos, cascos de obuses, balas y un fusil viejo. Un día Santi encontró una bayoneta y, al lado, un casco de soldado, enmohecido y agujereado. Al día siguiente, que era domingo, Gabino descubrió una calavera, y la miraron y se miraron entre sí y al principio no se atrevían a tocarla. "Debajo de la piel y del pelo —pensó Santi— yo tengo una calavera como ésa, pero más pequeña", y sintió, de súbito, como si unas hormigas le fuesen subiendo lentamente en fila india por la espina dorsal. Llevaron la calavera a don Segundo y don Segundo les dijo que hacía años había habido una guerra tremenda en Bélgica, "la guerra del 14", dijo, y habían luchado mucho por aquella zona. Lo que ellos habían encontrado —el fusil viejo, los huesos de hombre y de caballo, el casco agujereado, la bayoneta, las cápsulas de obuses y las balas— eran restos de aquella guerra.

Santi se preguntó por qué en todas partes tenía que haber

guerras. Se hundió dentro de sí mismo y entonces cometió en silencio un enorme acto de rebeldía: y fue que por primera vez se decidió a criticar a todos los adultos en general. Había llegado a la conclusión de que a fin de cuentas las personas mayores no eran ni muy inteligentes ni muy buenas desde el momento en que no podían pasar unos años sin que en alguna parte se matasen unos a otros. ¿No era peor ir con fusiles y bayonetas y cañones a la guerra, pensó, que luchar a pedradas con los chicos de la calle Arana, que eran los más belicosos y fanfarrones de todo Baracaldo y que se creían que el pueblo era todo suyo y a los demás que los parta un rayo?*

Pero este pensamiento, esta pérdida de fe en las personas mayores, este silencioso acto de rebeldía, era algo que comenzó a perturbarle en seguida. Santi se asustó de haber sido capaz de pensar tal cosa y comprendió que a pesar de todo él no quería seguir siendo niño, sino volver a España, hacerse mayor, llevar pantalón largo y ser un hombre. Y supo que sin los adultos él y sus amigos se sentirían desamparados y como extraviados dentro de aquel bosque incomprensible que era la vida, donde no podían caminar a solas. Santi decidió meter a empellones aquellos pensamientos en el desván, echar la llave y no cometer nunca más aquel pecado de rebeldía.*

Alguna vez solían ir de excursión a un pueblo próximo, que se llamaba Nieuwpoort o algo parecido y se sentaban en un bar que tenía un gran toldo con listas azules y verdes. Veían a los niños del pueblo andar en bicicleta y correr por la playa —nadar no, porque aún no era verano y hacía frío— y oían cómo sus padres y sus madres les gritaban algo en francés, sin duda aconsejándoles: "Tened cuidado." Alguna vez un hombre daba un azote a un niño y el chaval lloraba o se enfurruñaba. Santi y los demás le miraban con envidia, porque en aquel momento hubieran querido estar en Las Arenas y andar en bici o hacer alguna barrabasada y que su padre les hubiera dado una azotaina. Don Segundo miraba a Santi y a los demás, como si supiera lo que estaban pensando. Les contaba cosas y les decía que por qué no cantaban alguna canción de Bilbao. Les invitaba casi siempre a un helado, que les servían en una copa de cristal, como si fuesen a beberlo, y luego lo comían con cucharita.*

Cuando volvían de nuevo al edificio de las dunas, don Segundo y la señorita y otro maestro muy joven que se llamaba don Gregorio, les decían:

—¿Qué os parece si cantamos* *Desde Santurce a Bilbao?* Conocéis esa canción, ¿verdad?

Todos, niños y niñas, decían que sí, que la conocían, y empezaban a cantarla. Pero algunos no sabían le letra y tarareaban la música, y *el Chapuza*, que era de Plencia, siempre acababa equivocándose de música e inventando parte de la letra, y entonces todos se armaban un lío y ya nadie sabía qué es lo que cantaban ni dónde iban* en la canción ni nada de nada. Don Segundo protestaba: "No, no, así no; hay que cantar todos a una." Señalaba a Gabino, a Aresti y a María del Socorro,* que era una niña muy listilla y que vivía en Bilbao, en la calle Bidebarrieta, y les decía:

—Vosotros tres, la del farol. ¿Va?*

Levantaba la mano como si llevase una batuta, la bajaba despacio, la movía de derecha a izquierda y Gabino, Aresti y María del Socorro empezaban a cantar:

> *El farol de Artecalle,*
> *el farol de Artecalle,*
> *el farol de Artecalle*
> *se va a apagar.*
> *Si no le echan aceite,*
> *si no le echan aceite,*
> *si no le echan aceeeite*
> *se apagará.*

Luego decían que no, que al farol no le echaban aceite y se estaba apagando. Seguían cantando los tres, pero callaban de repente Aresti y María del Socorro, y Gabino terminaba él solo, con voz muy baja y gruesa, como de hombre:

> . . . *el farol de Artecalle*
> *ya se apagóooooo.*

Todos aplaudían, cada cual se ponía a cantar lo que quería, y llegaban en seguida a la colonia. Se lavaban las manos y bajaban al comedor.

Llovió sin interrupción durante varios días. El paisaje que se extendía más allá del ventanal cobró un acento de infinita melancolía. Santi se sentaba en la sala de estar, que tenía ahora la chimenea encendida todo el día, y leía durante horas. Nunca le habían gustado demasiado los libros, pero cada día que transcurría le resultaba más y más difícil pasarse sin ellos. Eran como amigos que estaban allí, silenciosos y fieles, esperando que uno los abriera para contarle cosas maravillosas.

Por aquellas fechas leyó Santi, sobre todo, *Don Quijote de la Mancha*. La verdad es que cogió este libro un poco al azar y con cierta desgana, porque desde que era niño siempre había oído hablar a las personas mayores de Cervantes, a quien el maestro de Retuerto llamaba "el manco de Lepanto". Hablaban de Cervantes poniéndole tan bien, tan por las nubes, que a Santi tanto elogio le escamó un poco, y aquel Cervantes no le caía demasiado simpático.* Pero cuando empezó a leer *Don Quijote*, en edición para niños, se sintió cautivado, gozoso, inmerso en un mundo de emociones mágicas. Y entonces comprendió Santi vagamente, sin poder explicarse a sí mismo su pensamiento, que Cervantes era algo más que un gran escritor y que el manco de Lepanto y todo eso: era un hombre noble, humilde, grande y bueno; y esa nobleza y esa humildad y esa grandeza y esa bondad estaban impresas en el libro. Cada palabra, cada frase y cada párrafo estaban como tocados por la gracia de Dios y todo el libro le parecía a Santi que era algo vivo, fresco y jugoso como la hierba cuajada de rocío.* El libro era un tomo de Calleja, con ilustraciones que representaban los molinos, la venta y el ventero, Sancho con su Rucio y Don Quijote a lomos de Rocinante.

El descubrimiento del placer de la lectura deslumbró a Santi. Los libros fueron para él, a partir de aquel día, como una gozosa aventura, una aventura aún mayor que pasear por las dunas revolviendo por entre la arena en busca de restos de naufragios y viejos recuerdos de guerra.

Era mayo de nuevo y Santi cumplía doce años. De su casa le mandaron una tarjeta muy bonita de felicitación y una carta más larga. Begoña le dijo: "Felicidades, Santi", y mientras ella le tiraba de las orejas doce veces, a tirón por año,* Santi pensó que qué bonito tenía que ser poder escribir cosas: quedarse mirando el mar y decir lo que uno sentía, lo que uno veía y lo que uno pensaba cuando veía el mar; sacarse de la cabeza argumentos y niños y hombres y mujeres y paisajes y cosas y ponerlos sobre el papel y hacer con todo aquello un libro para que la gente lo leyese y se divirtiese o llorase o pensase o sonriese leyéndolo. Santi se dijo que aquello era mucho mejor que ser pelotari, que ser aviador, que ser tornero, que ser médico y que ser cualquier cosa.

Aunque le gustaba mucho más pensar las cosas que hacerlas, Santi se puso una mañana a escribir a ver qué tal lo hacía. Empezó a hablar del mar, de la costa, del cielo, de cuando a Gabino le picó un cangrejo en la playa y de cómo ladraba el viento ante las ventanas de la casa de las dunas y levantaba nubes de arena y se perdía luego con un largo suspiro en la lejanía.

Era como escribir una carta, pensó Santi, pero una carta que no iba dirigida a nadie y que al mismo tiempo iba dirigida a todos cuantos quisieran leerla. Decidió romper lo escrito porque le daba no sé qué leerlo* y porque además lo que había escrito no era lo que él había querido escribir. Mejor dicho, sí, se corrigió; era lo mismo, pero no lo había hecho bien y no se reconocía a sí mismo en aquellas palabras y en aquellas frases. Le daba como una alegría y una vergüenza muy raras pensar que él había escrito aquellas cosas. Rompió las dos hojas en cachitos muy pequeños, los echó en el water y tiró de la bomba para que nadie supiera que había estado escribiendo.

Unos días más tarde, en un ejercicio de redacción que don Segundo les había pedido a Santi, a Gabino, a Aresti y a otros, diciendo que lo hiciesen sobre el tema que escogiese cada cual, Santi escribió contando lo mucho que le había gustado el *Quijote* y por qué. Don Segundo leyó las redacciones de todos y fue diciendo: "Bien, bien." Al leer lo de Santi lo leyó más despacio, miró atentamente a Santi, le puso una mano en el hombro y le dijo: "Sigue escribiendo y lee mucho, Santi." Santi dijo: "Sí, don Segundo" y Gabino miró a Santi como riéndose, como con guasa, y le guiñó un ojo.

Los domingos que llovía eran los días más tristes y aburridos de todos. Después de que Santi y algunos otros niños leían, y otros jugaban a las damas o al parchís y algunas niñas bordaban o escribían cartas, parecía que habían pasado muchas horas y resultaba que aún era muy temprano y que faltaban todavía más de dos horas para ir a cenar.

Santi, Gabino, Javier Aguirre Albizu y Aresti se ponían juntos en un rincón y comentaban: "Vaya un domingo más aburrido, ¿eh?" Todos decían que sí* y se contaban cómo solían pasar los domingos antes de la evacuación. Y Santi recordaba aquellos domingos por la tarde en Baracaldo, cuando hasta el aire tenía sabor a domingo. A veces su padre le llevaba al campo de Lasesarre* a ver al Baracaldo* y Santi se emocionaba mucho y hablaba con la gente y animaba a su equipo. No lo podía evitar: quería que los baracaldeses ganasen aunque fuese dando un poco de leña, o agarrando por la camiseta al delantero contrario que parecía que iba a marcar un gol, o parando el balón con la mano cuando no les veía el árbitro. Después Santi iba en busca de sus amigos, que le esperaban en la plaza de abajo, donde había baile, y juntos solían ir a un bar a ver el resultado de los demás equipos de primera y segunda división; lo primero que miraban era lo que había hecho el *Athletic*. Volvían a la plaza y compraban cacahuetes, pasas y chufas o castañas asadas.

Santi salía los domingos con Joaquín, *el Pecas* y Sabino y a Sabino era al que siempre se le ocurría* jugar a "lo que haga el primero". Lo decía, echaba a correr y los demás tenían que hacer lo que hacía Sabino. Y Sabino, infaliblemente, tiraba del pelo a una chica. Como los demás tenían que hacer lo mismo y la chica los veía venir, cuando se acercaban Santi o *el Pecas* o Joaquín a tirarla del pelo, la chica y sus amigas empezaban a soltar bofetadas o empujones o patadas o a pegarles con los paraguas. Siempre se armaba un guirigay porque ninguno de ellos quería parecer cobarde ante los demás. A veces alguna chica mayorcita y seria les miraba moviendo la cabeza con desaprobación y les gritaba: "Maleducados. Vergüenza os debería dar",* y entonces Sabino, que era gordo y tenía cara de buena persona y daba el pego, porque era bastante descarado, se la quedaba mirando y la decía: "Calla, tía cursi." Cuando ella le reprendía: "Mocoso, sinvergüenza, voy a llamar a un alguacil", Sabino la gritaba: "Anda ahí, fea, que te vas a quedar soltera como tu madre."*

Un día, al levantarse, Javier Aguirre Albizu dijo que se sentía mal. Vino a verle el médico y le llevaron a la enfermería. Unos días después don Segundo y la directora belga, que se llamaba doña Julia Duprez, les dijeron a todos, en el comedor, que fuesen preparando la maleta, que al día siguiente se irían todos a Bruselas y que allí acababa el viaje. Santi fue a verle y don Segundo comprendió qué quería.

—Esta vez no va a ser posible, Santi —dijo—. Pero estaréis los dos en la misma ciudad y podréis veros cuantas veces queráis.

—¿Va a ir Begoña a una colonia de niñas y yo a una de niños? —preguntó Santi.

—No. Esta vez no iréis a una colonia, Santi. Iréis a vivir con familias belgas, con gente buena que os atenderá hasta que acabe la guerra y podáis volver a vuestras casas.

Santi se sintió desconcertado, triste y un poco alarmado.

—Pero eso no es justo, no puede ser. No pueden separarme de mi hermana —dijo. Ahogó un suspiro y preguntó—: ¿Sabe usted con qué familia va a ir mi hermana?

Don Segundo miró una lista y dijo:

—Sí. Marcel Bogaerts. Es una familia muy simpática, ya verás: son un matrimonio ya de edad y tienen dos hijas mayorcitas, una que se llama Lucienne y otra que se llama Simonne. Harán buenas migas con Begoña. No te preocupes; estará muy bien y podrás verla todas las veces que quieras.

Santi murmuró: "¿Me permite?"; y miró la lista y apuntó el sitio en que vivía la familia con la que se iba a ir Begoña: *Rue Stevens Delannoy, 32, Laeken, Bruxelles II.*

—Laeken es el barrio donde está el palacio del rey, ¿sabes?

—le informó don Segundo. Y preguntó—: Santi, ¿no quieres saber dónde vas a vivir tú?

Santi movió la cabeza y salió sin decir nada, procurando no llorar.

Al día siguiente, cuando todos bajaban por la escalera con sus maletas, para reunirse en el comedor, Santi fue a la enfermería a ver a Javier Aguirre Albizu.

—Sé que os vais —dijo Javier—. Y yo me quedo. Dice el médico que debo quedarme aquí y que pronto vendrá de Bilbao otra nueva expedición.

—Tú fuiste el primero de la lista que dieron en el Ayuntamiento —musitó Santi.

Por un momento recordó a su madre y a su padre y al autobús que les llevó a Bermeo.

—Recuerdo que hacías reír mucho a unos chavales a bordo del *H. M. S. Campbell.*

—Sí —dijo Javier.

Se dieron la mano y se miraron a los ojos.

—A lo mejor nos vemos cualquier día —dijo Santi—. Adiós.

—Adiós, Santi.

Santi bajó al comedor y fue al autobús con Begoña y los demás. Cuando el autobús arrancó, volvió la cabeza y estuvo mirando las casa de las dunas hasta que la perdió de vista.

—Escucha, Begoña, escúchame bien.

—¿Vas a reñirme? —preguntó ella.

—No. Escucha. Ahora iremos a Bruselas y allí tendremos que separarnos —vio la mirada alarmada de Begoña y añadió, de prisa—: No te preocupes; estaremos en la misma ciudad y nos veremos todos los días si quieres.

—No quiero estar sin ti —dijo ella.

—Ya lo sé, tonta, pero . . . Tú no te das cuenta, Begoña; no hay más remedio. Estamos en guerra, ¿comprendes?, y así son las cosas. Cuando lleguemos a Bruselas tú irás con un señor y una señora muy buenos, que tienen dos hijas mayorcitas, y te llevarán a su casa. Y yo iré con otros señores que me llevarán a la suya. Pero don Segundo y los nuestros saben tus señas y las mías, y saben quiénes son esas familias. Mira, yo he apuntado las señas de la casa donde tú vas a vivir. Así que no te preocupes, ¿me oyes?, no te preocupes. Yo estaré al tanto de todo y te cuidaré. Ya sabes que se lo prometí a la madre y que siempre cumplo lo que prometo. ¿No es verdad?

Begoña hizo un gesto de que sí porque sabía que era verdad, que Santi siempre cumplía lo que prometía, pasara lo que pasara.* Santi la miraba a hurtadillas, sin saber qué más decirla ni cómo tranquilizarla del todo, porque él también se sentía desamparado y no sabía qué es lo que ocurriría en Bruselas. Los razonamientos y la convicción y las palabras le fallaban.

El autobús rodaba ahora lentamente por una gran ciudad y Santi dijo: "Esto debe de ser Bruselas." Había oscurecido y brillaban muchas luces; sonaban múltiples ruidos, rumor de gentes, música de bocinas y claxons, traqueteos de tranvías. Santi vio edificios y plazas muy grandes y dedujo que Bruselas era una ciudad mucho más grande e importante que Bilbao. El autobús se paró dos o tres veces —el semáforo señalaba luz roja— y luego siguió andando despacio, dio la vuelta a una calle, desembocó en una plaza y se detuvo al lado de un edificio ante cuya puerta se había reunido mucha gente con pancartas y música.

Y fueron bajando los niños —Santi llevaba a Begoña de la mano—, subieron por unas escaleras y desembocaron en una sala grande, donde había una bandera española* y fotografías de hombres cuyos rostros le eran desconocidos a Santi. La gente hablaba en español, en francés y en otro idioma que debía ser el flamenco y que Santi sabía que también se hablaba en Bélgica, porque lo había leído en un libro que había en la biblioteca de la colonia.

Los niños dejaron las maletas en el suelo y esperaron a ver qué pasaba. Un señor muy bien vestido pronunció unas breves palabras de bienvenida en español y empezaron a entrar en la sala muchas señoras y muchos señores de aspecto extranjero. Santi los estuvo mirando de uno en uno, preguntándose quiénes serían Marcel Bogaerts y su esposa. Santi no se preocupó de quiénes podían ser los que venían a buscarle a él: sólo estaba preocupado por su hermana y se sentía además medio mareado y como poseído de un sentimiento de fatalidad.

Don Segundo y la señorita hablaban con unos señores españoles (Santi reconocía en seguida, de una ojeada, quiénes eran españoles y quiénes no) y el señor bien vestido, que llevaba chaleco y pajarita, hizo un gesto pidiendo silencio y pronunció un pequeño discurso. Y dijo lo que Santi ya sabía: que cada niño iría con una familia belga, que todas eran familias muy conocidas y respetables y amigas de España, que los hermanos que fuesen con familias distintas podrían verse con frecuencia, que funcionarios de la Casa de España* estaban a su disposición para cuanto pudiesen necesitar de ellos y que alguna vez se reunirían todos los niños para no perder contacto entre ellos y la patria.

Cuando acabó el señor de la pajarita comenzaron a leer nombres y cada vez que leían un nombre salía un niño o una niña. Inmediatamente un señor y una señora y a veces también una niña extranjera iban a su encuentro y la miraban con cariño y le cogían la maleta y la abrazaban diciéndola cosas en francés.

Dijeron:

—Begoña Celaya.

Santi cogió a Begoña de la mano y se adelantó. Se dirigieron hacia ellos un hombre como de unos cincuenta años, alto, de pelo gris, y una mujer también de edad, gruesa y de expresión bonachona. Dijeron algo en francés y besaron a Begoña en la mejilla.

—Soy su hermano Santi —dijo Santi, en español.

Miró al hombre a los ojos y luego a la mujer, también a los ojos, y pensó: "Parece buena gente." Don Segundo se les acercó y habló en francés con el señor Marcel Bogaerts. Luego se volvió a Santi y tradujo:

—Dice que no te preocupes, que la cuidarán y querrán mucho. Cuando quieras ir a verla, que vayas; que son amigos de la familia con la que tú vas a ir a vivir.

Santi pronunció: "Gracias", y le dio la mano al señor Bogaerts. En aquel momento pronunciaron en voz alta su nombre,

"Santiago Celaya", y un señor y una señora jóvenes, muy elegantes, se adelantaron. El hombre hablaba bien español, pero con mal acento. Mientras la mujer besaba a Santi y le ponía la mano en el pelo, el hombre dijo:

—Me llamo Raymond Dufour y ésta es mi mujer, Arlette. Bienvenido a nuestra casa, Santiago.

Le llamó así, Santiago y no Santi. Santi no dijo nada; cogió a Begoña de la mano y luego la abrazó.

—No te preocupes, Bego —dijo—. Ya sabes que aquí estoy yo.

Sus palabras le sonaron de pronto falsas e inútiles. Se sintió muy pequeño y muy débil, muy poca cosa,* y empezaron a humedecérsele los ojos. Vio cómo los Dufour hablaban con Marcel Bogaerts y cómo les miraban a él y a Begoña. Santi recordó las colas del pan y los refugios llenos de niños y de mujeres, miró lentamente a su alrededor, viendo a muchos niños que lloraban y no querían irse con aquellas personas desconocidas y pensó: "Y luego dicen que las guerras las luchan los hombres en el frente."

Alguien pronunció entonces su nombre en voz alta, diciendo:
—Adiós, Santi.

Era una voz burlona y familiar, inconfundible. Santi se volvió y vio de espaldas a Lucía, la niña del pañuelo rojo, que salía y bajaba las escaleras con dos señoras que la llevaban en el centro cogida de la mano.

SEGUNDA PARTE

LOS ESPAÑOLITOS DE ALSEMBERG

Junto a los ríos de Babilonia, allí nos sentábamos y llorábamos, acordándonos de Sión.

SALMO *137*

VII

A Santi se le hizo muy cuesta arriba* vivir en la casa de los Dufour. Y no es que no le tratasen bien, no. Al contrario, tanto Raymond Dufour como su mujer, Arlette, hicieron desde el principio todo lo posible para que Santi se sintiese a sus anchas y para que no le faltase nada de cuanto podía necesitar o desear.

Durante varios días, Arlette y Raymond Dufour habían estado hablando de cómo sería el niño español* que habría de venir a su casa y era cosa decidida que ellos harían todo lo posible para tratarle con comprensión y cariño. Vivían en una casa amplia, muy bonita, de dos pisos, como un chalet, en el barrio de Forest, cerca de un parque lleno de flores y de campos de tenis y de fútbol, con pequeños tío-vivos y toboganes y columpios. Era un parque alegre y sonriente que estaba todo el día lleno de niños, de escolares, de niñeras y de palomas. Para Santi habían hecho empapelar* y amueblar especialmente una habitación muy simpática, luminosa, con una pequeña chimenea, estanterías llenas de libros españoles y muchas pinturas y fotografías de España y banderines y juguetes.

Pero nada más entrar* en la habitación, aquella primera noche, Santi supo que no se iba a encontrar a gusto. Se sintió emocionado al observar el cariño con que los Dufour habían preparado todo aquello para él y captó la mirada expectante de madame Dufour, que parecía preguntarse, con angustia, si aquello le gustaba o no.

Santi era cortés y tenía un gran sentido de gratitud. Dijo que todo era muy bonito y que gracias. Madame Dufour le abrazó y habló con su marido y Raymond Dufour dijo:

—Dice que quiere que seas feliz con nosotros, Santiago.

Ella le trajo un vaso de leche y unas galletas y aunque Santi no tenía ninguna gana de tomar nada, tomó el vaso de leche por complacerla. Las galletas, no, porque realmente no podía.

La cama era cómoda y limpia. Raymond Dufour había depositado la maleta de Santi al lado de la cama y Santi no sabía qué hacer. Bostezó dos veces, adrede —aunque estaba realmente muy cansado; las emociones del día le habían agotado— y madame Dufour pronunció unas palabras en francés. Monsieur Dufour dijo:

—Duerme bien, Santiago. Mañana iremos de compras y te compraremos muchas cosas. Y también iremos en coche de paseo por Bruselas para que veas la ciudad. Luego almorzaremos en un restaurante, compras el regalo que quieras para tu hermana, e iremos a verla. ¿Te parece?*

—Sí, señor —dijo Santi.

Madame Dufour le miró dulcemente y le besó en la frente.

—Bonne nuit, Santiago.

—Bonne nuit, madame —respondió Santi.

—Buenas noches —dijo Raymond Dufour.

—Buenas noches —dijo Santi.

—El cuarto de aseo está aquí mismo. Es la segunda puerta a la derecha. Si quieres algo nos lo dices.

—Sí, señor.

Por fin se fueron y le dejaron solo. Santi no pudo más* y se tumbó vestido sobre la cama, sin llorar, sin pensar en nada. Estuvo así mucho tiempo. Se levantó, se quitó los zapatos muy de prisa y los depositó en la alfombra, al lado de la cama, con mucho cuidado, procurando no meter ruido. No quería molestarles ni darles la menor oportunidad de venir a verle para preguntarle si le pasaba algo.

Santi intentó explicarse qué le pasaba, cuál era su emoción dominante; y averiguó que lo que se sentía, más que cansado y desconcertado, era sobre todo, avergonzado. Experimentaba vergüenza de su propia situación, vergüenza de estar allí, en una casa que no era la suyà, vergüenza de ver con cuánto cariño y preocupación le miraban monsieur y madame Dufour. Le hubiera gustado seguir en alguna colonia con otros niños, no deber nada a nadie, sentirse a sus anchas y tirar los zapatos en el suelo y mirarse los calcetines, que a lo mejor tenían un agujero, y decir en voz alta: "Anda la mar, tú,* mira qué agujero" y quedarse tan tranquilo.

Nada más pensar en esto Santi comprendió que estaba perdido. Comenzó a mirarse los calcetines y respiró con alivio: no, no tenía ningún agujero. Abrió la maleta y miró la ropa interior, los pañuelos, los calcetines, la boina, la bufanda y los guantes de lana que había traído de Baracaldo. Lo observó todo detenidamente, porque le hubiera avergonzado tener ropa rota, o sucia, o muy remendada, y que el señor y la señora Dufour la hubiesen visto. Pero estaba todo en orden, todo limpio y presentable. Vio el tiragomas, que por alguna razón había insistido en llevarse consigo de viaje, y se lo guardó en el bolsillo, diciéndose que al día siguiente lo tiraría en cualquier parte cuando nadie le viese. Intuía que los niños de aquel barrio elegante donde vivían los Dufour no usaban tiragomas.

Cogió todas las cartas que había recibido de casa y las colocó sobre la mesita de noche, al lado de la lamparita que irradiaba una luz un poco verdosa y cálida, muy quieta, muy grata. Necesitaba ir al lavabo, pero le inmovilizó la idea de abrir la puerta de su habitación, andar por el pasillo, abrir la puerta del cuarto de baño, cerrarla, volver a abrirla y a cerrarla, andar de nuevo por el pasillo, entrar en su cuarto . . . Todo aquello le pareció, de repente, una operación complicada y terrible. Le horrorizaba, sobre todo, la idea de tener que tirar de la bomba, metiendo ruido, un ruido que se oiría en toda la casa.

Desechó definitivamente la idea de ir al lavabo y se desvistió de prisa. Puso la camisa y el pantalón sobre una silla y encima, bien doblado, su jersey. Colocó los calcetines con cuidado al lado de sus zapatos y se acostó. Buscó la carta en la que le comunicaban la muerte de Tío Lázaro y la releyó despacio. Experimentó un cierto placer extraño en su propia tristeza, y si no hubiera sido por Begoña y por su madre y por su padre y por Juanito —sobre todo, por Begoña y por su madre— a Santi no le hubiera molestado nada morirse aquella misma noche: leer un rato, apagar la luz, dormir y no despertarse y descansar para siempre. Y de pronto pensó que morirse era, sobre todo, eso: descansar. Cuando despertó, la luz de su lamparita estaba apagada y las cartas, reunidas todas en un pequeño montón, muy bien colocadas, estaban sobre su mesita de noche. Recordó que se había dormido leyendo una carta y que por lo tanto había dejado la luz encendida y murmuró en voz baja, sintiéndose de nuevo cohibido y avergonzado: "Han venido." Se vistió de prisa y permaneció inmóvil, sin atreverse a hacer ningún ruido. Vio al lado de la mesita de noche un estuche y supo que era para él; lo abrió y era un reloj de pulsera. Marcaba las nueve y veinte. A Santi le había comprado su madre, alguna vez, un reloj de pulsera de los de juguete, de esos que parecían de verdad pero a los que había que estar moviendo constantemente las agujas para que marcasen la hora. Este, no; éste era un reloj que funcionaba él solo cuando se le daba cuerda. Lo miró y ponía: *Made in Switzerland*; parecía de oro y tenía segundero y todo.

Lo volvió a guardar en el estuche y procuró dejar el estuche en la misma posición en que lo había encontrado. Oyó voces femeninas que hablaban bajo, como con miedo de despertarle, y luego percibió pasos cautos acercándose por el pasillo. La puerta de la habitación se abrió lentamente y apareció el rostro de una mujer de cierta edad que vestía de negro con puños y cuello blancos. La mujer dijo:

—Bonjour, mon petit.

Santi no dijo nada y la mujer desapareció de la puerta y desde el pasillo sonó su voz que anunciaba: "Madame, madame . . . Il s'est levé." Santi, que en aquellos meses había aprendido un poco de francés y que además tenía una cabeza que le rodaba bastante bien, se dijo: "Le está diciendo que me he levantado. Ahora vendrán." Se puso alerta, sin saber muy bien cómo reaccionar al ver a los señores Dufour.

Entró madame Dufour, que le dijo algo con acento cordial y

alegre, y luego apareció Raymond Dufour.

—Buenos días, Santiago. ¿Has dormido bien?

—Sí, señor.

Madame Dufour se acercó a la mesita de noche, cogió el estuche y se lo tendió a Santi.

—C'est pour toi, Santiago —dijo.

Santi abrió el estuche, sacó el reloj, lo miró como si no lo hubiera visto en su vida y pensó: "Esto no me gusta, esto no me gusta." Una gran lástima de sí mismo le corrió por todo el cuerpo, por dentro, y le desarboló. Comprendió que tenía que decir algo, para que no pareciese un desagradecido o un erizo, y dijo:

—Es muy bonito. Gracias.

Madame Dufour pareció comprender y sonrió con los ojos y con la boca. Le puso a Santi el reloj en la muñeca y le dio dos sonoros besos en las mejillas. Y si algo le molestaba a Santi es que alguien le quisiera atar los cordones de los zapatos o de las alpargatas o de las botas, o que le quisieran peinar o que alguien se empeñara en hacer algo que él podía hacer por sí mismo. Además le molestaba que le tocaran y se irritaba cuando sus tías y alguna amiga de la familia le daban un beso como a un niño pequeño. No le gustaba ir a la barbería a que le cortaran el pelo porque le sacaba de quicio que alguien le atase una especie de servilleta en el cuello y que luego le pasase una máquina que parecía una diminuta segadora por la cabeza. Lo peor era que como era pequeño todo el mundo se consideraba obligado a ayudarle en cosas para las que no necesitaba ninguna ayuda, y uno no iba a irritarse con el barbero porque le ponía servilleta y le cortaba el pelo y le echaba unas gotas de colonia y le peinaba y le sacaba la raya exactamente de la manera que menos le gustaba a Santi.

Madame Dufour dijo algo y monsieur Dufour preguntó:

—¿Te has lavado?

—No, señor.

—¿No quieres bañarte?

Santi no quería bañarse; lo que quería es que le dejasen en

paz, o, si no, que le llevasen cuanto antes a ver la ciudad y a la casa donde había ido Begoña. Pero aupó los hombros,* Raymond Dufour sonrió, como un cómplice, y Santi le miró y sonrió también. Madame Dufour se puso muy contenta y habló con su marido y esbozó una ancha sonrisa. Luego dijo algo y monsieur Dufour tradujo de nuevo:

—Anda, lávate un poco y límpiate los dientes.

—Sí —dijo Santi.

Pero no tenía cepillo ni pasta dentrífica y esto le humilló. Como ellos no decían nada y permanecían inmóviles Santi salió y fue al cuarto de baño y cerró la puerta. Aunque se solía lavar en mangas de camisa o con la interior, tenía la costumbre de no quitarse el jersey para lavarse si por cualquier motivo ya se lo había puesto; pero aquel día se quitó el jersey y la camisa y se lavó a conciencia, incluso las orejas y el sobaco, dándose mucho jabón, un jabón que sacaba* muchísima espuma y que olía como a perfume de señora. Se peinó a su modo, que era sacándose una gotita de raya hacia la izquierda, y vio que en la coronilla se le ponían de pie, como siempre, unos pelos rebeldes. Hizo lo que no había hecho la noche anterior, tiró de la bomba tímidamente —aunque sabía que no por eso iba a disminuir el ruido*— y salió y fue a su habitación.

—Ahora, a desayunar para irnos a visitar Bruselas —dijo monsieur Dufour— y hacer algunas compras.

Santi bajó a la planta baja, que tenía unas habitaciones muy bien amuebladas en las que se respiraba bienestar y buen gusto. Le dieron café con leche, pan con mantequilla y confitura y un huevo pasado por agua.* Le habían puesto cuchillo para la mantequilla, cuchillo para la confitura y varias curcharitas y una servilleta blanca. Aquello le desconcertaba, pero, le desconcertaba más, mucho más, ver con cuánto interés y alegría le miraban madame y monsieur Dufour. Cada vez que Santi bebía un sorbo de café con leche o comía un mordisquito de pan con mantequilla y confitura, madame Dufour se alegraba mucho y sonreía como si Santi hubiese hecho alguna heroicidad. Y Santi estaba haciendo una heroicidad, realmente, porque hubiera querido mandar todo aquello a paseo y meterse en su habitación y tomar allí una taza de café y sanseacabó.

—¿Listo, Santiago? —preguntó Raymond Dufour.

—Sí, señor.

Pero recordó de pronto algo. Recordó de pronto que tenía la boina en la maleta y aunque a veces en Baracaldo no llevaba boina —se la ponía sólo cuando hacía mucho frío o cuando caía sirimiri— Santi sintió la necesidad, la desesperada necesidad de definirse y de subrayar su identidad individual. De algún modo él relacionaba aquello con la boina. Dijo: "Perdone, monsieur Dufour, un momento". Subió a su habitación, abrió la maleta, cogió la boina y se la puso. Y entonces supo que él era un árbol y que nada ni nadie le despojaría de sus raíces. Salieron, monsieur Dufour se metió en el coche y abrió la puerta de delante y la de atrás. Madame Dufour se sentó detrás.

—Siéntate delante conmigo, Santi —dijo Raymond Dufour—. Así verás mejor la ciudad.

Bajaron la pequeña cuesta, dejando a la izquierda el parque florido y alegre donde jugaban ahora muchos niños, que hablaban y gritaban en francés. Madame Dufour puso sus manos sobre los hombros de Santi y le dijo cosas que Santi medio entendía y que monsieur Dufour iba traduciendo. A veces madame Dufour le hablaba a Santi directamente y sin esperar la traducción de su marido. Daba la impresión de que pensaba que, hablando muy despacio, pronunciando claramente cada palabra, Santi la comprendería sin necesidad de que nadie sirviese de intérprete.

Santi lo miraba todo con curiosidad, concentrándose en lo que veía. Ya no se sentía cohibido. Y vio grandes y hermosos edificios, calles bien pavimentadas, autobuses donde la gente iba sentada* y tranvías amarillos y simpáticos como los de Bilbao. Monsieur Dufour todo se lo iba explicando. Pasaron ante el Teatro de la Moneda, ante el Monumento al Soldado Desconocido, donde había coronas de flores, y ante el Congreso. Vio la Grande Place, que era una maravilla —no se fijó bien si era cuadrada o rectangular, como la Plaza Nueva de Bilbao, pero mucho más grande y hermosa— con puestos de flores y con edificios antiguos, bien conservados, que más que casas o palacios parecían cosa de grabados; cada ventana, cada puerta y cada fachada parecían que habían sido bordadas cuidadosamente en la piedra o esculpidas a pequeños y amorosos golpes de buril. Vio también el Manneken Pis, que era una escultura que representaba a un niño desnudo haciendo aguas menores. Había en alguna parte una glorieta con mucho tráfico que se llamaba Saint-Gilles y una iglesia que era la de Santa Gúdula y que era muy diferente de la de Santiago en Bilbao o de la Basílica de Begoña.

Y el coche dio vueltas por un sitio y por otro; y Bruselas era una ciudad grandísima, y había un barrio que se llamaba Sckarbeek, y el rey tenía un palacio en el centro de Bruselas y otro en Laeken, que era donde realmente vivía —y en aquel barrio, recordó, estaba ahora Begoña— y en todo Bruselas había parques y jardines y gente sentada en bancos y parejas que iban del brazo. Todo era muy distinto de lo que era Bilbao. Había otro aire, otra atmósfera, muchas cervecerías, bastantes palomas y árboles en medio de grandes alamedas, árboles de ésos que daban castañas que no se podían comer.

El coche se detuvo en una calle muy concurrida y con muchas tiendas y joyerías y mesas y sillas sacadas a la acera, donde la gente bebía cerveza o café con leche y hablaba y leía periódicos o libros. Y una cosa observó Santi: y es que todos los que pasaban por la calle, mujeres y hombres —porque había visto a muy pocos niños—, todos parecían bien vestidos; ellas cuidadosamente arregladas y ellos con sombrero y bien afeitados. Y todos, pero todos los que veía, llevaban algo cogido de la mano: una cartera, o un bolso, o un bastón, o un paraguas, o un periódico, o un paquete, o unos libros, o un perro, o algo.

Bajaron del coche y Santi se tocó la boina, contento de llevarla. Entraron en una sastrería que tenía unos escaparates muy grandes, unas mesas de madera que parecían de caoba y unos dependientes de aspecto muy serio que de pronto sonreían estirando mucho los labios, pero casi sin abrirlos. El suelo era de madera que olía a cera pero que estaba alfombrado, con unas alfombras muy espesas, tal vez más tupidas que la alfombra grande que había en la sala del Ayuntamiento de Bilbao.

Monsieur Dufour habló en francés y un dependiente llevó a Santi frente a un espejo, en una salita que había detrás de una cortina, y comenzó a tomarle medidas. Le mostraron a Santi varias clases de tela y monsieur Dufour dijo:

—A ver qué telas son las que te gustan más para hacerte unos trajes.

Santi señaló una cualquiera.* Monsieur Dufour le preguntó: "¿Cuál más?" y Santi señaló otra. Le daba vergüenza que le fueran a comprar demasiadas cosas. Madame Dufour escogió también una tela, la palpó, fue hasta la puerta de la calle y la miró al trasluz.

—Ahora te van a probar un traje ya hecho —dijo monsieur Dufour— a ver si te está bien. Los demás te los mandarán a casa en seguida.

A Santi aquellas palabras le perturbaron un poco, porque para él "casa" significaba su padre y su madre y sus hermanos y Baracaldo y su pasado y su futuro. La expresión "a casa" en labios de monsieur Dufour le produjo una sorda irritación. Pero no dijo nada.

El dependiente le llevó a una habitación más pequeña. Entraron también monsieur y madame Dufour y el dependiente vino con un traje y Santi tuvo que quitarse los pantalones y el jersey y probárselo. Le cohibía estar así delante de los Dufour, y menos mal que todo lo tenía limpio y que se había duchado enjabonándose bien en la casa de las dunas el día antes de venir a Bruselas. Monsieur Dufour observó con ojo crítico el traje nuevo.

—Te sienta muy bien.

Santi se miró en el espejo y vio que tenía unos pantalones un poco raros que no eran ni cortos ni largos, sino bombachos, que se ataban con una tirita a un botón un poco más arriba del tobillo y que había visto alguna vez a un chico de Neguri que los llevaba; y se llamaban pantalones golf. Monsieur y madame

Dufour ya debían haber hablado con los de la tienda, algún día antes, porque vino otro dependiente con varios paquetes y fue sacando calcetines muy alegres, de colores, y una corbata y una camisa blanca que se anudaba en los puños con gemelos. Le pusieron también un par de zapatos negros y otro par de zapatos marrones, aunque los que él llevaba estaban prácticamente como nuevos. Santi se lo puso todo y estaba pero que desconocido,* y sus amigos de Ugarte y de Baracaldo le hubieran tomado el pelo si le hubieran visto así, sobre todo por lo de los pantalones bombachos. Se puso la boina y se quedó un poco más tranquilo: así, por lo menos, llevaba algo que era suyo.

Metieron los paquetes en el coche. Fueron a comer, o a almorzar,* como decía el señor Dufour, a un restaurante muy elegante y muy silencioso. Cuando monsieur Dufour le preguntó qué quería comer, Santi dijo que lo que ellos quisieran, aunque la verdad es que le hubiera gustado comer tortilla con patatas y con un poco de cebolla y un plato de angulas, que era lo que más le gustaba. Dos camareros, muy tiesos y muy solemnes, estaban al lado de la mesa mientras comían y no hacían más que mirarles, y Santi pensó que a la gente de Bruselas parecía gustarle mucho mirarlo todo. Comió sin gran apetito y bastante coaccionado; la comida olía a mantequilla y no a aceite. Además, Santi se sentía un poco incómodo dentro de la ropa nueva. Los zapatos le dolían en el contrafuerte y estuvo a punto de soltarse el último botón del cuello de la camisa; pero no lo hizo. Cuando monsieur Dufour dijo que a ver* qué quería de postre, Santi respondió que arroz con leche. Y le trajeron un plato de arroz con leche caliente y además sin canela* y Santi lo comió sin ganas.

En unos almacenes próximos Santi compró una muñeca para Begoña. Monsieur Dufour compró flores para la señora Bogaerts, subieron de nuevo al auto y fueron a la casa donde ahora vivía Begoña.

Y allí sí* que Santi se sintió a gusto. El señor Bogaerts era un hombre con muy buenos modales, pero al mismo tiempo amable y sencillo. De todo él irradiaba una gran cordialidad y

Santi and Begoña in Brussels, 1937

sencillez y bondad. Begoña se echó en los brazos de Santi nada más verle y rompió a llorar.

—¿Te encuentras bien, Bego? —preguntó él.

—Sí.

—Ya ves que he venido.

—Sí —repitió ella.

Se miraron y ambos experimentaron vergüenza de estar en una casa que no era la suya. Santi le entregó a Begoña la muñeca y ella se volvió hacia madame Dufour y dio las gracias, pero no en español, sino en francés, diciendo *Mersi bocú*, que se escribía "Merci beaucoup". Y de pronto Santi se miró la ropa nueva, miró a Begoña, se miró a sí mismo por dentro y se sintió vagamente culpable, aunque no sabía de qué.

Permaneció silencioso después de haber saludado a las dos hijas de los Bogaerts, Lucienne y Simonne, que parecían haberse encariñado con Begoña y que eran ya dos chicas mayores. Lucienne parecía tener unos quince años y Simonne dieciocho o así.

Aquella casa, menos rica y elegante que la de los Dufour, tenía un aire más entrañable. El señor Bogaerts miraba de cuando en cuando a Santi y le sonreía como un viejo amigo. Fumaba en pipa. Había varias pipas colgadas en la pared, un cenicero lleno de ceniza y un libro abierto sobre una silla. A Santi le hubiera gustado quedarse allí hasta que acabase la guerra, quedarse allí y no volver a casa de los Dufour. Se asustó al pensar que dentro de un rato ellos se levantarían y se despedirían y se irían. Y él tendría que acompañarles y volvería a sentir vergüenza y soledad y miedo de meter ruido.

Pasaron en casa de los Bogaerts más de una hora. Begoña y Santi se hablaron muy poco y se miraron mucho a hurtadillas. Los Dufour se levantaron. Santi hizo lo mismo. Dio la mano al señor Bogaerts, dejó que le besaran madame Bogaerts y Simonne y Lucienne, abrazó a Begoña y se fue. Se subió en el coche y volvió a quedarse a solas con ellos.

Santi experimentaba una gran gratitud hacia monsieur y madame Dufour. Sabía que nunca les olvidaría y que siempre les querría y les estaría agradecido, siempre, hasta que se muriese; pero sabía también que aquella situación no podía durar, que así no podía seguir viviendo.

Por la noche pensó mucho en su casa, en la colonia de la isla de Olerón, en la casa de las dunas, en Javier Aguirre Albizu, que estaba enfermo, y en Felines, que a lo mejor lo mandaban a Rusia o a Inglaterra o a cualquier otro sitio. Volvió a leer las cartas de sus padres y volvió a pensar en Tío Lázaro y en el descanso de la muerte. Pero esta vez Santi no se durmió con la luz encendida.

VIII

Unos días después llevaron a la habitación de Santi los trajes que le habían hecho y muchas camisas y ropa interior y calcetines y corbatas. La criada de vestido negro y cuello y puños blancos ayudó a madame Dufour a colgar los trajes en unas perchas y a meter las demás cosas en el armario que había en la habitación de Santi. Por la noche sufrió un disgusto cuando observó que su ropa de Baracaldo había desaparecido. "Tal vez la hayan dado a un trapero o la hayan quemado", ·pensó. Esto le indignó, porque era como si le dieran a entender que la ropa que había llevado era una porquería o estaba ya tan desgastada que no había modo de seguir llevándola. Pero no protestó ni dijo nada por dos razones: la primera, porque no quería hacer sufrir a los señores Dufour, que eran tan buenos con él; y la segunda, y acaso la principal, porque Santi estaba seguro de que, de un modo o de otro, no permanecería mucho tiempo en aquella casa. Si alguna vez les daba un disgusto fuerte, decidió, sería por algo importante, no por rabietas o sentimientos de niño avergonzado.

Al día siguiente por la mañana, después del desayuno, monsieur Dufour le estuvo mirando pensativamente.

—Quisiera charlar un rato contigo, Santiago.

—Sí, señor —dijo Santi.

—Arlette y yo hemos hablado mucho de ti y hemos pensado lo que debemos hacer contigo. Dime una cosa: ¿te gustaría aprender bien el francés? Así podrías hablar con Arlette, y con la gente, e ir a la escuela. Dime —repitió—, ¿te gustaría aprender bien francés?

—Sí, señor.

—Bien —dijo monsieur Dufour. Y preguntó, de súbito—: Santiago, ¿no te gustaría llamarnos a Arlette y a mí de otro modo, en vez de decirnos siempre monsieur Dufour y madame Dufour?

Santi lo pensó durante unos instantes. No le agradaba la idea de llamarles Raymond y Arlette a secas, y tampoco le parecía bien llamarles Dufour o Tío Raymond, o Tía Arlette o algo parecido.

—¿Y de qué manera quiere usted que les llame? —preguntó. Monsieur Dufour tuvo un pequeño gesto de indecisión.

—No importa —murmuró—. Llámanos como te parezca mejor.

Y Santi dijo, mirándole a los ojos:

—Sí, monsieur Dufour.

El pareció un poco decepcionado. Encendió un cigarrillo con movimientos muy pausados y acercó un cenicero.

—En cuanto a las lecciones de francés, mañana mismo podrás empezar la primera clase. Ya te hemos comprado los libros. Ahí los tienes.

Eran unas gramáticas de lengua francesa escritas en español. Había también un diccionario francés-español y español-francés y una cartera escolar, de cuero, donde había varios cuadernos y un "plumier".

—La profesora vendrá aquí todas las tardes y te dará clase durante dos horas. Mañana empezarás tu primera lección.

—Sí, señor.

Cuando la profesora vino al día siguiente Santi vio que era una mujer como de unos treinta años, aproximadamente de la edad de madame Dufour. Parecía simpática, aunque un poco afectada en sus modales, como esas personas que tienen que ganarse la vida en las casas de los ricos y aparentan ser uno de ellos. Cuando madame Dufour la llevó a la biblioteca, donde se celebrarían las clases y donde ya estaba esperándola Santi, la profesora le tendió la mano y le dijo, sonriendo mucho:

—Yo soy mademoiselle Chapelain. ¿Cómo te llamas tú?

—Santiago Celaya —dijo Santi.

—Vamos a ser buenos amigos y vamos a estudiar mucho, ¿verdad? —preguntó ella.

Santi asintió.

—Ea, pues a trabajar —dijo ella.

Mademoiselle Chapelain miró a madame Dufour con expresión sonriente y madame Dufour movió la cabeza con gesto afirmativo, como diciendo a la profesora: "Usted sabe cómo tratar a los niños." Y aquello podía ser verdad o podía no serlo, eso Santi no lo sabía; pero de lo que sí estaba seguro es de que mademoiselle Chapelain, con aquellas palabras y aquellas sonrisas ya no le parecía tan simpática como le había parecido nada más verla, antes de que ella hubiese abierto la boca. Mademoiselle Chapelain podía ser una buena psicóloga y conocedora del alma infantil, pero no parecía conocer en absoluto la reacción defensiva que su conducta había provocado en Santi.

Más tarde, cuando madame Dufour hubo salido de la biblioteca, mademoiselle Chapelain empezó las lecciones con sencillez y con un tono de voz grave y agradable. Santi pensó: "Esas sonrisas y esas palabras eran para tranquilizar a madame Dufour y causarle buena impresión." Mademoiselle Chapelain tenía el don de hacer amenas las clases y de explicarlo todo de tal modo que el estudio no se hacía ni pesado ni difícil. Después de las dos primeras horas de clase, Santi tenía la impresión de que conocía al dedillo el mecanismo interior del idioma y de que le bastarían unas cuantas lecciones más, sobre todo de vocabulario, para empezar a defenderse en francés. Pero no le resultó tan fácil. Durante varias semanas pasó el día entero ocupado en estudiar a conciencia las lecciones con mademoiselle Chapelain, en oír la radio procurando concretar los sonidos en palabras y en leer títulos de libros en francés a ver si era capaz de traducirlos.

Una mañana monsieur Dufour le dijo a Santi que por la tarde vendrían a tomar el té unos parientes y amigos suyos que tenían muchos deseos de conocer al "petit espagnol". Por la tarde, después de marcharse mademoiselle Chapelain —las clases eran de dos a cuatro—, le pusieron a Santi un traje nuevo y le bajaron a la sala de estar, donde le esperaban los Dufour con dos caballeros y dos damas de mucha edad, una pareja joven y un hombre que parecía estar solo y que por lo que dedujo era el hermano de madame Dufour.

Santi se sintió otra vez avergonzado e incómodo y apenas tomó nada. Tenía un miedo terrible de hacer algo mal y de dejarles a los señores Dufour en ridículo, porque adivinaba que estaban orgullosos de él y que querían que hiciese un buen papel delante de los invitados. Las señoras le dieron un beso en cada mejilla y los caballeros le estrecharon la mano. El hermano de madame Dufour le dirigió una mirada alentadora y le preguntó:

—¿Cómo va eso,* Santiago?

Santi pensó: "Tirando", y respondió:

—Comme ci comme ça.

Una de las señoras lo oyó y dijo, volviéndose a madame Dufour:

—Pues habla francés muy bien, muy coloquialmente.

Madame Dufour no movió la cabeza como quitando importancia a la cosa, sino que, por el contrario, se sintió halagada y feliz y miró a la señora con gratitud y orgullo. Y de pronto Santi depositó su mirada en el rostro de madame Dufour, en el rostro de monsieur Dufour, y tuvo la impresión de que le consideraban a él, Santi, como cosa suya, de que estaban pensando en él con la satisfacción con que un padre y una madre piensan en su hijo. Le sacudió interiormente un ramalazo de rebeldía y de desconcierto. Hubiera querido meterse en el desván y oler a tierra mojada en Ugarte, estar de nuevo jugando a la pelota en Baracaldo, ir en tranvía bordeando la ría para ir a ver a los abuelos en Bilbao. Pero no podía huir, no podía meterse en el desván.

Permaneció callado, coaccionado por aquellas miradas que se clavaban en él con cariño e interés, pero también con una curiosidad que a Santi le pareció antipática y con un punto de impertinencia. "Me miran como si nunca hubieran visto a un español", pensó, y en seguida recordó que una idea parecida solía expresarse de otro modo, diciendo: "Como si fuera un bicho raro."

Otra vez la tierra tiró de sus raíces, vio su cachito de geografía española bombardeada, oyó la sirena y vio a los hombres ir al frente cantando en los camiones y a las mujeres y a los niños haciendo cola ante las tiendas. Durante un momento hubiera querido empezar a gritar y decir a aquella gente que le miraba: "¿Qué les pasa? ¿Creían ustedes que los niños españoles no son iguales que los demás niños?" Estuvo a punto de volverse, subir a su habitación, quitarse aquel traje, vestirse con sus ropas españolas y ponerse la boina y marcharse por ahí. Pero no hizo ni dijo nada. Sabía que eran buenas personas que deseaban su bien y no querían ofenderle, pero no podía evitar aquel sentimiento de rebeldía y aquella sensación pegajosa —como cuando se mojaba los dedos con goma arábiga— que le producía sentir sus miradas curiosas y compasivas depositadas en él. Además le irritaba verles tan felices y tranquilos tomando el té mientras en España la gente lo pasaba mal. Se calmó, recordó lo que había pensado de subir a su cuarto y ponerse la ropa española e irse por ahí y murmuró mentalmente: "Ya no tengo ni la ropa de casa; tendría que irme con ésta."

A Santi le solían comprar un chocolate muy rico que se llamaba *Côte d'Or* y que traía dentro cromos con ilustraciones de geografía, de historia y, sobre todo, de cosas relacionadas con el Congo. Santi coleccionaba esos cromos en un álbum. Madame Dufour dijo, mirando a Santi:

—¿Quieres ir a buscar el álbum para que lo vea madame Renard, hijo?

Dijo "hijo" y Santi no sabía si era un modo de hablar, como algunos adultos que ven a un niño cualquiera y le dicen "hijo" como si le llamaran "tú" o "chaval", o si era que madame Dufour había dicho "hijo" como si por un momento creyera que él era su hijo. La miró muy fijamente, con muda acusación, y ella no se dio cuenta de nada. Santi subió a su habitación, bajó el álbum y las señoras lo estuvieron hojeando. Y por las cosas que decían y por el acento admirativo con que lo decían, cualquiera hubiera pensado que para comer chocolate y pegar cromos había que tener un talento especial.

La verdad es que a Santi le gustaba mucho más el álbum que tenía en Baracaldo, con las alineaciones de todos los equipos de fútbol de primera división. Y para llenar aquel álbum sí que había que tener talento, porque casi todos salían "repes" y había alguno, como el de Mundo, que era un jugador del Valencia, que de ése no tenía un cromo ningún chico del barrio, y eso que* toda la pandilla y todos los niños de la vecindad y todos los que iban a la escuela de Santi, hasta los más empollones, compraban los caramelos donde venían aquellas fotos o cromos de los jugadores. Y de Mundo nada, que no salía ni uno.* Cuando uno acabara el álbum (y Santi tenía la impresión de que allí había trampa y que nadie lo acabaría nunca) había que mandarlo a la fábrica de caramelos para que lo vieran, y decían que luego devolverían el álbum y que enviarían un balón de reglamento y un equipo completo de futbolista con la camiseta, las medias y el pantalón del equipo que uno quisiera.

Después de mirar los cromos siguieron mirándole a él y diciéndole y preguntándole cosas con voz muy amable. Una de las señoras no hacía más que comer pastas, de una en una y cogiéndolas con la punta de los dedos como si le dieran asco y llevándoselas a la boca con lentitud y masticando con la boca cerrada, sí; pero comía una pasta y otra y otra y otra más y bebía un poco de café —porque dijo que a ella lo que le desvelaba no era el café, sino el té— y metía otra vez la mano en la bandeja que tenía a su lado y cogía una pasta muy delicadamente, como si en vez de dedos tuviese delicadas pinzas de plata, y se la llevaba a la boca y la comía que daba gusto verla.*

El hermano de la señora Dufour le preguntó a Santi que qué* le parecía Bruselas y que si le gustaba el idioma francés, y Santi respondió que Bruselas era una ciudad muy grande y muy bonita y que también le gustaba el idioma francés. El hermano de la señora Dufour le preguntó que si había aprendido alguna palabra o alguna expresión francesa antes de venir a Bruselas y Santi dijo que sí, que "Merci", "Bonjour, les gars", "Comment ça va", "Je suis espagnol", "Oui" y una expresión que había oído decir en la casa de las dunas al hombre que llevaba la leche y que hablaba riéndose mucho con una chica belga que trabajaba en la cocina. Dijo la expresión y el hermano de madame Dufour se rió, la pareja joven también se rió —aunque ella hizo como que no*— y monsieur Dufour sonrió un poco, como a pesar suyo. Madame Dufour dijo con voz severa:

—Santiago, no hay que decir eso.

Los dos caballeros y una de las damas no dijeron ni hicieron nada, como si en aquel momento estuvieran lejos de allí y no hubieran oído una sola palabra. La señora de las pastas, que acababa de llevarse otra a la boca, se atragantó un poco. Santiago se adelantó y le golpeó suavemente en la espalda. Ella tardó un rato en reponerse, se pasó una servilleta, muy cuidadosamente, en torno a los labios, y dijo:

—Oh, merci, mon petit.

Al día siguiente, Begoña, monsieur y madame Bogaerts, Lucienne y Simonne fueron a la casa de los Dufour a visitar a Santi. Estuvieron un rato todos juntos en el salón y Santi llevó a Begoña a su habitación para que la viera.

—¡Qué casa más preciosa! —exclamó Begoña.

—Me gusta más la del señor Bogaerts —dijo Santi.

—Pero ésta es más bonita, Santi —opinó Begoña. Y preguntó—: ¿No?

—Sí; pero aquí, no sé, estoy como cohibido.

—¿Por qué, Santi?

—Todo está tan limpio y es tan elegante. Y se preocupan tanto por mí, que, no sé, me siento como un jilguero. Tengo la impresión de que no voy a estar aquí mucho tiempo.

Begoña no le dijo "No me dejes, Santi, no te vayas", sino que le miró con expresión perpleja y preguntó:

—Pero ¿por qué? Si* es una gente muy simpática y muy buena, Santi.

—Ya lo sé —dijo Santi—. Siempre les recordaré con mucho

cariño.

Dos semanas más tarde ocurrió lo que había presentido, desde el primer momento, que de un modo u otro tenía que ocurrir: su ruptura con los Dufour. Era un día festivo, o tal vez el aniversario de boda de los Dufour, o el cumpleaños de uno de ellos o alguna fecha semejante. Santi se levantó como de costumbre, se bañó, se vistió y bajó al comedor. Los señores Dufour, le dijo la mujer del vestido negro y del cuello y de los puños blancos, ya habían desayunado y habían salido. Santi se alegró de poder desayunar solo a sus anchas. Cuando comenzó a desayunar la criada le dijo:

—Mira, Santiago. Es para ti.

Santi miró hacia un lado del comedor y vio una bicicleta reluciente, magnífica. Se acercó y encontró en el manillar una tarjeta en la que una mano— la de madame Dufour; lo adivinó por los rasgos picudos de acento femenino— había escrito: "Para Santiago"; y debajo la misma letra había escrito, a manera de firma: "Papá y Mamá".

Santi cerró los ojos y prenunció mentalmente: "Ya está." Volvió a sentarse en la mesa y no probó bocado. Luego subió a su habitación, cogió su pluma estilográfica, miró a ver si estaba cargada —lo estaba—, bajó al comedor, cogió la tarjeta, tachó "Papá y Mamá", escribió en su lugar "Monsieur y Madame Dufour", puso la tarjeta en el manillar y subió a su habitación a esperar lo que fuese.

Al principio, al hallarse de nuevo en el pequeño refugio de su habitación, a solas consigo mismo, no sintió ni pensó nada. Nada en absoluto, como si todo su corazón y su cerebro estuviesen completamente en blanco. Después tuvo pena de madame Dufour y de monsieur Dufour, pero sobre todo de ella. Hubiese querido que ella no hubiera escrito "Papá y Mamá" para que él no hubiera tenido que tacharlo. Sabía que madame Dufour se iba a llevar un disgusto tremendo cuando viese la tarjeta, pero Santi no podía evitarlo. No tachar aquellas palabras le hubiera parecido una traición a su padre y a su madre y una traición a sí mismo y a todo. "Ya está", pensó otra vez; y se sentó junto a la ventana y se dispuso a esperar.

Pasó mucho tiempo, más de una hora, y todo seguía siendo silencio en la casa; parecía que hasta la criada había salido. Después sonó el ruido de un auto que se paraba ante la casa y miró y vio que eran monsieur y madame Dufour que traían un paquete envuelto en papel de colores, como si fuese un regalo. Ella salió primero del coche, sacó la llave del bolso, abrió la puerta, entró y llamó con voz alegre: "Santiago, Santiago!" Pero Santi no se movió, no respondió; el corazón casi se le había parado. Oyó que la criada hablaba con madame Dufour y al cabo de un rato sonó la voz de monsieur Dufour. Madame Dufour lloró, sonaron pasos agitados que subían de dos en dos las escaleras y Santi sintió miedo y continuó inmóvil, clavado en la silla.

Monsieur Dufour entró y se le quedó mirando con una mezcla de decepción, de furia y de tristeza.

—La has hecho sufrir mucho —dijo—. Está llorando.

Y añadió en voz muy baja:

—Nunca la había visto llorar.

Santi intentó decir "Lo lamento mucho. No quise hacerla sufrir", explicarse, pero no le salían las palabras. Clavó la mirada en la calle, huyendo de la presencia de monsieur Dufour.

—Esto no puede quedar así —dijo monsieur Dufour.

Se fue y Santi quedó de nuevo a solas consigo mismo. Pasó el tiempo, pasó toda la mañana y Santi seguía sin pensar en nada, sin sentir nada. Suspiró de repente. Miró el reloj y eran las doce y cuatro minutos. La criada le trajo una bandeja con la comida, quitó los libros y los cuadernos de la mesa, puso un mantel, dejó la bandeja y se fue. Santi no probó bocado, volvió la criada y se llevó la bandeja sin musitar una palabra. Lo mismo ocurrió a la hora de la merienda y de la cena.

Santi se acostó pronto, deseando dormir, huir de todo aquello, pero el sueño no acudía. Oyó que tocaban al timbre de la puerta de entrada y se levantó. Pegó la oreja a la puerta, la abrió con cuidado y anduvo por el pasillo de puntillas con los pies descalzos. Vio a un señor que llevaba un maletín negro y dedujo que madame Dufour estaba enferma.

Se acostó y por fin se durmió. Nada más despertarse, muy temprano, oyó el llanto ahogado de madame Dufour. Poco después entró monsieur Dufour en su habitación y le dijo:

—He hablado con las autoridades españolas de aquí. Vendrán a buscarte esta tarde y te irás con ellos a otro sitio. Ten listas tus cosas.

—No tengo nada mío —dijo Santi.

Monsieur Dufour salió en silencio. Entró la criada con dos maletas, puso en ellas los libros y las ropas de Santi y cerró las maletas y las dejó junto a la puerta. Santi no leyó ni dijo nada ni comió. Estaba como mareado y aunque lamentaba mucho lo ocurrido pensaba que había hecho lo que tenía que hacer.

Por la tarde, muy temprano, vino a buscarle la criada.

—Te esperan en el salón —anunció.

Ella cogió las maletas y las bajó y se fue a la cocina. Monsieur Dufour hablaba con don Gregorio, a quien Santi había visto varias veces en la casa de las dunas con don Segundo.

—Les has causado un enorme disgusto, Santi —dijo don Gregorio.

—Lo sé —dijo Santi—. Lo lamento mucho.

—De acuerdo con nosotros, monsieur Dufour ha decidido enviarte a un sitio donde estarás con otros muchos niños.

—¿Españoles? —preguntó Santi.

—Ahora todos son belgas, pero pronto irán ahí también algunos niños que vienen a Bélgica evacuados en una nueva expedición.

—¿Podré seguir viendo a Begoña? —preguntó Santi.

—Sí —dijo don Gregorio—. El señor Bogaerts ya sabe lo ocurrido.

—Ya —musitó Santi.

Miró a monsieur Dufour y preguntó:

—¿Está enferma?

Monsieur Dufour no despegó los labios, y don Gregorio explicó:

—Sí. Ha tenido un ataque de nervios y no se encuentra bien.

¿Puedo verla? interrogó Santi.

—No —dijo monsieur Dufour sin mirarle.

Don Gregorio se despidió de monsieur Dufour, estrechándole la mano, y empuñó las dos maletas. Santi no sabía qué hacer ni cómo despedirse.

—Adiós —dijo.

Monsieur Dufour permaneció silencioso, como ausente. Don Gregorio salió y un hombre que estaba en un coche aparcado junto a la casa fue a su encuentro y le cogió una maleta y la llevó al auto. Santi miró a monsieur Dufour, dio media vuelta, salió despacio y oyó cómo la puerta de la casa de los Dufour se cerraba silenciosamente a su paso.

Media hora después Santi entraba en un edificio sobre cuya puerta se leía *Fleury*, un edificio de apariencia un poco gris, un poco inhóspita, y que estaba también en Bruselas, también en el barrio de Forest, y en el número 266 de una calle o carretera muy larga que se llamaba Chaussée d'Alsemberg.

IX

"Fleury" no era exactamente un colegio, ni exactamente un pensionado, ni exactamente un orfanato; pero era un poco las tres cosas. Por lo que dedujo Santi,* allí vivían todo el año, y a veces durante varios años, unos ciento veinte niños —chicos y chicas— cuya edad oscilaba de los seis a los dieciséis años y cuyos padres se habían separado, o habían ido al extranjero, o estaban tramitando el divorcio o estaban gravemente enfermos. En otras ocasiones era que los padres habían muerto y que el tutor, un pariente o un amigo de los difuntos, no podía o no quería preocuparse del huérfano y lo mandaba al "Fleury".

Visto desde la calle donde estaba la puerta de entrada parecía un edificio pequeño, pero cuando se penetraba en él y se recorría el gran pasillo de baldosas y uno se asomaba al patio-jardín y veía las dependencias del director, las oficinas, el comedor y allá al fondo, al otro lado del patio, los dormitorios y las clases, resultaba que "Fleury" no era tan pequeño como daba a entender su fachada, sino álgo grandísimo.

Además del patio y de las clases, de la enfermería, de los dormitorios y de las dependencias de la dirección, que estaban en los pisos, había también unos sótanos que daban a la Chaussée d'Alsemberg y en los cuales estaban la despensa, los baños, unos talleres de costura, una caldera de calefacción; y unos almacenes llenos de ropa y de cosas que estaban al otro lado del patio, en el edificio más grande, cuyas ventanas traseras daban a una calle en la que no había apenas ni tránsito, ni tiendas, ni nada, y que lindaba con un hospital enorme que tenía numerosos y pequeños pabellones diseminados entre el verde césped y los árboles. Allí, en aquel hospital, todo era silencio y quietud. Daba un poco de miedo ver de noche cómo se encendían las luces, cómo nadie parecía moverse dentro de los pabellones, cómo enfermeras y hombres vestidos de blanco iban y venían por los caminos arenosos, junto al césped. De vez en cuando sacaban de un pabellón a alguien en una camilla, todo el cuerpo y el rostro tapados por una sábana; casi todos los días entraba una ambulancia sin meter ruido, sin hacer sonar la sirena. Y los chicos, desde sus dormitorios, se quedaban mirando por la ventana todo aquello.

El director, monsieur Fleury, era un hombre cincuentón, alto, fornido y muy cuidadoso de su apariencia. Tenía el pelo muy negro y un bigote espeso cuyas puntas estaban un poco rizadas y ligeramente alzadas, como si cada mañana las untara de fijador para mantenerlas enhiestas. Su esposa, la señora directora, era gruesa, se agitaba mucho al andar —en cuanto daba dos pasos parecía que había hecho una caminata— y se llamaba Marie. Tenían una hija como de la edad de Santi que también se llamaba Marie. Llevaba gafas y estudiaba con los demás niños.

Había varias señoritas que o bien eran profesoras o bien se encargaban de cuidar a los niños mientras jugaban en el patio (un inmenso patio-jardín, con un frondoso roble cerca de una de las tapias), de llevarles en fila al comedor, de hacerles acostarse a tiempo y de que no hablasen ni estuviesen corriendo por los pasillos después de la hora en que se apagaban las luces.

Las que cuidaban a los niños eran un poco como alguaciles que siempre estaban al acecho de que alguien hiciera algo que no debía. No eran malas personas, pero se las veía cansadas y un poco encallecidas por estar todo el santo día cuidando a los niños o diciéndoles "Eso no se puede hacer" y riñéndoles y poniendo orden. Algunas eran muy simpáticas y hacían la vista gorda. Dos de ellas, las más jóvenes, habían estado en el "Fleury" desde que eran niñas y se habían quedado a trabajar allí como celadoras. No había modo de engañarlas porque se las sabían todas.*

De las profesoras, la que mejor le caía a Santi era mademoiselle Delorme, que era guapa, seria, amable y se hacía respetar sin apenas levantar la voz y sin que nadie la tomase el pelo. Tenía las manos largas, finas y una voz dulce que a Santi le recordaba, no sabía muy bien por qué, el sabor del melocotón. Era profesora del grupo de los niños y de las niñas mayores y lo mismo explicaba geografía que quebrados o que dibujo o gimnasia. Las clases de música, no, las clases de música las daba mademoiselle Beaumont, que era fea y delgada y tenía bastante mal genio.

Para Santi las clases de piano y de solfeo constituían como una pequeña y refinada tortura; más de una vez se hizo el enfermo para no ir a clase. En cambio le encantaba quedarse oyendo cómo algún niño tecleaba la clave de sol arriba y abajo, cómo las voces estudiantiles sonaban yendo del do muy bajo al do muy alto y luego del do alto al do bajo e imaginaba a mademoiselle Beaumont moviendo el brazo, como si dirigiese una orquesta, y diciendo: "Un, deux, trois, quatre." Al oírlo Santi se sentía nostálgico y pensaba en la calle Portu y en la casa del dentista don Braulio Algárate y en una hija suya que a veces se asomaba a la ventana y se pasaba horas y horas haciendo dedos sobre el teclado. Santi sabía que la niña se llamaba Sarita y que estaba todo el día estudiando música porque cuando fuese mayor quería ser pianista y dar conciertos.

Había también un médico en el "Fleury", un médico que aparecía por allí de cuando en cuando y que era un hombre viejo, cordial y bromista, que auscultaba a los niños, les recetaba grajeas y jarabes e inyecciones y les hacía sacar la lengua y les ordenaba: "Di aaaaa." Ningún niño sabía su nombre porque todos le llamaban "Monsieur le Docteur". Santi, cada vez que hablaba con él, pensaba que el señor doctor tenía "voz de receta", que era la expresión que Santi empleaba para dar a entender que el médico tenía una pronunciación casi tan ininteligible como su escritura.

El colegio o el pensionado o el orfanato "Fleury" era un tanto triste, un tanto patético; pero Santi supo, nada más entrar y ver el patio-jardín y el roble y los niños y las clases y los dormitorios, que allí se iba a encontrar más a gusto que en casa de los Dufour. Hizo un esfuerzo para no entristecerse demasiado cuando don Gregorio se despidió de monsieur Fleury y se fue, porque para Santi la marcha de don Gregorio representaba también el último nexo de unión que le ataba a don Segundo y a los demás chicos de la primera expedición. Durante unos minutos el mundo fue para él un lugar inhóspito donde se encontraba solo, totalmente solo y desamparado.

Le preguntaron su nombre y su edad y la señorita que debía ser la secretaria de monsieur Fleury miraba constantemente los papeles que le había traído don Gregorio. Cuando le preguntaron el lugar de nacimiento y Santi dijo: "Ugarte", la señorita miró un papel y dijo que algo no concordaba, porque en su ficha no ponía Ugarte sino San Salvador del Valle. Santi se pasó una hora explicando que Ugarte era un sitio tan pequeño que cuando pedían su partida de nacimiento había que dirigirse a San Salvador del Valle, que era el pueblo grande de al lado y tenía juzgado.* Después la señorita le llamó a Santi "Fernández" y Santi al principio no comprendió. Luego se pasó otra hora explicando que Fernández no era su primer apellido, sino su segundo apellido, es decir, el de su madre, y que él se llamaba Santiago Celaya. Muy pacientemente, en su francés recién aprendido, Santi dijo que Santiago era su nombre de pila, que Santi era el diminutivo de Santiago, que Celaya era el apellido de su padre y Fernández el de su madre. Por fin la secretaria del señor Fleury pareció comprender, llenó una ficha, dijo: "Comprendido, Santiago", y una celadora le llevó a un dormitorio donde no había ningún porque era hora de clase.

El dormitorio tenía dieciséis camas, ocho a cada lado; junto a cada cama había un pequeño armario metálico muy parecido al que tenía en la isla de Olerón, pero más pequeño y como clavado a la pared. Al fondo había un radiador y una ventana grande; Santi se asomó y vio que daba a una calle desierta y a un hospital. Había otro dormitorio al otro lado de las escaleras y un pasillo que conducía del dormitorio donde estaba Santi a unos cuartos

pequeños en cada uno de los cuales había dos camas. Siguiendo
por aquel pasillo se llegaba a la sala de aseo, y por allí también
se podía bajar, por unas escaleras que no eran de piedra como
las otras, sino de madera y más pequeñas, a los pisos de abajo
y al patio. En la planta baja, a la derecha, estaba una sala muy
grande, con muy pocas mesas y con escaleras y argollas y barras
gimnásticas y cosas para saltar; allí se daban las clases de gimnasia
y allí se reunían todos los niños cuando llovía y no podían estar
en el patio. Las chicas dormían en los dos primeros pisos, a la
izquierda (a la derecha estaban las clases) y los chicos ocupaban
todo el tercer piso. Cuando iban al comedor y estaba el suelo
encharcado no iban por el patio, sino por un camino de losas
que había a la derecha; estaba bajo techado y conducía del
edificio de los dormitorios y de las clases al edificio del comedor,
que era grande y con mesas muy largas y estaba justo a la
izquierda según se entraba por la puerta principal. Había también una puerta doble, enorme, de madera, que estaba en el
patio, junto a la tapia que daba a la calle siempre desierta; pero
sólo se abría de tarde en tarde cuando venía un camión trayendo
cosas.

Santi se turbó mucho cuando después de poner su ropa y sus
libros en el armario le llevó mademoiselle Tys al comedor.
Hacía un rato que habían acabado las clases y los niños estaban
ya cenando. Levantaron la mirada y se dieron con el codo unos a
otros. Monsieur Fleury y la señora directora y varias profesoras y
celadoras comían en unas mesas de al fondo, como sobre un
entarimado desde el cual se veía a todos los niños. Mademoiselle
Tys le señaló a Santi un lugar en el banco (no había en el comedor
del "Fleury" sillas como en la casa de las dunas, sino bancos) y
Santi se sentó sin mirar a nadie. Comió lo que le pusieron en el
plato, bebió una taza de algo que debía de ser malta con leche y
no dijo nada.

Un chico que estaba a su lado, y que era muy rubio, le
preguntó:

—Tú eres nuevo, ¿verdad?

Santi hubiera querido decirle: "Pues claro, hombre"; pero se

127

limitó a responder:

—Sí.

—¿Vas a estar aquí much tiempo?

—No sé —dijo Santi.

—Yo me llamo Raymond. ¿Y tú?

—Santi.

—¿Cómo? —preguntó el rubio.

—Santi —dijo Santi, marcando un poco irritado cada letra.

Todos los chicos y chicas de la mesa (porque comían juntos chicos y chicas) miraron a Raymond con admiración, como diciéndose: "Vaya con Raymond;* está hablando con el nuevo." Raymond preguntó:

—¿De dónde vienes?

—De España.

—¿De España?

—Sí.

—Así que . . . ¿tú eres español?

—Sí.

Aquello causó sensación. Se fueron comunicando la noticia de unos a otros, de mesa a mesa, y todo el comedor parecía estar pendiente de Santi. Pero a Santi esto no le molestaba como le había molestado la curiosidad de las señoras y de los caballeros en casa de los Dufour. En el fondo incluso se sintió un tanto feliz —feliz y cohibido— de que todos los chicos le mirasen con aire de asombro y curiosidad.

Cuando acabaron la cena todos se pusieron en pie y fueron saliendo en cola, sin hablar. Nada más salir muchos niños rodearon a Santi y empezaron a decirle cosas. Pero Raymond, que era el primero que le había saludado en el comedor, apartaba a los demás y decía:

—Vamos, dejadnos en paz.

No dijo "dejadle" sino "dejadnos", como si Santi fuera un viejo amigo suyo. A Santi no le gustaba que nadie ejerciese el menor monopolio sobre èl, pero Raymond le parecía un chico bueno y despabilado y le resultaba simpático.

Santi y Raymond y otros estuvieron paseando por el patio-jardín, dando vueltas en torno al gran roble, hasta que alguien agitó una campanita cerca del comedor. Mademoiselle Tys batió palmas y dijo:

—Vamos, niños; es hora de irse a la cama.

Apenas había comenzado a oscurecer, todavía no se había hundido del todo el sol y a Santi se le hizo raro tener que meterse en la cama tan pronto, como si estuviese enfermo o castigado. Había también otra celadora que batía palmas y cuidaba a las niñas y se llamaba mademoiselle Jacquot. Raymond le explicó a Santi:

—Esa es una arpía.

Santi subió al dormitorio, se desvistió, se puso el pijama y se metió en la cama.

Santi estaba cerca de la puerta que daba al pasillo que conducía a la sala de aseo y Raymond dormía cerca de la ventana. Pero Raymond empezó a hablar con el niño que dormía cerca de Santi, le dijo algo, le empezó a dar un libro y un auto que funcionaba con galga y al fin cambiaron de cama y Raymond ocupó la que estaba al lado de la de Santi. Vino mademoiselle Tys y se dio cuenta del cambio, pero no dijo nada.

—Mademoiselle Tys es muy buena. Cuando era niña ella también estuvo aquí como nosotros, ¿sabes? —explicó Raymond.

Mademoiselle Tys apagó la bombilla, dijo "Buenas noches" y se fue. La luz del atardecer entraba a raudales por la amplia ventana. Se oyó la voz de mademoiselle Tys diciendo "Buenas noches" en el dormitorio de al lado y vieron cómo empezaba a bajar las escaleras. Durante un rato todo fue silencio, como si los chicos se hubieran dormido de repente; pero poco después uno se levantó, fue hasta la escalera, miró por la ventana pequeña que daba al patio, regresó al dormitorio y dijo:

—Va al comedor.

Y todos empezaron a hablar y a moverse y a levantarse y muchos se acercaron a la cama de Santi para mirarle.

Santi, que se había acostado del lado derecho para no dar la espalda a Raymond, le dijo: "Estoy cansado; voy a ver si consigo dormir" y cambió de lado. Se quedó mirando la puerta que daba a las escaleras —veía un trozo de barandilla, unas camas del dormitorio de enfrente y unos niños que andaban descalzos—, cerró los ojos y se hizo el dormido. Y es que Santi necesitaba sentirse a solas para poder meterse en el desván y quedarse allá dentro un buen rato. Porque en el instante mismo en que mademoiselle Tys apagaba la luz y decía "Buenas noches", en el instante mismo en que su pequeña silueta enfundada en una bata blanca había cruzado la puerta para dirigirse al otro dormitorio, Santi había sabido, con certeza absoluta, que si no se metía en el desván en seguida acabaría poniéndose en cualquier momento a llorar como un crío. "Y eso sí que no",* decidió.

Quedó inmóvil y le heló la ausencia de las manos de su madre acariciándole el pelo; la ausencia de los labios de su madre besándole en la frente; la ausencia de la voz de su madre diciéndole "Duerme bien, hijo"; la ausencia del pequeño cuarto de su casa de Baracaldo y el ruido que hacía su madre fregando los cacharros de la cocina; la ausencia del olor del tabaco negro de su padre y otras muchas ausencias que de súbito se le hicieron insoportables y le produjeron un gran dolor.

Aunque no era lo mismo convivir con niños españoles que con niños belgas —a los belgas los encontraba Santi demasiado serios y un poco estirados; parecía que no acababan nunca de ser amigos de sus amigos y además tenían algo distinto en su modo de pensar y de comportarse—, Santi pronto comenzó a sentirse a sus anchas en el "Fleury" y a intervenir en los juegos y en las preocupaciones de sus compañeros. Le pusieron en la clase de los mayores y siguió las lecciones, en francés, sin demasiado esfuerzo. Los niños tenían el balón pinchado y hacía días que no jugaban al fútbol, pero Santi arregló la situación haciendo una pelota de trapo que ató fuerte con cintas y cuerdas. Al principio los belgas no querían jugar con la pelota de trapo; Santi les animó y jugaron y no lo pasaron mal. Desde entonces, cuando se pinchaba el balón o lo cogía una celadora y lo guardaba durante unos días como castigo, o lo lanzaban por encima de la tapia, seguían jugando con las pelotas de trapo que hacía Santi.

Santi estaba acostumbrado, desde pequeño, a tener amigos y a salir con ellos y a hacer travesuras en pandilla. Cuando salían los gigantes y cabezudos y desfilaban con chistus y tamboriles y con un Gargantúa de cartón,* Santi y sus amigos les seguían por todo Baracaldo y hacían rabiar a los cabezudos armados de vejigas inofensivas. Los pequeños a veces se asustaban cuando los cabezudos les pegaban con las vejigas, pero Santi y Joaquín y Sabino y *el Pecas* llevaban alfileres y pinchaban las vejigas y aguaban la fiesta a los cabezudos. Un día el alguacil les pilló y les dijo que si les veía pinchar vejigas otra vez les iba a meter en el calabozo y los tendría allí encerrados hasta que fuesen mayores y tuviesen que ir a hacer el servicio militar. En otra ocasión les cogió el alguacil de la calle Portu cuando ponían botes de tomate llenos de agua en las puertas de las casas. Llamaban a la aldaba y se iban corriendo; los de la casa abrían la puerta, el bote caía y el agua se derramaba dentro. Una vecina reconoció a Santi en uno de los que llamaban a las aldabas y echaban a correr y se lo dijo a sus padres. Santi recibió una azotaina cuando volvió a casa a cenar sin sospechar lo que le esperaba.

En el "Fleury" ningún niño pensaba en hacer trastadas y Santi era ya mayorcito y tampoco echaba de menos aquellas travesuras. Se le hacía difícil, sin embargo, compenetrarse con chicos que ni siquiera sabían que Bilbao era una ciudad y deseaba que fuese verdad lo que había dicho don Gregorio de que posiblemente llegarían pronto al "Fleury" niños españoles de otra expedición.

Unos días después de haber abandonado la casa de los Dufour vino a verle el señor Bogaerts por la mañana, a eso de las nueve. Era primer domingo de mes y, como Raymond explicó a Santi, los primeros domingos de mes eran "días de salida" y los terceros domingos de cada mes eran "días de visita". Los domingos restantes nadie salía ni nadie venía a visitarles; pasaban el día en el patio o se iban de excursión en autobús.

Monsieur Bogaerts preguntó: "¿Cómo estás, Santi?" y le estrechó la mano. Salieron, subieron en un tranvía, recorrieron casi toda la ciudad y llegaron a Laeken. Se apearon y echaron a andar y cuando doblaban una esquina y entraban en la calle Stevens Delannoy, monsieur Bogaerts dijo:

—Los Dufour te querían mucho y eran muy buenos. Han lamentado mucho lo ocurrido.

—Yo también —dijo Santi.

—¿Cómo? —preguntó monsieur Bogaerts.

Sonriendo, le informó que estaba un poco sordo porque había sido artillero en la guerra del 14.

—Digo que yo también lamento mucho lo ocurrido —dijo Santi alzando la voz.

Hablaba en francés con mal acento, pero con soltura. Podía explicarse muy bien, casi como si estuviera hablando en español.

—¿Te encuentras bien en el "Fleury"? —preguntó monsieur Bogaerts.

—Muy bien —asintió Santi.

—Si necesitas algo, si quieres algo, dímelo.

—Lo haré —prometió Santi.

Y entonces habló de los Dufour a monsieur Bogaerts y de por qué había tachado lo de "Papá y Mamá", diciéndole que aceptar aquellas palabras le había parecido, no sabía cómo decirlo, algo así como una traición.

—Comprendo —musitó el hombre.

Santi estaba muy a gusto con monsieur Bogaerts; le encantaba su modo de pensar y de ser y de hablar. Era, en cierto modo, como si le hubiera conocido durante muchos años. Pasó una mañana muy agradable con Begoña y los Bogaerts y después de comer fueron a visitar los edificios de la Exposición Internacional que se había celebrado allí no hacía mucho y que estaba bastante cerca del palacio del rey Leopoldo. Pasearon y tomaron refrescos al aire libre y luego Begoña se fue con madame Bogaerts y con Simonne y Lucienne. Monsieur Bogaerts llevó a Santi a un pequeño restaurante, cenaron, hablaron un rato con Jean, que era un hombre joven y alto que se había apuntado para ir a luchar a España con las Brigadas Internacionales,* y volvieron otra vez en tranvía a la Chaussée d'Alsemberg.

A mediodía del lunes Santi encontró en el comedor, delante de cada niño y al lado del habitual vaso de cristal, un vaso de cinc lleno de agua. Antes de que tuviera tiempo de preguntar para qué era, vio que la enfermera, mademoiselle van der Berg, pasaba por las mesas con un cuentagotas y un botellín lleno de un líquido de color rojo y ponía unas gotas de aquel líquido rojizo en el vaso de cada niño. Lo que echaba era tintura de yodo, una gota por cada año que se tenía de edad, y cuando estuvo delante de Santi le preguntó:

—¿Cuántos años tienes?

Y Santi dijo:

—Doce.

Y mademoiselle van der Berg le echó doce gotas. Santi se bebió aquello de un trago y le entraron náuseas. Y fue la primera vez que hubiera deseado no ser un chico mayor de doce años sino tener sólo diez o siete o cinco. Le pareció que beber tintura de yodo con agua era una porquería. Raymond le dijo que eso lo daban cuando varios niños tosían mucho o cuando cambiaba la temperatura y se cogían resfriados y Santi dijo que sí, que comprendía, pero que aquello seguía siendo una porquería.

Y justo entonces, mientras empezaba a comer de prisa a ver si así se le quitaba el mal sabor de boca, mademoiselle Tys se acercó a la mesa.

—Monsieur Fleury quiere hablar contigo —anunció.

Santi se levantó pensando qué podría querer de él monsieur Fleury y buscando en su memoria a ver qué había hecho de malo durante las últimas horas. Pero no encontró nada. "A lo mejor me mandan ahora a otro sitio", pensó; y la idea de hacer las maletas y marcharse y conocer más gente nueva en otro lugar le produjo un cansancio infinito.

Recorrió el comedor y quedó en silencio esperando que monsieur Fleury levantase la vista del plato y le viese.

—¿Me llamaba usted? —preguntó Santi.

Monsieur Fleury no le había parecido nunca a Santi un hombre demasiado puntilloso en asuntos de tratamiento. Por eso le sorprendió que le mirase por el rabillo del ojo y le dijese con acento de reproche:

—Señor director.

—Señor director —dijo Santi.

—¿Me llamaba usted, señor director? —completó monsieur Fleury.

—¿Me llamaba usted, señor director? —repitió Santi.

Monsieur Fleury tardó más de un minuto en hablar. Miraba a Santi como midiéndole y se preguntaba a sí mismo si había detectado o no una cierta ironía en la voz de aquel muchacho que estaba de pie ante él con las manos anudadas a la espalda.

—Pasado mañana —dijo, por fin— vendrán otros niños españoles.

—¿Cuántos, señor director?

—Nueve niñas y doce chicos. Se van a poner más camas en otros dormitorios para que todos los españoles estén contigo en tu dormitorio.

—Gracias —dijo Santi.

Más que ver, adivinó la mirada expectante de monsieur Fleury.

—Gracias, señor director —añadió.

Monsieur Fleury miró despaciosamente a su esposa, a las profesoras y a las celadoras. Su mirada decía: "Hay que hacerse respetar sin gritos y sin azotes. Con seriedad y firmeza; eso es todo"; y siguió comiendo mientras Santi volvía a su mesa sintiéndose muy feliz, muy eufórico, y pensando al mismo tiempo: "Esos no toman tintura de yodo con agua."

Las dos noches siguientes Santi tardó mucho en dormirse. La víspera de la llegada pusieron sábanas nuevas en doce camas y por la noche sólo ocuparon el dormitorio Santi, Raymond, Claude, que era un chico como de quince años, muy reservado, muy callado, y André, que tenía diez y que casi todas las noches, antes de dormirse, lloraba y murmuraba algo entre dientes con el rostro tapado por las sábanas.

A primera hora de la tarde vinieron los españoles. El corazón le brincaba a Santi en el pecho mientras les veía cruzar la puerta y les miraba de uno en uno a la cara. Era como estar otra vez en la colonia de Olerón o en la casa de las dunas, era como acercarse un poco a casa, como volver a echar raíces.

A todos los que entraban, a niños y niñas, a grandes y a pequeños, les preguntaba: "¿De dónde venís?" y les decía: "Me llamo Santi. Soy de Baracaldo." Todos eran vizcaínos; todos habían visto a don Segundo; todos sabían lo que eran las sirenas y los racionamientos y las colas y los bombardeos y el Arenal.* Y Santi casi lloraba de alegría mientras seguía diciendo: "Me llamo Santi. Soy de Baracaldo."

Y de pronto vio a Javier Aguirre Albizu, el primero de la lista en el día de la partida en el Ayuntamiento, el que hacía reír a unos niños parodiando el habla de los marineros del *H. M. S. Campbell*, el que había quedado en la enfermería de la casa de las dunas cuando Santi y los demás habían ido a Bruselas. Parecía que habían pasado años y años desde entonces.

Santi gritó:

—¡Javier!

Javier le miró y dijo:

—¡Santi!

Se abrazaron y quedaron mucho tiempo parados, en silencio; Santi con la cabeza apoyada en el hombro de Javier y Javier con la cabeza apoyada en el hombro de Santi.

Y eran como dos hermanos.

Prosiguió ayer la penetración en Ov

Se arrebataron a los fascistas nuevas casas en la calle de González Besada y en el ba
Lázaro, apoderándose del Matadero viejo, donde los rebeldes habían hecho una tenaz

Sobre el envío de niños a Francia

Departamento de Asistencia Social

Crónica de A

La lectura de reseña
Inglaterra no podía permanecer con las manos cruzadas

Política japonesa
Japón reacciona contra los excesos militaristas

Una concesión
Dos millones de pesetas para Atxuría

Por una agresión
Recordando una protesta

Todos los días se realizan ejecuciones

La emisión euzkeri de esta noche

Momentos de la vida de Saseta

El control militar
La plausible actitud de un Ayuntamiento bizkaíno

X

La llegada de aquellos veintiún compatriotas (eran, como había anunciado monsieur le Directeur, nueve niñas y doce chicos) cambió por completo la vida de Santi en el "Fleury". No tenía ojos y oídos más que para ellos. Durante varios días les atosigó a preguntas: de dónde venían, cuántos años tenían, cómo se llamaban, cómo estaban el Arenal y la ría, si habían sido bombardeadas muchas casas en Baracaldo y en Bilbao, si los hombres seguían yendo al frente cantando en los camiones, si la guerra iba a durar todavía mucho tiempo . . .

Entre los recién llegados había dos chicos de Baracaldo que se convirtieron en el blanco preferido de las preguntas de Santi: Manolín, de diez años, que era del barrio de San Vicente (y que había estudiado allí en la escuela de don Segundo) y Fermín Careaga, que tenía once años y era grave y discreto. Vivía en la misma plaza de los Fueros y se veía que era un chico un poco tímido, inteligente y bien educado; en cuanto se le trataba un poco perdía su timidez y afloraba una criatura llena de humor y con un gran sentido de compañerismo.

Ninguno de los dos le dio a Santi noticias nuevas de Baracaldo, porque habían salido de allí hacía más de tres meses y también habían estado en Olerón y en la casa de las dunas. Pero Santi seguía haciéndoles preguntas y mirándoles, porque eran de Baracaldo y a lo mejor hacía cuatro meses ellos se habían cruzado un día en la calle con su madre o su padre o Juanito. Era también posible que al ir a la estación, calle Portu abajo, Manolín y

Fermín hubiesen visto a Joaquín, al *Pecas*, a Sabino y al grandullón de Santander jugando a la pelota en la pared trasera de alguna casa.

Manolín y Fermín Careaga adquirieron una dimensión importante que para Santi, hundido en un mundo de melancolías y añoranzas, tenía una colosal trascendencia: la dimensión de haber compartido su mundo, de haber caminado por las mismas calles, de haber visto las mismas plazas y casas, de haber estado juntos acaso alguna vez, codo con codo, sin conocerse, entre el público de Lasesarre una tarde cualquiera de domingo.

Había también chicos y chicas que eran de Bilbao, de Lequeitio, de Las Arenas, de Pedernales, de Santurce, de Dos Caminos, de Somorrostro, de Orduña y de Sestao.

Los chicos ocuparon las doce camas reservadas para ellos en el dormitorio de Santi y a partir de aquel momento, durante varias semanas, allí no se oyó hablar más que español, porque ninguno de ellos —con la excepción de Javier Aguirre Albizu, que lo chapurreaba un poco— sabía francés. Había una chica mayorcita, Aurelia, que ésa sí, ésa hablaba un poco de francés y hasta una gotita de inglés, y presumía mucho porque en Bilbao había empezado a estudiar piano y solfeo y había tenido una *nurse* escocesa que le había enseñado a decir "Good morning" y "Thank you" y "house" y "children" y "nice girl" y algunas otras palabras.

Pronto empezaron a conocerse mutuamente sus debilidades y sus virtudes, a saber quién era quién y a ponerse motes. A Javier Aguirre Albizu le llamaban "el inventor" porque nada más llegar al "Fleury" transformó una vieja máquina de fotografiar en una especie de fusil: cuando se apretaba el botón, en vez de sacar fotos, salían flechas pequeñas por un agujerito que Javier había hecho en el objetivo. A Eugenio, que era de Las Arenas, le llamaban *el conde* porque se pasaba todo el día muy pendiente de su persona y estaba media hora mirándose en el espejo para sacarse la raya. Santi y los demás españoles se limpiaban los zapatos mojándolos un poco con saliva y frotándolos con una manta para sacarles brillo; pero Eugenio tenía cepillo y betún y bayeta, y se limpiaba todas las mañanas los zapatos hasta dejarlos relucientes, mejor que un limpiabotas. Santi le miraba un poco atónito y le decía que sus zapatos eran como una obra de arte, como un cuadro. "No falta más que firmarlos", le dijo un día.

José Luis, el de Sestao, tartamudeaba a veces, sobre todo cuando quería decirlo todo de una vez, como a borbotones, y entonces daba pena ver cómo repetía una sílaba y no podía seguir. En vez de procurar decir las cosas de otra manera, para evitar el escollo y no tartamudear, José Luis insistía en repetir la misma palabra, y esto era como tropezar siempre en la misma piedra. Se ponía nervioso y ponía nerviosos a los demás. Santi le dijo en una ocasión: "Se te encasquillan las palabras" y José Luis le miró un poco ofendido, pero vio que Santi le sonreía con cordialidad, sin el menor asomo de burla y José Luis no se lo tomó a mal. A partir de aquel día, cuando hablaba a solas con Santi lo hacía sin miedo, sin nerviosismo, y tartamudeaba menos. Pero a José Luis no le pusieron ningún mote, porque el de "Tartaja", que fue lo que le llamó una vez Aurelia en el curso de una disputa, no prosperó; y tampoco le pusieron ningún mote a Valentín, que sólo tenía siete años y parecía siempre triste.* Valentín tenía la costumbre de guiñar el ojo derecho, como si parpadease, mientras que al mismo tiempo fruncía un labio, sólo uno, el de arriba. Esto contagiaba a Santi y le ponía los nervios de punta. En cuanto estaba un rato con Valentín y le veía hacer aquello, Santi empezaba a irritarse y a él también le entraba aquel tic.

Durante las primeras semanas Santi se encargó de ser el intérprete de los españoles y no les dejaba ni a sol ni a sombra.* Cuando algún belga les decía algo, o cuando mademoiselle Tys o mademoiselle Jacquot daban una orden, Santi la trasmitía a los españoles: "Dice que . . ." Así hasta que poco a poco los doce chicos y las nueve niñas empezaron a hacer amistad con los belgas —sobre todo las chicas, que se adaptaron muy pronto— y casi todos supieron el suficiente francés para defenderse y empezar a ir a clase con los demás.

Una tarde vinieron al "Fleury" don Gregorio y otro señor español que se llamaba don Dámaso y era de León y a quien don Gregorio trataba con mucha cortesía. Hablaron con Santi y los demás españoles y les dijeron que había muchos niños en una colonia de Valencia, y que por qué no les escribían y mantenían correspondencia con ellos para cambiarse sellos y contarse cosas y estar en contacto con España. A todos les encantó la idea. Don Gregorio y don Dámaso les prometieron que les iban a traer muchos libros españoles no para que estudiaran, sino para que leyeran en español. Se encomendó a Santi la misión de dar a cada niño el libro que pidiera, de llevar una ficha de cada título y de cuidar que nadie arrancase hojas. Volvió don Gregorio unos días después y llegaron con él al "Fleury" docenas y docenas de libros; y entre ellos había un *Don Quijote* para niños, también con muchas ilustraciones.

Santi empezó a cartearse con un chico que estaba en la colonia de Valencia y que se llamaba Vicente Moreu Picó y que ya tenía catorce años y le decía a Santi que quería hacerse miliciano e ir al frente pronto, antes de que acabase la guerra. Santi le escribía largas cartas contándole cómo era el "Fleury" y lo que les había pasado en Olerón y en la casa de las dunas. Vicente acababa siempre todas sus cartas diciendo: "Salud, camarada"* y Santi escribía también "Salud, camarada" cada vez que le respondía.

Los dos chicos más pequeños de entre los españoles del "Fleury", Eusebio y Valentín, lloraban mucho de cuando en cuando —sobre todo cuando menos se esperaba— y decían que no querían estar allí, que querían volver a sus casas. Y al decirlo Valentín guiñaba el ojo derecho y subía el labio de arriba. Santi le miraba infaliblemente entornando los ojos, porque ver aquel gesto le producía una sensación rara. Era como si a Santi le empezasen a chirriar los ojos lo mismo que le solían chirriar los dientes cada vez que alguien arrastraba algo metálico por el suelo.*

Una mañana, exactamente cinco semanas después de la llegada de Javier Aguirre Albizu y de los demás vascos al

"Fleury", le dijeron a Santi que fuese al despacho del director. Fue y allí estaba don Gregorio. Y don Gregorio le dijo que el padre de Valentín había muerto y no sabía cómo darle la noticia al chaval.

—Tú le conoces, Santi. ¿Quieres ayudarme a decírselo?

—Sí —dijo Santi.

Esperaron a que Valentín saliera al recreo y entonces don Gregorio y Santi fueron al patio y se hicieron los encontradizos con él.

—¿Estás contento aquí, Valentín? —le preguntó don Gregorio.

Valentín dijo que no, que quería irse a casa. Y le parpadeó el ojo derecho.

—Pero si todo esto es muy agradable y muy pacífico, Valentín —dijo don Gregorio— y aquí todos te quieren mucho, ¿verdad?

Valentín miraba a don Gregorio y guiñaba un ojo y subía el labio superior y no decía nada. Don Gregorio preguntó:

—¿Qué, a ti no te gusta jugar al fútbol? —porque vio que unos chicos jugaban con el balón y que Valentín y Eusebio estaban de espectadores.

—A éste y a mí no nos dejan —pronunció Valentín señalando a Eusebio—. Dicen que somos muy pequeños.

Se le veía enfadado. Don Gregorio le estuvo haciendo más preguntas a Valentín y Valentín unas veces le respondía y otras no. Se veía que se estaba cansando de don Gregorio.

—Bueno, Valentín —dijo de pronto el hombre—. Verás cómo vuelves pronto a casa. Agur, ¿eh?, adiós.

Y se fue sin haberle dicho lo de su padre.

—No valgo para estas cosas —musitó don Gregorio mientras caminaba, con Santi a su lado, hacia la salida. Y añadió—: ¿Cómo le dices a un niño que su padre ha muerto?

Santi sabía que la pregunta se la hacía don Gregorio a sí mismo, pero dijo:

—No sé, no sé.

—Volveré mañana y se lo diré —decidió don Gregorio—. Hoy no era el momento adecuado.

Pero Santi no acababa de tener mucha fe en el sentido diplomático de los adultos cuando se dirigían a los niños.

—Déjeme a mí, don Gregorio —sugirió—. Duerme en mi dormitorio y estoy todo el día con él. Y cuando encuentre la ocasión, pues . . .

Don Gregorio negó con un brusco movimiento de cabeza.

—Gracias, Santi. Pero he de decírselo yo. Es mi deber, ¿comprendes?

—Sí —dijo Santi.

Don Gregorio volvió al día siguiente. Estuvo mirando los libros de la biblioteca española y recogió unas cartas que habían escrito los chicos del "Fleury" para los de la colonia valenciana. Parecía estar haciendo tiempo, retrasando lo más posible el momento de su encuentro con Valentín. Pero los minutos pasaban y pasaban, y ya pronto tendrían que ir al comedor y don Gregorio preguntó:

¿Dónde podría hablar con él? Algún sitio donde nadie nos moleste . . .

—En nuestro dormitorio —dijo Santi—. A estas horas no hay nadie.

—Llama a Valentín y llévatelo a vuestro dormitorio. Yo os espero allí.

—Sí, señor —dijo Santi.

Buscó a Valentín en el patio —estaba, como siempre, con Eusebio— y le dijo:

—Ven conmigo, Valen. Don Gregorio quiere hablar contigo.

Valentín fue con Santi sin hacer ninguna pregunta; y nada más entrar en el dormitorio don Gregorio le cogió de una mano y le dijo:

—Sé que eres un chico valiente, un chico mayor, Valentín. Si fueras un niño pequeño no te lo diría, porque a ésos no se les puede decir estas cosas. Pero a ti sí, ¿verdad?

Valentín no habló, no se movió. Santi tuvo repentinamente la convicción de que acababa de adivinar lo que le iba a decir don Gregorio.

—Verás, Valentín . . . —inició don Gregorio.

El niño empezó a guiñar el ojo derecho y a subir el labio superior más veces que nunca, con redoblada energía.

—¿Le ha pasado algo a mi padre? —preguntó.

—Sí —dijo don Gregorio—. Escucha, hijo . . .

De súbito Valentín rompió a llorar de una manera sorda y acompasada y cada vez que respiraba parecía que tenía hipo. Escondió la cara entre las manos y musitó:

—Ha muerto, ¿verdad?

Era más una afirmación que una pregunta. No esperó a que don Gregorio le dijera nada y siguió llorando. Don Gregorio se llevó una mano a la frente y ahogó un suspiro.

—Sí, Valentín —dijo—. Tu padre ha muerto como un héroe. Debes estar orgulloso de él.

Valentín siguió sollozando. Bajó lentamente los brazos de la cara, dejó de llorar y se acercó a la ventana. Nunca se impresionó Santi más ni odió mas la guerra que en aquel momento, cuando Valentín quedó de súbito silencioso frente a la ventana, sin moverse y sin llorar, como si se hubiera muerto de pie.

El niño corrió de pronto hacia su cama, se tumbó boca abajo y empezó a llorar y a decir:

—¡Madre, madre, madreeee!

Y no decía "Padre", sino "Madre", como si la llamara, como si ella pudiera oírle desde España y pudiera venir en seguida a consolarle.

Don Gregorio tenía los ojos húmedos. Le dijo a Santi:

—No le vas a dejar solo, ¿verdad?

Santi movió la cabeza.

—No —musitó.

Don Gregorio se fue en silencio. Santi se sentó en la cama de al lado y puso una de sus manos sobre la espalda de Valentín. Al cabo de una hora Javier Aguirre Albizu trajo en una bandeja de madera la cena de Santi y de Valentín, pero ninguno de los dos la probó.

Por la noche Santi le dijo a Claude, que dormía en la cama que estaba entre la de Valentín y la de Tomás: "¿Quieres cambiar conmigo de cama por esta noche?" y Claude hizo un gesto de que sí. Santi le quitó los zapatos a Valentín, le puso dos mantas encima y arrimó las dos camas y se acostó, y colocó su mano sobre la espalda del niño.

—¿Está dormido? —preguntó Fermín Careaga.

—Sí —dijo Santi.

Todos los españoles se acercaron a la cama de Valentín y le miraron y hablaron en voz baja para no despertarle. Todos volvieron luego en silencio a sus lechos, muy tristes, pensando en sus familias, en sus casas y en la guerra. Y Manolín dijo:

—Buenas noches a todos —y añadió—: Hasta mañana, si Dios quiere.*

Manolín nunca solía decir "Hasta mañana, si Dios quiere" y Santi pensó: "Está pensando en la muerte. Tiene miedo. Todos tenemos miedo de pronto."

Se fue haciendo el silencio en el dormitorio; no se oía tampoco el menor ruido en la calle ni en el hospital. Santi se fue quedando dormido poco a poco. Cada vez que retiraba su mano de la espalda de Valentín, el niño se desasosegaba y Santi volvía a colocarla inmediatamente, procurando no despertarle. Y Valentín, que seguía vestido bajo las mantas, y que respiraba lentamente, con quietud, despertó de madrugada y volvió a gritar: "¡Madre, madre, madreee!" Se incorporó y rompió a llorar. Santi despertó también y no encontró ninguna palabra de consuelo, porque las palabras le parecieron inútiles, totalmente inútiles.

—Valen . . . —murmuró.

Valentín le miró en la oscuridad, otra vez llorando e hipando, y gritó:

—No quiero que mi padre haya muerto; ¡no quiero, no quiero!

Santi le abrazó y empezaron a llorar los dos juntos.

La noticia de la muerte del padre de Valentín puso un soplo de tristeza —de tristeza y como de pánico y aprensión— en el dormitorio de los españoles. Durante varios días todos esperaron con más impaciencia que nunca que llegaran noticias de sus casas para saber que todos estaban bien, que nadie había muerto. Santi descubrió que Manolín, por las noches, dejaba ahora debajo de su almohada un papel en el que había escrito, con tinta y faltas de ortografía: *Santi sime muero en sueños queme entierren en San Vicente que nose te olbide.**

Manolín vivía muy cerca del cementerio de Baracaldo, que está en San Vicente, y desde su casa se veían pasar todos los entierros. Un primo suyo era sepulturero y su tío Manuel esculpía inscripciones en las lápidas. Manolín le había ayudado una vez a escribir a golpe de cincel, sobre una losa, aquellas tres letras, R. I. P. que querían decir *Requiescat in pace*, aunque Manolín no acababa de saber qué significaba exactamente aquello de "Requiescat in pace", que eran unas palabras que se le hacían un poco raras y que no acertaba nunca a pronunciar bien del todo.

A veces, Manolín le contaba a Santi historias del cementerio; de la paz que allí había; de los caminos del camposanto, que eran como pequeñas calles alfombradas de piedrecitas y bordeadas de cipreses; de cuando una vez encontraron a un muerto vuelto en su ataúd, porque le habían metido en él sin estar muerto del todo, y de cuando un borracho de San Vicente hizo una apuesta a que pasaba la noche en el cementerio él solo, y pasó unas horas junto a las tumbas y acabó saliendo medio muerto de miedo, gritando y saltando una tapia. Y Santi pensaba, mientras le escuchaba, en el culto a la muerte que existía en Baracaldo: en el cura yendo por la calle llevando el viático a un moribundo y en el monaguillo que iba delante tocando la campanita; en las mujeres que se arrodillaban y en los hombres que se quitaban la boina; en el silencio que se hacía en la plaza de arriba cuando al atardecer estaban todos paseando y de pronto pasaba un entierro, con su carruaje negro y sus caballos negros, y el cochero con sombrero de copa, y vestido de negro como con frac o con levita. Santi se persignaba y rezaba un Padrenuestro cada vez que pasaba un entierro, porque decía su madre que había que rezar por el alma del difunto.**

Pensó hacer como que no había descubierto la nota, pero una tarde en que hablaba con Fermín y Manolín de Baracaldo, le dijo a Manolín que sabía lo que tenía debajo de la almohada y que no se preocupase, que así se haría. Se estrecharon la mano como en un pacto.

—Te prometo que lo haré, Manolín.

—No se te olvide.

—No —dijo Santi gravemente.

Pero sabía que si Manolín moría en el "Fleury", de un modo u otro los mayores encontrarían un montón de pegas para no dejarle cumplir su promesa, porque si de algo estaba seguro Santi era de que a los hombres les gustaba complicar las cosas y hacerse la vida imposible.

Durante cuatro noches Santi soñó (aunque no sabía realmente si había sido un sueño o si lo había pensado poco antes de dormirse) que Manolín había muerto y que él, Santi, se volvía medio loco tratando de cumplir su palabra. Imaginó mil métodos macabros para conseguir llevar el cadáver de Manolín a Baracaldo y que lo enterraran en San Vicente. Lo primero que ahora hacía Santi al despertarse, nada más oír la campana, cuando mademoiselle Tys o mademoiselle Jacquot encendían las luces, era mirar la cama de Manolín. Aunque sabía que nadie se muere así como así, respiraba con alivio cuando veía que Manolín se movía perezosamente debajo de las sábanas y que luego se incorporaba y estiraba los brazos y abría mucho la boca y decía, como cada mañana: "Tengo sueño del año que lo pidan."*

En cierto modo, pese a convivir estrechamente con los demás niños, compartiendo con ellos el dormitorio, el patio, los juegos, el comedor y las clases, los españoles formaban como un mundo sutilmente aparte en el "Fleury". Se veía en seguida quiénes eran los españoles por el modo en que se buscaban unos a otros para contarse cosas y para leerse mutuamente las cartas que recibían de sus casas. Muchas veces, en las clases, respondían mecánicamente en español a las preguntas de la profesora.

Pero había también días en que estaban todos juntos, sin hacer nada, y no hablaban entre sí. Miraban la calle, o la lluvia, o escuchaban cómo soplaba el viento, y todos pensaban en otra calle y en otra lluvia y en otro viento; una calle que ellos habían visto en Baracaldo, en Bilbao, en Pedernales, en Sestao o en Lequeitio; una lluvia que había caído un día que parecía muy lejano, un día en que salían de la escuela con sus amigos o en que iban a misa o de compras con su madre; un viento que había soplado allá en sus aldeas o en sus pueblos, cuando el aire se llevaba las boinas y zarandeaba los arbustos y hacía caer alguna teja y casi quitaba los paraguas de las manos.

Con frecuencia un chico lloraba, o suspiraba, o permanecía inmóvil y callado, y los demás no le preguntaban qué le pasaba, porque lo sabían: pensaba en otra tarde como aquélla; en aceras y calles, y casas como aquéllas, al mismo tiempo iguales y completamente diferentes; en hombres y mujeres y niños que eran como los que pasaban por la calle de al lado o por la Chaussée d'Alsemberg, pero que al mismo tiempo no eran los mismos y vivían en circunstancias que nada tenían que ver con las de Bruselas.

Santi, de pie ante la ventana, miraba el hospital y veía el portal de su casa, la plaza de los Fueros, la biblioteca municipal, el kiosco, Lasesarre en tarde de fútbol y los hombres que iban en grupo de taberna en taberna a chiquitear; Javier Aguirre Albizu jugaba de nuevo a la trompa y a las canicas en la calle Fica, donde vivía, y en Iturribide; Fermín Martínez caminaba por la calle Tendería e iba a comprar caramelos a Santiaguito;* Aurelia estaba otra vez en el Arenal, un domingo por la mañana, con su padre, comiendo barquillos y oyendo el concierto de la Banda Municipal; Menchu, que bailaba muy bien las danzas vascas y cantaba y bailaba la jota de maravilla, se veía a sí misma bailando, con otras niñas del colegio, en la plaza de Orduña; Eugenio estaba bañándose en Las Arenas o sacando la entrada en el cine de cerca del transbordador para ver una película de Charlot; Manolín estaba en la escuela con don Segundo, jugando a la mano en los soportales de la iglesia o cogiendo caracoles en las tapias del cementerio; Fermín Careaga estaba estudiando en casa mientras a su lado, sobre un gran tablero de madera, su padre, que era delineante, copiaba planos con tinta china en papel cebolla o en papel seda . . .

Parecía que todos los españoles estaban allí, en el "Fleury", viendo el mismo paisaje, oyendo caer la misma lluvia y dejando resbalar su mirada por el mismo pavimento húmedo en el que los faros de un auto ponían reflejos de sangre; pero era mentira, porque todos estaban en otro sitio y veían otras calles y estaban con otras gentes y oían otras voces y se mojaban con otras lluvias.

Eran horas interminables, horas de largos silencios tras los cuales todos los chicos se sentían más unidos que nunca, más necesitados el uno del otro que nunca. Uno suspiraba ruidosamente, decía: "Qué vida, ¿no?" y todos movían la cabeza asintiendo. Se sonreían tristemente y se comprendían sin palabras.

El tiempo fue transcurriendo lento y quieto tras las fachadas silenciosas y los altos muros del "Fleury". Con frecuencia Santi tenía la impresión de que todos los relojes se habían parado y que ellos, en el "Fleury", habían quedado totalmente aislados del resto del mundo. Fueron pasando días y semanas y todo continuaba igual: las clases; los juegos en el patio; las salidas de todos los primeros domingos de mes para ver a Begoña; la lectura de libros de la biblioteca española; una reunión de todos los niños evacuados que se celebró en la Casa de España y a la que Santi no pudo ir porque estaba enfermo y el médico le prohibió levantarse; las reuniones y las charlas en torno al *árbol de Guernica*, que así era como llamaban al roble que había en el patio; las cartas de su casa y del valenciano Vicente . . .

Así transcurría todo, de una manera lenta y monótona,* hasta que una mañana Javier Aguirre Albizu se cayó y empezó a sangrar. Le llevaron a la enfermería, le dieron varios puntos en una pierna para coserle una herida bastante profunda, y Javier pasó todo el resto del día medio andando a la pata coja y con la pierna, la frente y la mano derecha llenas de esparadrapo.

Y el día siguiente, que era miércoles, fue el día de la rebelión.

XI

La rebelión se fue fraguando a lo largo de la mañana, ya desde las primeras horas, de una manera gradual. A partir de aquel momento todo fue creciendo insensiblemente, paulatinamente, hasta que de pronto, como la cosa más natural, Santi y sus amigos decidieron hacer lo que hicieron. Fue como esa gota de verano que cae, gorda y aislada, y a la que nadie hace caso. Luego cae otra gota, otra gota más, empieza un sirimiri, el sirimiri se transforma en aguacero y el aguacero en diluvio; y todos están calados hasta los huesos y ya es tarde para pensar en sacar el paraguas. Y entonces se recuerda aquella primera gota gorda y aislada a la que no habían concedido demasiada importancia.

En realidad todo se inició antes de que los chicos se levantaran de la cama. Aunque había empezado ya el buen tiempo, un tiempo alegre y primaveral, aquella mañana amaneció gris y oscura, desapacible. Sonó la campanita, rompiendo sueños, y los chicos comenzaron a moverse inquietos en sus lechos, medio despertando y pensando con pereza que tendrían que levantarse. Sonaron unos pasos y alguien encendió la luz. Pensaron que sonaría la voz de mademoiselle Tys, que era la que estaba aquella semana de servicio, diciendo: "Vamos, a levantarse" y luego: "Buenos días a todos." Pero no fue la voz de mademoiselle Tys la que sonó, sino la de mademoiselle Jacquot, que era una voz seca y fría. Dijo: "A levantarse todos, de prisa" y no "Buenos días" ni "Vamos" ni ninguna palabra amable; y el hecho de que mademoiselle Jacquot sustituyese a mademoiselle Tys hizo que la mañana les pareciese a todos —a los españoles, a Raymond, a Claude y a André— aún más triste y desapacible.

Se fueron vistiendo y lavando de prisa y se pusieron en cola para ir al comedor. Pero mademoiselle Jacquot dijo que tenían que hacer las camas antes de ir a desayunar, y aunque de costumbre esto siempre se hacía después, al volver del comedor, los niños se dispusieron a obedecerla. A Eugenio *el conde*, que siempre tardaba mucho en lavarse, mademoiselle Jacquot le dio un empellón y le llamó gandul y cuando él quiso explicarse: "Pero, verá usted, mademoiselle, es que . . ." ella se impacientó y le dio una bofetada.

—Haz tu cama ahora mismo —le gritó.

Santi se indignó y estuvo a punto de intervenir, pero no dijo ni hizo nada porque tenía miedo de mademoiselle Jacquot. Aupó los hombros y miró a Eugenio como diciéndole "No hagas caso". Por fin hicieron las camas, se pusieron en cola y fueron al comedor. Y aquel día el café —o la malta con leche, porque a Santi le parecía que sabía más a malta que a café— no estaba tan caliente como de costumbre. Volvieron al dormitorio sin deshacer la fila, a pesar de que hacía frío y de que mademoiselle Tys siempre les solía dejar que volviesen corriendo en desbandada. Mientras subían las escaleras mademoiselle Jacquot le dio un pescozón a André, y una vez en el dormitorio Santi, Javier Aguirre Albizu y Raymond se acercaron a la ventana para ver si el radiador funcionaba y calentarse un poco las manos. Pero mademoiselle Jacquot dijo que el dormitorio estaba hecho una pocilga* y que a limpiarlo en seguida. Ellos obedecieron de mala gana, pero sin refunfuñar, mirándose unos a otros con desaliento. Mademoiselle Jacquot comenzó a inspeccionar las camas y a gritar "¡Tú, mete bien esas sábanas!" y a husmear en los armarios y a chillar. "Esto está lleno de porquerías inútiles" y a encontrarlo todo mal.

De pronto occurió. Mientras los chicos arreglaban el dormitorio, la voz de mademoiselle Jacquot tuvo un acento especial, muy alarmante. Dijo:

—¡Tú!

Santi miró y vio que Mademoiselle Jacquot señalaba a Tomás.
Y Tomás temblaba.

—¿Yo? —preguntó Tomás.

Mademoiselle Jacquot no dijo "Tú, sí", sino que miró la cama
de Tomás y ordenó:

—Ven aquí.

Tomás se acercó a ella con temblorosa actitud y ella le
propinó de súbito una bofetada en pleno rostro. Tomás se
escudó la cara con un brazo y miró a Santi. Santi permaneció
inmóvil, mirando a Tomás y a mademoiselle Jacquot y a
mademoiselle Jacquot y a Tomás y luego a los demás niños.
Todos estaban ahora inmóviles, pendientes del niño y de la
celadora.

—¿Qué es esto? —preguntó mademoiselle Jacquot.

Levantó las mantas y la primera sábana y señaló la otra sábana
con el brazo derecho tendido como una flecha, con la mano
estirada, con el dedo índice acusador y rígido.

—Es que... No sé, yo... —musitó Tomás.

—¿No sabes? —interrogó ella.

Pero no le pegó. Tiró las mantas y la primera sábana al suelo,
para que quedara la otra bien visible.

—Te has orinado en la cama —pronunció con voz muy clara
en la que había como un cruel asomo de satisfacción.

Tomás empezó a llorar en silencio y Santi pensó: "Llora de
vergüenza porque lo ha dicho delante de nosotros, no de miedo
porque ella le vuelva a pegar." Y en aquel momento mademoiselle Jacquot volvió a abofetear a Tomás. El niño no se
movía ni decía nada, y su silencio y su inmovilidad parecían
enfurecer y exasperar a la celadora. Le abofeteó en las dos
mejillas, le dio unos azotes con fuerza, con ira, como con odio
personal, y le insultó: "Cochino, más que cochino." Respiró
agitada y chilló: "Cochino español" y "Español cochino",
subrayando una vez el "cochino" y otra el "español".

Santi sintió que le inundaba una ira inmensa, que la sangre se
le subía a la cabeza y que el estómago se le vaciaba. Gritó con voz
temblorosa:

—¡Belga cochina!...

Mademoiselle Jacquot se volvió a él con los ojos incendiados. Levantó la mano, se mordió los labios y quedó con·la mano levantada. Santi estaba como loco y ya nada le importaba nada de nada. Miró a mademoiselle Jacquot con ojos de hombre desesperado —de las dos cosas: de hombre y de desesperado— y dijo:

—Si me pega usted...

Iba a haber añadido: "La pegaré también yo", pero calló y experimentó de súbito vergüenza y rabia de su impotencia, vergüenza y rabia de su ira, vergüenza y rabia por cuanto había ocurrido. Mademoiselle Jacquot preguntó:

—Si te pego, ¿qué, qué?

—No lo haga —dijo Santi—. No me ponga las manos encima.*

Ella bajó el brazo y se rió entre dientes; perso seguía respirando con agitación. Santi inclinó la cabeza, cerró un momento los ojos —sólo un momento, porque al cerrarlos se sintió de repente como mareado— y permaneció callado.

Mademoiselle Jacquot dio unos pasos y envolvió en una fría mirada a todos los niños.

—¿Qué hacéis ahí mirándome como pasmados? Arreglad el dormitorio.

Se encaró con Santi y pronunció con voz más serena, pero en la que latían una fría amenaza y una ira helada:

—A ti ya te arreglaré yo las cuentas.

Todos respiraron cuando la vieron encaminarse hacia la puerta. Pensaron que iba a salir inmediatamente y que por lo menos no la verían ni la oirían durante un rato. Mademoiselle Jacquot dijo, desde el umbral:

—Daré parte al señor director de lo ocurrido. No se va a poner muy contento cuando le diga que un español se orina en la cama y que otro ha insultado a una superiora llamándola "belga cochina".

Santi comprobó de nuevo que el estómago se le vaciaba y que la sangre se le subía a la cabeza y que algo le nublaba la vista y que el suelo se movía bajo sus pies.

—Dígale también que usted nos insultó primero a todos los españoles llamándole a Tomás "español cochino" y "cochino español" —replicó—. Dígale que todos los niños tiemblan cuando la ven a usted.*

Mademoiselle Jacquot pareció suspirar —ningún chico del dormitorio de Santi lo pudo ver, porque ella acababa de darse la vuelta y sólo se le veía la espalda— y abandonó por fin el dormitorio y comenzó a bajar las escaleras. Santi se sentó en su cama y permaneció inmóvil. La emoción la había extenuado. Algo semejante a una mezcla de miedo y de indignación le trepaba por la garganta como una náusea. Javier Aguirre Albizu le puso una mano en el hombro.

—¡Qué tía! Pensé que te iba a pegar.

Se hizo el silencio y sonó timida, pero aparentando desenvoltura, la voz de Tomás, que sonreía con expresión huidiza.

—No sé cómo he podido hacer eso. ¡Mira tú que mearme en la cama como un crío! Hacía años que no . . . que no lo hacía, y ahora, y ahora . . .

Santi, Javier, Claude, André, Manolín y los demás no dijeron nada, porque sabían que no era la primera vez, ni mucho menos, que Tomás mojaba la cama en el "Fleury". Claude, que dormía a su lado, lo había sabido desde el primer día, y muchas veces había estado a punto de decirle a Tomás que fuera a ver a monsieur le docteur o que no bebiera tanta agua antes de acostarse, a ver si así conseguía no orinarse mientras dormía. Pero Clauda era serio y reservado, no se metía nunca con nadie ni dejaba que nadie se metiera con él y no le había dicho ni una palabra a Tomás. Santi sabía, sin embargo, que Claude había estado intentando pasarse al cuarto de al lado, que sólo tenía dos camas, y no lo había conseguido.

—¿Crees que se lo dirá al director? —preguntó Manolín.

—A lo mejor —dijo Santi.

Tomás procuraba sonreír y apoyaba un brazo en el hombro de André y otro brazo en el hombro de Javier para demostrar que él era uno más del grupo y que ya había olvidado el incidente de la cama mojada. Pero no lo había olvidado, no, y todos lo sabían.

Santi consultó el reloj de pulsera que le habían regalado los Dufour y dijo:

—Dentro de un rato empezarán las clases.

Tomás dijo algo de que iba al water y se fue y los vizcaínos sabían que ahora estaría llorando tras la puerta cerrada y que luego regresaría y se sentiría mejor.

Mademoiselle Tys entró en el dormitorio y dijo sin mirar a nadie:

—¿Os parece bonito lo que ha pasado aquí esta mañana?

—No, mademoiselle Tys —dijeron Manolín y André casi al mismo tiempo.

—¿Y bien, Santi? —inquirió ella.

—Mademoiselle Jacquot pegó a Tomás porque se había orinado en la cama y le llamó "español cochino" y "cochino español". Yo la llamé a ella "belga cochina".

—¿Y crees que ése es el modo de tratar a mademoiselle Jacquot?

—No, mademoiselle. Pero tampoco era ése el modo de tratar a un niño. Y no tenía por qué insultar a los españoles.

Las miradas de mademoiselle Tys y de Santi se cruzaron. Todos los niños —incluso los del dormitorio de enfrente— hacían corro a su alrededor. Sonó la campanilla y se oyeron los murmullos y los pasos de las niñas que salían del dormitorio del otro piso para ir a clase. Pero ningún niño se movió.

—¿Qué os pasa? —preguntó mademoiselle Tys—. ¿No habéis oído que es hora de ir a clase?

—Sí, mademoiselle —dijo Santi.

Aunque en realidad no decía nunca "mademoiselle" sino "m'sel". Salió en silencio y Javier salió con él y los demás fueron saliendo también y bajando las escaleras. Cada cual se fue a su clase; Santi, con Claude y otros chicos mayores del dormitorio de enfrente, a la de mademoiselle Delorme, que estaba en el segundo piso. Hoy les tocaba Historia, Literatura y Botánica.

Cuando bajaron al recreo estaban en el patio las dos, mademoiselle Tys y mademoiselle Jacquot. Santi pasó al lado de mademoiselle Jacquot y no ocurrió nada. Cuando volvían a clase mademoiselle Tys le dijo:

—Si en el futuro prometes comportarte como es debido, mademoiselle Jacquot no dará parte al señor director. Tampoco le dirá lo de Tomás, pero él debe corregirse. ¿Entendido?

—Sí —dijo Santi.

—Anda, díselo a Tomás para que se quede tranquilo, —sonrió ella suavemente.

Santi hubiera querido decirla "Gracias" y "Es usted muy buena" y "Todos la queremos mucho"; pero en vez de decir eso le preguntó:

—¿De dónde es usted, m'sel?

—Estoy en el "Fleury" desde que tenía menos años que tú —respondió ella con sobria tristeza— pero he nacido en Nindelez-Tremoloo. Es un pueblo que está cerca de Lovaina y que es muy pequeño, pero, no creas, también es muy famoso.* De allí era el Padre Damián, ¿sabes?

—¿Quién? —preguntó Santi

—El Padre Damián de Veuster, el misionero de los leprosos* —explicó mademoiselle Tys—. Pero ea, anda, que vas a llegar tarde a clase.

Santi fue corriendo a clase y mientras subía las escaleras a saltos le rodaba en los labios el nombre de Ninde-lez-Tremoloo. Y supo que no olvidaría nunca aquel nombre, como sabía que tampoco olvidaría jamás los nombres de ciudades y pueblos que salían en los partes de guerra y en los que nunca había estado.

Cuando fueron al comedor, allí estaba también mademoiselle Jacquot, que además era la que aquel día echaba las gotas de tintura de yodo en el vaso de cinc. Parecía que ya no iba a pasar nada y que bastantes emociones habían tenido aquel día. Pero al salir del comedor, nada más salir del comedor, una niña belga y Merche empezaron a discutir. Santi no hizo caso y siguió caminando con Javier, André, Raymond, Manolín y Claude. La niña belga chillaba y decía que aquel jersey que llevaba

Merche no era de Merche, sino de ella. Santi pensó: "Estas crías . . ." y siguió andando. Y entonces fue cuando oyó que la niña belga decía a Merche en voz alta, delante de todos:

—Eres una ladrona. Los españoles sois unos ladrones.

Y lo que enloqueció a Santi fue que allí estaba mademoiselle Jacquot. Ella había oído la acusación y sonreía. Santi la miró y ella respondió a su mirada; había odio y alegría malévola en sus ojos.

Santi se acercó a Merche.

—¿De quién es ese jersey, Merche? —preguntó—. ¿Se lo has cogido prestado a esa chica sin decirle nada? ¿Eh? Dime la verdad, ¿es de ella?

Merche aseguró que no, que lo había traído de Bilbao y que se lo había comprado su madre en una mercería que está en la calle Licenciado Poza, al lado de un estanco donde venden lotería.

Merche lo dijo en francés y la niña belga lo oyó y replicó:

—Mentirosa, más que mentirosa. Has venido de España con cuatro trapos.* Eres una ladrona.

Santi tragó saliva mientras sentía posada en su rostro la luz dura y fría de los ojos de mademoiselle Jacquot.

—Merche —tornó a preguntar—, ¿de verdad que este jersey es tuyo? Nadie te va a reñir ni va a pasar nada. Dime la verdad.

—Es mío, es mío —dijo ella—. Me lo compró mi madre en Bilbao.

—Pues no la hagas caso —dijo Santi. Cogió a la niña de la mano—. Anda, ven con nosotros.

Mademoiselle Jacquot se interpuso. Se dirigió a Merche como si no hubiera visto a Santi.

—Devuelve ese jersey a su dueña —ordenó.

Santi pensó, como había pensado en casa de los Dufour, como había pensado varias veces en Baracaldo y en Ugarte, cuando sentía que la ira comenzaba a cegarle y que iba a hacer algo de lo que después se arrepentiría: "Ya está." Trató de serenarse y dijo en español:

—No hagas caso. Ven conmigo, Merche.

Mademoiselle Jacquot le quitó a Merche el jersey y se lo dio a la niña belga. Santi permaneció mudo, inmóvil, escuchando el llanto de Merche y diciéndose que era injusto que sin saber quién de las dos tenía razón mademoiselle Jacquot diese por descontado que Merche mentía y que el jersey era de la niña belga. Fue como si alguien le hubiese abofeteado en pleno rostro.

—Vamos —dijo.

Arrastró consigo a Merche y al ver la mirada furiosa y reconcentrada de Santi todos los españoles, niños y niñas, fueron con él. Se quedaron hablando junto al "árbol de Guernica" y se cambiaron impresiones, comentando lo sucedido aquella mañana: primero lo del dormitorio y el insulto de mademoiselle Jacquot con lo de "español cochino" y "cochino español"; ahora, esto del jersey y lo de llamarlos a todos ladrones y lo de mademoiselle Jacquot quitando el jersey a Merche y dándoselo a la belga.

—Tenemos que hacer algo —musitó Santi—. No está bien que dejemos que nos insulten a nosotros y a toda España cuando les dé la gana.

—¿Y qué vamos a hacer? —preguntó Javier—. No podemos hacer nada.

—Podemos . . . podemos irnos, marcharnos de aquí —dijo Santi.

Y él y los doce niños españoles y las nueve niñas españolas cruzaron el patio y entraron en el edificio. Los niños fueron a su dormitorio y las niñas al suyo. Todos conocían las instrucciones: hacer cuanto antes las maletas. Se iban. Pero las maletas estaban en el sótano, junto al taller de costura y el cuarto de la calefacción. Bajaron Santi, Javier, Manolín y Fermín Careaga y vieron que la puerta estaba cerrada.

—No importa —decidió Santi—. Saldremos con lo que llevamos puesto.

—Pero yo tengo unas cosas que . . . —murmuró Manolín.

—Bueno —interrumpió Santi—. El que quiera llevarse algo suyo que lo empaquete con unos papeles o que lo ate de cualquier modo. Vámonos cuanto antes.

Manolín se metió en el dormitorio de las chicas —lo cual estaba prohibido— y comunicó a Aurelia y a las demás que no podían coger las maletas porque estaban en un cuarto del sótano que permanecía cerrado con llave, que hiciesen de prisa un bulto con lo que tenían y saliesen al pasillo, que se iban en seguida.

Santi y los demás liaron unas pocas cosas y estaban listos para emprender la marcha, pero las chicas tardaban y no acababan de salir al pasillo. Manolín comentó:

—Las chicas siempre tardan mucho en hacer cualquier cosa. Se ve que van para mujeres.*

Mientras esperaban en el pasillo, mirando desde la barandilla a ver si las chicas salían ya de una vez, o qué, apareció André.

—Adiós, André —le dijo Santi—. Nos vamos.

André comprendió que iba en serio.

—Yo no tengo a nadie —dijo—. Quiero irme con vosotros.

Su voz era una pura súplica.

—No puede ser, André —rechazó Santi—. No eres de los nuestros.

Santi quería decirle que no era español, que aquello era cosa de españoles y que por lo tanto no podía ir con ellos, pero André pareció no comprenderlo y empezó a llorar de nuevo. Lloró como lo hacía por las noches, con sollozos ahogados y pronunciando al mismo tiempo palabras ininteligibles.

—¿Por qué no le dejamos que nos acompañe? —propuso Manolín.

André alzó la cabeza y buscó los ojos de Santi con los suyos grandes y húmedos, con ojos de perro bueno que busca cariño y protección y una mano que le acaricie el lomo y el cuello y le dé unos golpecitos; pero Santi se sentía fuerte y cruel y estaba impaciente porque las chicas no acababan de salir a la escalera.

—No —dijo—. El no es español.

Por fin salieron las niñas y Santi y los demás bajaron. Mientras descendían las escaleras oían los sollozos de André, que eran cada vez más fuertes, más sonoros. Caminaban ahora juntos todos los niños y todas las niñas españolas, y Santi pensaba otra vez, como a bordo del *H. M. S. Campbell*, en el grumete baracaldés que fue con Elcano a dar la vuelta al mundo. Todos se habían puesto gabardina o abrigo y llevaban unas pocas cosas atadas con cintas o envueltas en papeles o en una camisa. Aurelia y Tomás portaban un pequeño maletín, como una cartera escolar llena de objetos. Parecía que las carteras iban a estallar; las llevaban abiertas porque no se podían cerrar.

Salieron y bajaron al patio y los niños dejaron de jugar y les miraron. Varios se acercaron y les preguntaron: "Pero ¿os vais?" y Santi y los demás no respondieron y echaron a andar en grupo compacto por la galería bajo techado. Mademoiselle Jacquot les siguió con la vista, soprendida y asustada. Echó a correr, gritando: "Madeleine, Madeleine", que era el nombre de pila de mademoiselle Tys. Mademoiselle Tys apareció al otro lado, junto al comedor, y preguntó con voz severa:

—¿Qué significa esto, Santi?

—Nos vamos —explicó Santi.

Mademoiselle Tys quedó silenciosa y perpleja durante unos segundos.

—Volved a vuestros dormitorios —dijo luego—. Ya hablaremos de esto.

No lo dijo como una amenaza, sino como pidiendo un favor. Santi movió vigorosamente la cabeza.

—No, m'sel. Nos vamos.

Habían venido muchos niños a ver qué pasaba y por qué se iban repentinamente los españoles. Monsieur Fleury apareció en la ventana de su despacho y miró la escena, sorprendido, y bajó. Había miedo y odio en los ojos de mademoiselle Jacquot.

—¿Qué pasa, qué es esto? —interrogó monsieur Fleury.

Había dirigido la pregunta a mademoiselle Tys y a mademoiselle Jacquot, pero Santi, sin moverse, dijo:

—Nos vamos, monsieur Fleury.

—¿Cómo que os vais? Pero . . . pero ¿qué creéis que es esto?

Se dirigió nuevamente a mademoiselle Tys y a mademoiselle Jacquot y preguntó una vez más:

—Vamos a ver: ¿puede saberse qué es lo que ocurre? ¿No vais a decírmelo?*

Monsieur Fleury llamaba a todas las profesoras y a las demás celadoras de "vous", muy respetuosamente, pero a mademoiselle Tys y a mademoiselle Jacquot las tuteaba porque habían estado desde niñas en el "Fleury".

Santi siempre se ponía muy nervioso y angustiado al enfrentarse a un adulto, pero ahora estaba casi completamente tranquilo y aunque monsieur Fleury le impresionaba un poco no experimentaba el menor miedo, ni tenía el estómago vacío, ni la tierra se movía bajo sus pies, ni la sangre se le subía a la cabeza. Y con calma, con voz serena a la que imprimió adrede un ligero acento de reproche, dijo:

—También nosotros tenemos lengua como mademoiselle Jacquot, monsieur Fleury. Si nos . . .

—No seas impertinente —le cortó el director con tono glacial.

Mademoiselle Jacquot comenzó a decir algo con voz acusadora y acalorada en la que latía un fondo de temor.

—Nos ha llamado a los españoles cochinos y ladrones —gritó Santi.

—Vamos, volved a vuestros dormitorios —dijo monsieur Fleury—. Ya arreglaremos este asunto.

Algunos niños y niñas se separaron del grupo, haciendo mención de obedecer la orden del director. Pero Santi, Manolín, Javier, Tomás, Fermín Careaga y Aurelia no se movieron. Todos miraban a Santi. Monsieur Fleury repitió:

—Volved a vuestros dormitorios. No me gusta decir dos veces la misma cosa.

—Nos vamos —dijo Santi.

Permaneció firme en su inmovilidad y los demás le secundaron. Aquello era como un motín, como una rebelión, casi como una declaración de guerra. Santi observó a monsieur Fleury y con aquella mirada lúcida, con aquella intuición que tantas veces le salía a flote, supo que monsieur Fleury estaba irritado con él y con los demás españoles, pero que al mismo tiempo tenía miedo de que aquello trascendiese y de que lo supiesen los de la Casa de España. Aunque los chicos vascos se estaban pasando de la raya y se negaban a obedecer, no sería ni simpático ni favorable para el "Fleury" que se supiese que allí se les había llamado españoles cochinos y ladrones. Santi supo esto, y supo también que monsieur Fleury sabía que él lo sabía, y que monsieur sabía también que Santi sabía que él lo sabía.

—¿Qué queréis? —preguntó, al fin, monsieur Fleury.

Santi comprendió que habían ganado y respondió, con sequedad:

—Irnos —dio un paso hacia la puerta de salida y añadió—: Adiós, monsieur Fleury. Adiós, mademoiselle Tys.

Y miró largamente a mademoiselle Jacquot y no dijo nada. Monsieur Fleury se acercó a ellos tapándoles el camino. Santi adivinó que pensaba: "No te excedas, mocoso", y se dijo: "Esto no me lo va a perdonar nunca." Porque Santi sabía ya que todo estaba resuelto, que habían ganado, que permanecerían en el "Fleury" y que a partir de aquel instante nadie volvería jamás a insultarlos. Y dijo monsieur Fleury:

—Estoy seguro de que mademoiselle Jacquot no quiso ofenderos. ¿No es así, mademoiselle Jacquot?

No la llamó, como siempre hacía, Josephine, sino mademoiselle Jacquot.

—No, no era mi intención ofenderles, señor director —se excusó ella—. Estaba irritada y . . .

Miró a Santi y a Merche y dijo:

—Lo lamento.

Adoptó un acento gentil y repentinamente meloso, como algunas personas mayores que cambian la voz y parecen tontas cada vez que quieren ser simpáticas con los niños.

—¿Verdad que me perdonáis? Asunto olvidado,* ¿eh? ¿No me quieres perdonar, Merche?

Merche empezó a sollozar. Mademoiselle Jacquot la abrazó y le cogió las cosas que llevaba envueltas en un papel de estraza y que se le estaban cayendo, porque se le había roto el papel por varios lados. Santi dio por finalizado el episodio.

—Volvamos al dormitorio.

Los pequeños suspiraron y empezaron a hablar; los mayores

echaron a andar, pensativos y silenciosos, por la galería, camino de los dormitorios. Monsieur Fleury les acompañó hasta las escalinatas y trató de sonreír y de mostrarse sereno.

—Me alegro de que hayáis reconsiderado vuestra decisión. Todo se arreglará; hay que tener un poco de paciencia. Ya sé que a veces la convivencia resulta difícil, pero hay que saber perdonar y cada uno debe poner algo de su parte.* Bueno, asunto olvidado y a jugar, que esta tarde os habéis fumado la clase.

Pero Santi sabía que el asunto no estaba olvidado. Y mientras metía las cosas en su armario, mientras miraba con alegría el dormitorio, las camas, el radiador y la ventana que daba al hospital, recordó una obra de teatro en verso que había leído en la casa de las dunas y que se titulaba "Fuenteovejuna"* y murmuró mentalmente: "Fuenteovejuna; todos a una." Aquello le hizo pensar en la guerra, no sabía por qué. Hacía bastante tiempo que no rezaba y experimentó la necesidad de rezar y de pedirle a Dios una cosa. Cuando mademoiselle Tys apagó la bombilla y dijo: "Buenas noches" —porque mademoiselle Jacquot no vigiló ya nunca más, a partir de entonces, el dormitorio de los españoles— Santi se tapó la boca con la mano, a pesar de que oraba en silencio, y le pidió al Señor que nunca más la política enfrentase en las trincheras a hermano contra hermano, que nunca más hubiese otra guerra en España, y que si alguna vez la había que no lucharan los españoles entre sí, sino contra gentes de otras naciones.

De pronto cayó en la cuenta de que André no lloraba ni murmuraba entre dientes como las otras noches.

—André, André —llamó—, ¿estás bien?

André no contestó y Santi repitió la pregunta, alzándose un poco en la cama para mirarle. Y André no se tapaba la cara con las sábanas y no se movía. Y dijo:

—¿No has dicho que no soy de los vuestros y que no podía irme con vosotros? Pues no quiero hablar contigo. ¡Déjame en paz!

Se hizo el silencio y sonaron otra vez el llanto sordo de André y sus palabras ininteligibles. Santi se incorporó de nuevo y vio que André se había tapado la cara con las sábanas. Pensó: "Todo va bien." Se dispuso a dormir, se colocó en su posición habitual, que era de cara al techo, con los ojos cerrados, la boca entornada y las manos dobladas a la altura del corazón, y se durmió en seguida.

A la mañana siguiente, aunque intentaron hacer las paces con él y demostrarle que eran sus amigos y que querían seguir siéndolo, que no había pasado nada y que pelillos a la mar,* André se negó a dirigir la palabra a los españoles. Cada vez que Santi, Fermín Careaga, Manolín, Javier Aguirre Albizu, Tomás o cualquier otro español se le acercaba, le decía cualquier cosa o simplemente le miraba, Andrés giraba la cabeza y se enfurruñaba. Pero Santi sabía que André no estaba realmente enfadado con ellos, sino que se sentía solitario y aquello le producía una sensación de tristeza, de humillación y desamparo.

Porque Santi ya lo había observado en otras ocasiones: casi ningún chico hablaba con André, ninguno le contaba lo que había hecho en su domingo de salida, nadie le decía: "Eh, tú, André, mira esto" o "Juega con nosotros". Los demás chicos se hacían en seguida con amigos y se daban cosas entre sí y estaban todo el día hablando como si compartieran un secreto o algo; en cambio André no compartía nada con nadie. Pasaba el día buscando en vano miradas que le sonriesen un poco y por las noches se acostaba y se tapaba la cara con las sábanas; y entonces todo el mundo se le derrumbaba y no podía aguantar más y rompía a llorar y se quejaba y protestaba con palabras ininteligibles.

Habían venido los españoles y él había hecho buenas migas con casi todos ellos, sobre todo con Santi y con Manolín; y cuando ellos empezaron a preparar sus cosas para marcharse, a André le había parecido la cosa más natural del mundo irse con ellos. Cuando Santi le dijo: "Tú no eres de los nuestros", André volvió a sentirse más solitario que nunca: ni con los belgas —porque no recibía visitas como los demás, ni tenía amigos entre ellos— ni con los españoles, que a la hora de la verdad le habían rechazado.

Santi sentía lástima por él. Se emocionaba pensando que aquel chaval rubio y solitario había querido marcharse con ellos, sin comprender que lo ocurrido había sido algo que sólo concernía a los españoles. Santi sabía que había lastimado a André y que tenía que arreglarlo de algún modo. En el comedor hizo una señal a Javier, a Manolín, a Fermín Careaga y a Tomás, una señal que significaba: "Os espero a la salida." Nada más comer se encontraron los cinco junto al "árbol de Guernica".

—Pensaba en André —dijo Santi—. Ya sabéis lo que pasa.

Los cuatro vizcaínos dijeron que sí, que lo sabían; y no pensaban solamente en lo que había ocurrido el día anterior, cuando lo de la rebelión. Todos los niños del "Fleury" conocían un poco de la historia familiar de los demás; de algún modo, las noticias se filtraban y pasaban de boca en boca. No había que ser ningún lince, por otra parte, para observar que André no salía ningún domingo y que nunca recibía visitas ni cartas.

Al parecer los padres de André se habían divorciado hacía cosa de siete meses; la madre había ido al Congo como secretaria de una empresa minera en Katanga y el padre, que había quedado en Bélgica, en Namur, mantenía ahora relaciones con otra mujer. Decían que se iban a casar y que la futura madrastra no quería tener a André en casa. Claude aseguraba que él había visto a André entrar en el "Fleury" con una anciana que era su abuela, madre de su madre; pero que a los pocos días se había puesto enferma y la habían llevado al hospital y allí seguía. Santi ignoraba lo que podía haber de cierto en todo esto, pero no había duda, cuando menos, de que nadie, ni dentro ni fuera del "Fleury", parecía preocuparse demasiado de André.

—Le hubiera encantado venir con nosotros —dijo Manolín.

Manolín dormía en una de las camas próximas a la de André y era, de todos los españoles y de todos los belgas, acaso quien mejor se llevaba con él.

—Pero eso no podía ser —comentó Javier Aguirre Albizu—. No es español.

Ese era el punto al que Santi quería llegar.

—¿Por qué no nos encargamos nosotros de él? —propuso.

Alguien preguntó: "¿Cómo?" y Santi sugirió:

—¿Por qué no le hacemos español?

—Primero tendríamos que hablar con don Gregorio y con los de la Casa de España, a ver qué les parece —dijo Tomás.

—No nos comprenderían —sentenció Santi— y, además, esto es cosa seria que debemos solucionar nosotros. Si se meten los adultos lo van a echar todo a perder. Si estamos de acuerdo le hacemos español y ya está.

La idea no les pareció mal ni a Manolín, ni a Fermín Careaga, ni a Tomás ni a Javier; pero decidieron, de común acuerdo, hablar con los demás españoles a ver qué se decidía entre todos.

—Habrá que consultar también a las chicas, ¿no?; me parece a mí —dijo tímidamente Manolín.

Santi respondió que no, que las chicas no entienden de estas cosas. Recordó que en su casa el único que hablaba de política y que decía lo que convenía al país era su padre. Su madre decía amén y no le contradecía lo más mínimo; y si él decía blanco era blanco y si él decía negro era negro. Y cuando el padre decía que los socialistas tal y cual, o que los del "bachoki" vizcaitarra tal y cual, o que los comunistas o que los anarquistas o que los republicanos de Lerroux tal y cual, y que si Sabino Arana esto, o que si Azaña o Prieto* esto o lo otro, la madre escuchaba sin decir ni pío* y luego decía a todo que sí, que amén; porque la política era cosa de hombres. Santi dijo que seguro que a las mujeres no las habían dejado nunca deliberar junto al árbol de Guernica, y que nada, que no había que contar con las chicas para decidir por votación democrática si le hacían a André español o no.

Manolín, Javier, Tomás y Fermín Careaga estuvieron conformes y fueron a buscar a los demás chicos. Vinieron todos y se sentaron junto al roble, conscientes de su importancia. Todos levantaron la mano en respuesta afirmativa cuando Santi preguntó si querían o no querían que André fuese también español. Santi, que había oído hablar de estas cosas a su padre y a Tío Lázaro, les miró de uno en uno y proclamó:

—Se aprueba la moción por unanimidad.*

No sabía qué significaba exactamente aquello de "moción". Como no le gustaba emplear palabras sin conocer su significado, se prometió: "He de mirar 'moción' en el diccionario."

—¿Le aviso a André? —preguntó Manolín.

Se le veía impaciente por darle a André la noticia. Todos dijeron que sí. Manolín fue y volvió con André. El belga se acercó al roble y contempló a todos los españoles con expresión entre enfadada y expectante. Santi le contó lo que habían hecho y resumió:

—Si quieres, André, ya eres español.

André preguntó: "¿De verdad?" y se emocionó mucho y todos temieron que fuese a romper en sollozos, y dijo:

—Sí, sí quiero —como si fuese un novio.*

Se pusieron todos de pie para darle la mano y Santi y Manolín le abrazaron. André era feliz. Le gustaba pensar que de allí en adelante él también podría sentarse junto al gran árbol y no llamarlo simplemente árbol o roble, sino "el árbol de Guernica", como decían los españoles. Y no estaría solo y cuando los españoles se fuesen él también se iría con ellos. Ya no le podrían decir: "Tú no eres de los nuestros."

Manolín dijo que de qué sitio de España iba a ser André, porque de algún sitio tenía que ser. Santi respondió inmediatamente que eso ni se preguntaba, que todos eran de Vizcaya y que a ver qué vida,* que André también sería vizcaíno, como ellos. Pero Manolín insistió:

—Bien, sí, vizcaíno: ¿pero de dónde? Porque tendrá que ser de algún sitio, ¿no?

Fermín Careaga quería que André fuese de Baracaldo, como él; Josechu dijo que de Pedernales; Javier Aguirre Albizu y algunos más, que de Bilbao; otros dijeron que de Santurce, de Lequeitio, de Dos Caminos y de Sestao.

—Eso lo tienes que decidir tú, André —dijo Santi.

André le preguntó a Manolín que de dónde era y Manolín dijo que de Baracaldo; y entonces se lo preguntó a Santi y Santi dijo que él había nacido en Ugarte, pero que era casi como si fuese un baracaldés, porque allí había vivido mucho tiempo y allí le había pillado la guerra y allí estaban ahora sus padres.

—Yo también quiero ser de Baracaldo —declaró André.

Tuvieron que interrumpir las deliberaciones porque ya era hora de ir a clase. En el recreo volvieron a reunirse para ver cómo iban a llamarle a André porque aquello de André no sonaba a español, y Santi propuso que por qué no le llamaban Andrés, añadiendo simplemente una ese. A André y a todos les gustó el nombre, se mostraron de acuerdo y allí, al pie del "árbol de Guernica", le rebautizaron.

A partir de aquel momento hubo cuatro baracaldeses en el "Fleury": Santi, Fermín Careaga, Manolín y Andrés. Santi le llamaba unas veces Andrés y otras Andresillo, porque así le había llamado Don Quijote al zagal de Juan Haldudo.* Santi tenía una memoria prodigiosa para algunas cosas. Había leído el *Quijote* varias veces y recordaba párrafos enteros. Le contó a Andrés la aventura de Don Quijote, cuando Juan Haldudo azota a un zagal que se llama Andrés y llega Don Quijote y va y le dice a aquel bestia de hombre que suelte al chaval y le pague. Santi procuraba remedar la voz y los gestos de Don Quijote y decía: "Por el sol que nos alumbra que estoy por pasaros de parte a parte con esta lanza; pagadle luego sin más réplica; si no, por el Dios que nos rige, que os concluyo y aniquilo en este punto." Pero Santi no quería, en cambio, ni accordarse de cuando al cabo del tiempo Andrés vuelve a encontrar a Don Quijote y se burla de él y le maldice; porque aquel episodio no le gustaba a Santi nada de nada y le parecía mentira que un chaval se hubiese comportado así con Don Quijote.

Luego resultó que Andrés era muy simpático y muy ocurrente y en cuanto se encontraba a gusto con otros niños contaba chistes y tocaba muy bien la armónica y era muy divertido. Tomó con seriedad y orgullo su nueva nacionalidad y se pasaba las horas preguntando que cómo se decía esto o lo otro en español. Apuntaba y estudiaba cada palabra y como no tenía un pelo de tonto* en muy pocas semanas empezó a chapurrear bastante bien el castellano.

Por aquellos días Santi leyó un libro en el que se decía que los vascos tenían muy buena voz y que en toda España eran famosos sus coros y sus canciones. De algún modo relacionó lo que decía aquel libro con la armónica de Andrés y lo bien que Aurelia aprendía el solfeo y el piano y se preguntó que por qué no hacer un orfeón entre todos los españoles, niños y niñas, que estaban en el "Fleury".

La idea despertó un gran entusiasmo. Se reunían en torno al roble —"el árbol de Guernica" era siempre su lugar de cita; a ningún belga se le ocurría sentarse allí, porque todos sabían que era como terreno acotado— y empezaban a cantar canciones y más canciones vizcaínas. Santi pensaba que aquello era un poco como estar en casa, como cuando cantaba "Un inglés vino a Bilbao" con los amigos, "No hay en el mundo puente colgante" o una canción en vascuence que le enseñaron para cantarla entre todos los chicos del barrio, en Baracaldo, la noche de Santa Agueda. Todos llevaban aquella noche palos; aporreaban con ellos el suelo, cantando delante de las casas, y a veces les daban aguinaldos.

Pero ocurrió con el orfeón del "Fleury" lo que había ocurrido muchas veces cuando estaban en la casa de las dunas y viajaban en autobús y se ponían a cantar alguna canción bilbaína: que todos conocían la música y en cambio se armaban un lío con la letra. Cada cual cantaba a su modo y así no había manera de entenderse. Entre Santi, Fermín Careaga y Josechu —Josechu sí que sabía muchas canciones enteras— recopilaron las letras de algunas "bilbainadas" y repartieron los papeles para que todos cantaran lo mismo. Aurelia sugirió que era mejor que las niñas hiciesen una voz y los niños otra. Lo hicieron así y no sonaba mal. Los belgas se acercaban frecuentemente a oírles y un día les aplaudieron cuando cantaron "El vino que vende Asunción". Andrés, que se sentía más baracaldés que Santi, que Fermín

Careaga y que Manolín, se pasaba el día tocando a la armónica una canción que siempre acababan coreando los otros tres baracaldeses y que decía:

Si vas a Baracaldo, baracaldesa,
si vas a Baracaldo, baracaldesa,
llévame la maleta, que poco pesa,
ay, ay, ay, que poco pesáaaa.

La biblioteca, el "árbol de Guernica" y el orfeón constituyeron tres grandes nexos de unión de todos los chicos vascos del "Fleury". Se sentían compenetrados entre sí; comentaban las noticias que cada uno había tenido de casa; se recomendaban la lectura de tal o cual libro o de tal o cual tebeo escrito en español; ensayaban aisladamente pequeños grupos de niños sus canciones, reuniéndose aparte a fin de hacer un buen papel al congregarse todos juntos a cantar bajo el roble . . .

Pero no faltaban, de vez en cuando, pequeños conatos de guerra civil entre ellos. Un día que llovía y que estaban todos los niños del "Fleury" en sala grande de la planta baja, todos, belgas y españoles, chicos y chicas, y también mademoiselle Tys y mademoiselle Jacquot, Josechu llamó en voz alta a Javier Aguirre Albizu y le dijo:

—Oye, paisano.

Josechu era de Pedernales y Javier de Bilbao, de la calle Fica. Javier estaba aquel día de muy mal humor. Miró a Josechu con expresión despectiva y le dijo, también en voz alta y como si buscara bronca:

—Paisano de qué, tú, si eres de pueblo.

Josechu respondió que Pedernales valía más que Bilbao y añadió que los bilbaínos eran más fanfarrones que los de Las Arenas. Inmediatamente intervino Eugenio, que era de Las Arenas, y dijo que a ver dónde estaba Pedernales y que qué era eso, si el nombre de un pueblo o qué, que él no lo sabía, que a él Pedernales le parecía que quería decir guijarros y piedras y no un sitio para vivir. *El conde* dijo esto con mucho retintín, y Javier se metió otra vez con Josechu y le dijo —y al decirlo miró también a Santi y a todos los demás— que lo que pasaba es que había mucho paleto que no sabía ni lo que era un tranvía. Tomás, que también era de Bilbao, intervino para decir que sí, que eso. Manolín le gritó que se callase, que era un meón.*

Santi sabía que debía intervenir para poner paz y no dar que hablar* a los belgas y a mademoiselle Jacquot, pero en vez de aplacar los ánimos empezó a hablar de Ugarte y echó más leña al fuego. Santi afirmó, tajante, que lo mejor de Vizcaya eran las Encartaciones, que él era un encartado de Ugarte, San Salvador del Valle, y que a él no le insultaba ningún bilbaíno.

Los vizcaínos estuvieron enfadados unos con otros durante varios días. Andrés estaba desconsolado. Ya nadie se sentaba bajo el "árbol de Guernica". A todos les entró una curiosa prisa súbita por practicar el francés. Cada cual se pasaba horas y horas hablando con los belgas sin dirigir la palabra a los demás españoles.

Un domingo vinieron Begoña y monsieur Bogaerts a visitar a Santi y le trajeron dulces y un libro. Al marchar, monsieur Bogaerts le preguntó si necesitaba algo. Santi siempre le había respondido que no porque realmente nunca le había hecho falta nada, pero aquel domingo, mientras paseaba por el patio y veía a los españoles asomados a las ventanas del dormitorio y de la sala de la planta baja, Santi le confesó a monsieur Bogaerts que le gustaría que le comprara una cosa.

—Muy bien —dijo el hombre—, ¿de qué se trata, Santi?

—Pues quisiera . . . quisiera una camiseta del *Athletic de Bilbao.*

Monsieur Bogaerts no sabía qué era el "Athletic de Bilbao". Santi le explicó que era el equipo de fútbol de Bilbao, el mejor de España, que en todo el país conocían el "Alirón, Alirón, el Atleti es campeón" y que a sus jugadores les llamaban "los leones de San Mamés".*

—De acuerdo. Mañana mismo te compraré la camiseta —prometió el señor Bogaerts— y haré que te la manden* en seguida. ¿Cuáles son los colores?

—Rojo y blanco —informó Santi—; rojo y blanco en grandes líneas verticales.

El martes por la mañana trajeron al "Fleury" un paquete para Santi, un paquete que le dieron cuando salía del comedor. Lo llevó al dormitorio y lo abrió: era la camiseta del Athletic de Bilbao. Por la tarde, después de clase, jugaron al fútbol. Como siempre, Raymond y Santi se encargaron de elegir los equipos. Lo hacían así: se separaban unos pasos, mirándose, y caminaban poniendo un pie delante del otro; el que primero pisaba con su pie el del contrario era el que empezaba a escoger jugadores.

Le tocó elegir a Santi y señaló a Manolín, que además de baracaldés era un jugador imponente y regateaba muy bien y era un gran extremo izquierda, aunque a veces pegaba punterazo y tiraba el balón al otro lado de la tapia. Raymond escogió a Josechu, que era buen defensa. Así fueron escogiendo de uno en uno hasta completar los dos equipos. En el de Santi eran seis españoles y cinco belgas y en el de Raymond cuatro españoles —Josechu, Eugenio, Andrés y Javier Aguirre Albizu— y los demás belgas.

Cuando iban a empezar a jugar Santi dijo que un momento. Subío al dormitorio, se puso la camiseta del Athletic de Bilbao, bajó y dijo que bueno, que podían empezar. Al principio ni Josechu ni Javier ni Andrés ni *el conde* dijeron nada; y jugaron. Al cabo de unos minutos Santi se quitó la camiseta y le dijo a Manolín:

—Póntela un rato, si quieres.

Manolín se la puso y unos minutos más tarde se la quitó y se la cedió a Fermín Careaga, que jugaba con él en la línea delantera. De pronto Javier gritó:

—Parad el juego.

Pararon el juego y Javier explicó:

—Yo no juego contra el Athletic de Bilbao.

—Me da no sé qué jugar contra el Atleti —confesó Eugenio—. Si mi equipo llevara la camiseta del Arenas, bueno, porque además no sería la primera vez que el Arenas le gana al Atleti. Pero yo tampoco quiero jugar con los belgas contra el Atleti.

Lo mismo dijeron Josechu y Andrés. Los cuatro deseaban pasarse al equipo de Santi porque era como si fuese el de San

Mamés y porque también ellos querían ponerse un rato la camiseta rojiblanca. Los dos capitanes decidieron cambiar impresiones.

—Te cambio a los cuatro españoles por cuatro belgas de mi equipo —propuso Santi—. ¿Va?

—Cómo cuatro españoles.* Solo hay tres —se extrañó Raymond.

—Cuatro —repitió Santi—. Andrés también es español.

—¿Que Andrés es español? —preguntó Raymond.

—Pues claro —dijo Santi. Y preguntó a Andrés—: ¿Tú qué eres, Andrés?

—Español. Si ellos pasan paso yo también, ¿verdad?

Se veía que tenía miedo de que Raymond y los demás belgas dijeran que no, que él no era español, que eso era una tontería. Había llegado el momento de la gran prueba; lo sabía. Quedó impaciente, expectante.

—Te advierto que no ha sido cosa de uno ni de dos. Le hemos hecho español entre todos —dijo Santi.

—Bueno —otorgó Raymond—. Andrés es español.

Y Andrés suspiró.

A Raymond no le interesaba el cambio porque Josechu y Andrés eran buenos defensas, Javier tiraba muy bien los "penaltis" y Eugenio daba unos cabezazos de miedo. Pero se conformó.

—Sí ellos quieren cambiar de equipo . . .

Ellos querían. Pasaron al equipo de Santi. En el "Athletic de Bilbao" eran ahora diez españoles y un belga, que se llamaba Jacques. Santi le miró y comentó:

—Yo creo que deberíamos ser todos vascos. En el Atleti siempre han jugado gente de casa.

Le explicó a Raymond que en el equipo bilbaíno no alineaban nunca a jugadores de fuera porque Vizcaya daba muchos buenos futbolistas y se bastaba con los que salían de su propia cantera. Raymond aceptó.

—Bueno . . .

Jacques salió un poco enfadado, aunque en el fondo no le

acababa de gustar la idea de jugar él solo en un equipo de españoles. Hacía falta buscar un nuevo jugador español y solo quedaban tres chicos fuera, que eran muy pequeños. Santi llamó a dos de ellos —el tercero, Valentín, estaba en la enfermería con anginas— y preguntó:

¿Quién de vosotros sabe jugar bien al fútbol?

Los dos aseguararon que ellos jugaban muy bien; pero Eusebio era demasiado pequeño y estaba un poco pachucho, así que Santi alineó al otro, que se llamaba Fermín y era de Bilbao. Para no armarse líos entre el Fermín bilbaíno y el Fermín baracaldés les llamaban a ambos por el nombre y el apellido.

Eran ahora once españoles contra once belgas y los once españoles se fueron vistiendo por turnos la camiseta del "Athletic de Bilbao" y jugaron como verdaderos leones, con unos pases largos y una combatividad que daba gloria verlos. Se entendían muy bien entre sí, diciéndose en español "A Javier, a Javier, que está solo", o "Aprovecha", "Pasa, tú" o "A mí, a mí" y se animaban con grandes voces gritando: "Aupa" y "Que somos del Atleti; que no se diga";* y ganaron por cinco a dos.

Luego se sentaron todos los vizcaínos bajo el roble, olvidados de sus viejas rencillas, y comentaron las incidencias del partido. Todos estaban orgullosos de haber llevado la camiseta del "Athletic de Bilbao". Porque pensaban, vagamente, que aquella camiseta les representaba a todos y era de todos: de Josechu, que era de Pedernales; y de Javier Aguirre Albizu, de Tomás y de Fermín, que eran de Bilbao; y de Eugenio, que era de Las Arenas; y de Julián, que era de Lequeitio y era un portero que ni Zamora;* y de José Luis, que era de Sestao; y de Andrés, de Manolín, de Fermín Careaga y de Santi. Y aunque en sus pueblos todos ellos hubieran querido llevar la camiseta de su equipo local, y no otra, allí, en el "Fleury", se sentían totalmente identificados y unidos con la del "Athletic de Bilbao", que era el equipo grande que mejor simbolizaba y encarnaba a toda la provincia.

Desde entonces siempre que había fútbol en el patio jugaban así: españoles contra belgas. Y volvieron a hablarse y a estar siempre juntos, a leer libros de la biblioteca española, a reunirse bajo el "árbol de Guernica" y a cantar todos formando un orfeón. Pero estaban preocupados; hacía varias semanas que ninguno había tenido carta de casa y no sabían qué pasaba en Bilbao.

En seguida empezaron las vacaciones de verano. Cesaron las clases y muchos belgas fueron a pasar unas semanas a sus casas. El "Fleury" quedó extrañamente desierto, como hueco; en el comedor había muchas mesas vacías y en los dormitorios muchas camas desocupadas. Parecía que los dormitorios y la sala de la planta baja y la galería y el patio y el comedor y los pasillos y las escaleras se habían hecho de repente mucho más grandes.

Una mañana todos los españoles, varios belgas, monsieur y madame Fleury, su hija Marie, mademoiselle Jacquot y mademoiselle Tys, la cocinera y la enfermera, mademoiselle van der Berg, subieron en un autobús muy grande, salieron de Bruselas por la carretera de Waterloo y de Nivelles y se dirigieron a un pueblo que se llama Gouy-lez-Piétons para pasar allí el verano.

XIII

Gouy-lez-Piétons no era un pueblo bonito ni feo. Tenía una estación de ferrocarril, una estación muy pequeña por donde pasaba el tren que iba a Bruselas; un río bastante grande, por donde a veces navegaban algunas pequeñas gabarras; y muchos árboles y campos sembrados. Del otro lado del río todo tenía un sabor de pueblo agricultor. Se veían casas aldeanas, aisladas, de grandes ventanales, con gentes trabajando en los campos, y caminos sombreados donde había moras y frambuesas y avellanas y tapias en las que después de la lluvia, cuando escampaba y salía el arco-iris, aparecían muchos caracoles. Había pájaros, grillos que cantaban, ranas que croaban en la noche y una gran paz en el paisaje suavemente melancólico y llano. Pero de la estación hacia la carretera de Mons, en el pueblo propiamente dicho, todo adquiría un acento distinto, menos bucólico, como fabril e industrial a pesar de que apenas se divisaban chimeneas. Las calles del pueblo eran de adoquines; a ambos lados se elevaban casas de dos pisos todas iguales. Cerca de la plaza principal, formada por la encrucijada de calles, se elevaba un monumento a los muertos durante la guerra 1914–18.

En la calle principal, a un paso de la estación, a la derecha conforme se entraba en el pueblo cuando se venía de Bruselas, se elevaba una casa un poco mayor que las demás; y ahí pasaban los chicos del "Fleury" sus vacaciones de verano. Sucedía con esta casa lo mismo que con el "Fleury": que por dentro era mucho más espaciosa de lo que hacía suponer su fachada. En la planta baja estaban la cocina, el comedor y una gran sala de estar; en el primer piso se hallaban el dormitorio de las chicas y diversas habitaciones que ocupaban las celadoras y monsieur Fleury y su esposa; en el segundo piso estaba el dormitorio de los chicos; y aún había un tercer piso, al que se llegaba por medio de una escalera muy pequeña, en forma de caracol, y que era como un gran desván que estaba lleno de manzanas y de frutas y de tarros. El olor de las manzanas llegaba hasta el dormitorio de los chicos y se extendía, denso y grato, por todo el edificio.

Pero lo más importante era, acaso, el jardín, que no tenía nada de patio,* sino más bien de huerta, y en el cual había columpios y manzanos y ciruelos y perales. En el huerto crecían también fresas y frambuesas con las que hacían confituras, que luego conservaban en envases de cristal que dejaban cuidadosamente alineados en el desván hasta el año próximo.

Apenas había transcurrido una hora de su llegada a Gouy-lez-Piétons cuando sonó el timbre anunciando visita. Mademoiselle Tys fue a abrir, halló a alguien en la puerta y corrió a avisar a monsieur Fleury. Al poco rato entraron en la sala de estar, donde estaban reunidos todos los niños y todas las niñas, que no sumarían más de cuarenta, dos matrimonios acompañados de dos niños. Bastaba mirarlos un segundo para saber que los dos matrimonios eran belgas y que los chicos eran españoles. Santi y Javier Aguirre Albizu reconocieron inmediatamente al mayor de los dos: era Ramón Aresti, un compañero de la primera expedición con el que habían amigado en la isla de Olerón y en la casa de las dunas. Parecía haber crecido bastante y llevaba pantalones bombachos y corbata y una gorra como de jugador de golf. Dirigió a Santi y a Javier una mirada tímida, como si estuviera avergonzado de algo, y Santi recordó la timidez que él experimentaba cuando estaba con monsieur y madame Dufour.

Se adelantó con la mano tendida.

—Hola, Aresti. ¿Qué tal?

—Hola, Santi —dijo él.

La señora que estaba a su lado le sonrió y le dijo: "Anda,

Ramón, habla con ellos en español" y como él continuara parado, añadió:

—¿Para eso tenías tantas ganas de venir a verlos?

Aresti se quitó la gorra y la estuvo dando vueltas entre las manos. Santi le cogió del brazo y le llevó hasta la puerta del jardín.

—Parece buena gente —valoró.*

—Sí —musitó Aresti.

"Está igual que yo con los Dufour", decidió Santi. Y le dijo:

—Me alegra verte, hombre.* Me alegro mucho, sí. ¿Recuerdas a Javier Aguirre Albizu?

—Pues claro —dijo Aresti; y le saludó.

—Aquí estamos ahora en total veintidós españoles, ¿sabes? Menos Javier y yo los demás son de otra expedición.

Le contó que en el "Fleury" tenían una biblioteca española, que se reunían junto al "árbol de Guernica", que jugaban al fútbol españoles contra belgas, que se ponían la camiseta del "Athletic de Bilbao" y que habían formado un orfeón para cantar bilbainadas.

¿Y tú? —inquirió Santi.

Aresti le dijo que los Champfort eran muy buena gente. Le trataban muy bien, le querían mucho, no le faltaba de nada y nunca le pegaban. Pero Aresti estaba aburrido. Echaba de menos su pequeño mundo vizcaíno, sus juegos y sus confidencias y sus travesuras.

—Los chicos de este pueblo no son como nosotros —confió—. Van en seguida a casa y apenas juegan en la calle. Cuando salen van de paseo en bici, pero solos, no en pandilla.

—¿Y ése? —preguntó Santi.

Señaló al otro niño español, que parecía contar unos nueve años y permanecía inmóvil al lado de los dos matrimonios.

—Es de Bilbao y vino aquí después que yo. Se llama Agustín. Es un vaina —concluyó Aresti.

Todos los días, cuando salían de paseo para ir a orillas del río o a jugar en el campo, Aresti y Agustín les esperaban a la salida; pero daba la impresión de que Agustín iba poco menos que a la fuerza. A Aresti, en cambio, se le notaba feliz de estar entre españoles y una vez le confesó a Santi que le gustaría quedarse con ellos hasta que volvieran a España.

Tenía una bicicleta muy bonita, con timbre y farol y espejo retrovisor y todo —parecía idéntica a la que los Dufour le habían regalado a Santi con la tarjeta que había provocado la ruptura— e insistía en que todos los chicos españoles la cogiesen y anduviesen un rato con ella. Agustín no dejaba, sin embargo, a nadie la suya. Cuando una tarde Manolín la cogió y empezó a pedalear, Agustín le gritó:

—Bájate de esa bicicleta. Es mía.

Agustín no cayó bien a ninguno de los españoles del "Fleury": hablaba poco, siempre en francés, y como si hiciese un favor. Cada vez que abría la boca era para presumir de que tanto en Gouy-lez-Piétons como en su casa de Bilbao tenían el oro y el moro.* Además poseía una costumbre que a todos molestaba un poco e irritaba un mucho y es que cada vez que hablaba, aunque dijera la cosa más simple del mundo, añadía siempre "¿comprendes?, ¿comprendes?" y daba la impresión de que creía que los demás niños eran tontos. Luego se veía que no, que su "¿comprendes?" no era una pregunta ni una duda, sino un hábito. A pesar de todo, aquella coletilla, unida a su presunción y a su falta de compañerismo, fue creando un poco de irritación y de malestar. Los chicos del "Fleury" no le ocultaron su hostilidad ni lo poco grata que les resultaba su presencia y Agustín se marchó una tarde, haciendo sonar muy orgulloso el timbre de su bicicleta, y no volvió a aparecer por allí.

Santi había pensado más de una vez, confusamente, sin poner palabras a sus pensamientos, que él era como un árbol y que cada criatura humana necesitaba tierra propia en la cual echar raíces muy hondas para crecer y desarrollarse. Tal vez por eso le gustaban tanto los árboles; aunque no estaba muy seguro de que ésa fuese la razón. De lo que sí estaba seguro es de que le entristecía ver talar árboles. Una vez, cuando estuvo en La Naval y cayó en la cuenta de que los mástiles de los barcos habían sido antes árboles y ahora eran una cosa distinta, unos mástiles sin vida, apuntalados por remaches sobre una cubierta metálica, le entró a Santi un gran desconcierto cuyo origen exacto no acertó nunca a expresarse del todo. Ahora pensaba vagamente, al observar que Agustín ya no volvía a visitarles, que aquel chico había dejado de ser un árbol y se había convertido en mástil y se había hecho a la mar. Y se sintió triste por Agustín y por todos los Agustines del mundo.

Esta idea del hombre-árbol la tenía Santi tan adentro, era tan sustancial con su naturaleza, que cuando veía a alguien que no sabía qué hacer con su vida, que no distinguía entre el sí y el no y que lo mismo le daba ocho que ochenta,* decía de ese alguien que era un "desarbolado". Y de súbito, cavilando sobre el árbol y el mástil, le entró a Santi un temblor angustioso al imaginar la tragedia de los hombres y de las mujeres y de los niños que no querían o que no podían crecer sobre su propia tierra.

Pasaron unas semanas en Gouy-lez-Piétons y se fueron. Cuando subían al autobús Aresti miró a Santi con los ojos llenos de lágrimas. Quiso hablar y no pudo. Más tarde, cuando el autobús iba a arrancar, Santi le tendió la mano.

—Nos veremos pronto, Aresti. Nos veremos allá.

—Sí —dijo Aresti—. Nos veremos en España.

Quedaron en silencio, mirándose, y parecía que Aresti iba a romper a llorar. Le dio algo a Santi con un gesto muy brusco, muy tímido, y pronunció precipitadamente:

—Toma. Para todos los españoles —y se fue, con la cabeza baja.

El autobús echó a andar, se detuvo un rato ante la vía férrea —acababan de bajar las barreras y pasó, lento e interminable un tren de mercancías—, volvió a andar, cruzó el puente del río y echó a correr carretera adelante. Santi desenvolvió el paquete que Aresti le había dado y vio que era una hucha.

—Mirad. Nos lo ha dado Aresti.

Santi y Manolín rompieron la hucha delante de todos: había 15 francos en calderilla. Todos se emocionaron con aquel gesto de Aresti, pensaron lo que le habría costado ahorrar todo aquello y se sintieron más cerca de España.

Pasaron por Nivelles y llegaron a Waterloo y lo dejaron atrás (Santi distinguió borrosamente, a lo lejos, el león en lo alto del campo donde Napoleón había perdido su última batalla) y siguieron rodando y rodando y llegaron a Bruselas; y todos tuvieron la impresión de que el viaje de regreso había sido mucho más rápido que el de ida.

Aunque lo habían pasado bien en Gouy-lez-Piétons, y aunque a veces echaba de menos sus juegos allí y la cabaña que hicieron entre todos y el modo en que él y Manolín cruzaban el río sin nadar y sin vadearlo, cogiendo carrerilla y saltando por el lado más estrecho, la verdad es que Santi estaba satisfecho de haber regresado al "Fleury" y de hallarse de nuevo en el amplio comedor, de ocupar su cama junto a la puerta del pasillo y de sentarse junto al "árbol de Guernica". Todavía seguía haciendo buen tiempo y faltaban dos semanas para comenzar las clases. Santi, Javier, Manolín, Fermín Careaga, Andrés y Tomás se pasaban las horas muertas asomados a la ventana del dormitorio. Pero ya apenas miraban al hospital, sino a la calle que siempre habían visto desierta y donde ahora, por las tardes, unos hombres en mangas de camisa jugaban a un juego muy raro* que no habían visto nunca. Era como si fuera a la pelota, pero no en frontón, sino en un campo que hubiera parecido de tenis si no hubiera sido porque no tenía red. Durante días lo estuvieron observando, intrigados, tratando de comprender las reglas del juego, pero no lo consiguieron.

Una tarde, mientras estaban asomados a la ventana, vieron que uno de los jugadores lanzaba la pelota sobre la tapia que daba al patio del "Fleury".

—Eh, niños —gritó—. ¿Queréis buscar la pelota y devolvérnosla?

—Oui, m'sié —dijo Santi.

Barjaron todos y buscaron la pelota. Javier Aguirre Albizu, que la encontró en seguida, hizo mención de devolverla por encima de la tapia, pero lo pensó mejor* y estuvo un rato jugando con ella, haciéndola saltar en la mano. Miró a Santi y a los demás, todos le miraron a él y sin pronunciar palabra

Pelotari

Pelotaris playing in a pelota frontón

decidieron guardarse la pelota. Estaba prohibido jugar a la pelota en el "Fleury" convirtiendo las fachadas de los edificios en frontones, y ya una vez Santi había hecho una pelota con una canica y con lana y se la había cogido mademoiselle Jacquot diciendo que estaba terminantemente, pero que terminantemente prohibido jugar golpeando las paredes; pero ahora, al encontrar inesperadamente aquella pelota, al pasarla de mano en mano, la tentación fue demasiado fuerte.

Una voz de hombre preguntó a gritos desde la calle:

—¿Qué pasa con la pelota?

—No la encontramos, M'sié —replicó Santi alzando mucho la voz—. ¿Está seguro de que ha caído en este patio?

Conservaron la pelota y al día siguiente por la mañana trazaron una raya en la pared central del edificio, donde el suelo era tan liso como un frontón, y empezaron a jugar. Aquellos hombres que jugaban en la calle golpeaban la pelota cubriéndose las manos con guantes, mientras que a Santi y a sus amigos lo que les gustaba era precisamente golpear la pelota con la mano desnuda. Con la mano atinaban más y se formaba una especie de identificación entre pelota y pelotari. Santi no tenía mucha pegada y siempre había jugado, en Baracaldo, de delantero. Era pequeño de estatura, ágil como una ardilla y con una vista rápida como el rayo. Pegaba unas cortadas* y engañaba con unas dejadas tan secas y diabólicas, tan perfectamente medidas, a un milímetro de la chapa (que en el "Fleury" no era tal chapa, sino la línea pintada con tiza y no siempre muy recta) que era tanto seguro. Era también experto en sacar haciendo "bocho" o arrimando la pelota a la pared de tal modo que no había forma de devolverla. "Ni Atano recoge eso",* le alentaba Manolín que jugaba con él de compañero.

Santi y los demás habían visto alguna vez, en el frontón de Baracaldo o en los de Iturribide o Euskalduna, en Bilbao, jugar a pala, a remonte y a cesta; pero a ninguno de ellos le interesaban estas modalidades. "En el frontón lo que vale es la mano", solía decir Santi, "Todo lo demás es como nadar con salvavidas o como jugar al fútbol punterazo va punterazo viene".* Santi,

Fermín Careaga, Manolín y Javier Aguirre Albizu gozaban cuando después de un partido sentían las manos hinchadas y las pisaban con los zapatos o con los pies descalzos para atenuar las molestias de la hinchazón.

Después hubo unos días de mal tiempo y empezaron a regresar los chicos belgas de sus casas. Venían con traje nuevo, con muchos regalos y con el recuerdo de semanas pasadas en la playa o en las Ardenas. Los españoles decidieron no jugar ya más a mano y Javier guardó la pelota en su armario.

Precisamente fue ese día cuando monsieur Fleury mandó llamar a Santi y le comunicó que estaba muy contento de sus estudios y que dentro de unos días, cuando comenzase el nuevo curso, él no estudiaría ya en la clase de mademoiselle Delorme en el "Fleury", sino que iría todos los días fuera, con Claude y la mayor de las chicas, Hélène, a estudiar Humanidades en el "Athénée" o Instituto que estaba en el distrito de Forest, como a quince o veinte minutos a pie del "Fleury".

Santi tuvo conciencia de que aquello representaba tanto un honor y una oportunidad como una gran responsabilidad. Fue al Ateneo con timidez y aprensión, preguntándose cómo serían sus nuevos condiscípulos y si los estudios serían demasiado fuertes y difíciles para él. Pero pronto se tranquilizó: los chicos —todos belgas; no había ningún español ni ningún extranjero— parecían bastante simpáticos y los estudios no eran demasiado intensos, aunque siempre le daban a Santi lecciones y problemas que tenía que estudiar durante la noche en el "Fleury". Monsieur Fleury decidió que, a partir de aquel día, ni Claude ni Hélène ni Santi se acostarían cuando lo hacían los demás niños, sino una hora más tarde.

Por las noches estudiaban en la gran sala de la planta baja, los tres solos, y aquello les revestía de una gran importancia a los ojos de todos. Antes de subir a acostarse, después de acabados los deberes,* mademoiselle Tys o la cocinera les llevaban unas galletas y un vaso de leche o una taza de chocolate. Y Santi subía muy ufano al dormitorio y todos los españoles estaban despiertos, esperándole, y le preguntaban cosas del Ateneo y de la calle, y si había algún cine en el camino del "Fleury" al Ateneo. Muchas veces algún chico belga se acercaba misteriosamente a Santi y le daba un franco o dos y le decía que a ver si le podía comprar tal o cual cosa. Aunque estaba prohibido, Santi decía siempre que sí. Compraba lo que le pedían y por las tardes, cuando regresaba al "Fleury" a tiempo para ir al comedor con los demás, solía llevar en el abrigo paquetes pequeños que él aplastaba y disimulaba lo más posible para que no hiciesen bulto. Se veía a sí mismo como un contrabandista y aquello le daba una sensación de peligro y de aventura que le gustaba. Aunque no llevaba nunca boina en el "Fleury" iba siempre con ella al Ateneo porque, además de que le gustaba llevarla, la boina le parecía como una proclamación de su identidad, como una sencilla y entrañable bandera.

En el Ateneo los cursos no estaban numerados empezando por el primero y acabando por el sexto, sino al revés: de arriba a abajo. Los del curso uno eran los veteranos y los del seis los novatos. Santi pertenecía al grupo que se llamaba VI Latín y como este grupo tenía muchos alumnos habían hecho un subgrupo A y un subgrupo B distribuyendo a los estudiantes en uno o en otro según la primera letra de su apellido; y así, Santi estudiaba en el VI Latín A.

Les tenía un poco de miedo a las ciencias y a las matemáticas. Cuando había que ir a clase de zoología o de geometría o de física —porque sonaba un timbre y salían de la clase e iban al aula donde daban la otra asignatura— Santi solía hacerse el remolón en las escaleras y se sentía tentado de hacer pira a fin de no seguir unas asignaturas en las que flojeaba bastante. Aun no había decidido si flojeaba en aquellas asignaturas porque no le gustaban o si no le gustaban porque flojeaba en ellas. En cambio en historia, en latín, en literatura y en una clase que había los sábados por la mañana a última hora, y en la que se obligaba a los alumnos a que contaran cosas, argumentos de libros leídos, cómo habían pasado las vacaciones, discusiones provocadas por el profesor para que los alumnos expresasen sus puntos de vista y debatiesen entre sí, etc., en esas asignaturas y en esa clase de improvisación Santi sacaba muy buenas notas.

Pero se notaba diferente de sus condiscípulos; observaba, en mil detalles, que él no era como los demás estudiantes del Ateneo. Cuando salían, los demás quedaban un rato parloteando en la calle o iban a veces al cine o al campo de fútbol del "Forest", que estaba muy cerca, y jugaban al fútbol o echaban carreras o lanzaban la jabalina. Santi, en cambio, tenía que volver zumbando al "Fleury" porque monsieur Fleury le tenía prohibido que se quedase ni un minuto en la calle. Santi regresaba siempre con Claude y con Hélène; porque ella también estudiaba en el Ateneo, pero en el edificio de al lado, que era donde estaban las chicas.

Santi se consideraba en cierto modo como la encarnación de España entre los profesores y los alumnos del Ateneo. Tenía la impresión de que, a los ojos de sus compañeros, él era España; si se portaba bien pensarían bien de España y si se portaba mal pensarían mal de España. Estudiaba de firme porque no quería hacer un mal papel ni dejar en ridículo a todos los chicos de la primera y de la segunda expedición, de los que se sentía embajador en el Ateneo.

En la casa de las dunas, cuando una vez intentó escribir un cuento sobre Baracaldo y la guerra y no le salía,* y pensó que nunca llegaría a saber escribir, don Segundo le preguntó que qué le pasaba y Santi se lo dijo. Don Segundo le contó entonces que había un escritor bilbaíno (Santi no recordaba si le había dicho Ramón de Basterra o Aranaz Castellanos*) que se ataba a la pata de una mesa y no se soltaba hasta haber conseguido escribir lo que se proponía. Y eso era, en cierto modo, lo que ahora hacía Santi para no dejar mal "el pabellón español" entre sus condiscípulos y profesores. Por las noches, ya acostado, después de haber estudiado seria y tenazmente todo el día, se servía de una linterna (que con el visto bueno de los demás españoles había comprado con parte del dinero que les había dado Aresti) y estudiaba en la cama mientras los otros dormían. Como muchas veces se quedaba dormido con la linterna encendida, la pila se agotó muy pronto. Cuando se acabó el dinero de Aresti, Javier, Fermín Careaga, Manolín, Andrés y Tomás se encargaban de vender canicas y hacer cambios y cambalaches para sacar dinero para comprar otra pila; y Santi seguía estudiando por las noches. Era como si todos los chicos evacuados, como si todos los chicos españoles estudiaran con él. Consciente de ello, Santi estudiaba y machacaba las lecciones —sobre todo ciencias y matemáticas— procurando vencer el sueño. Le resultaba muy difícil levantarse, sobre todo en invierno, porque con frecuencia el calor del radiador no subía hasta el tercer piso; y cuando sonaba la campanilla y encendían las luces Santi se encontraba siempre helado y soñoliento.

En el Ateneo todo iba bien y nadie tenía ninguna queja de Santi, aunque había tenido dos o tres agarradas con algunos de sus compañeros. Pero una mañana, de la manera más inesperada, ocurrió un incidente que estuvo a punto de dar al traste con sus estudios.

Fue en la clase de historia —que era, con la de literatura, la que más le gustaba a Santi— y cuando el asistente (el profesor estaba enfermo) empezó a hablar de Guillermo de Orange *el Taciturno* y de Felipe II, del duque de Alba, y de la ejecución de Egmont en la Grande Place. El asistente puso a Felipe II y al duque de Alba que no había por donde cogerlos* y Santi escuchó atenta y respetuosamente, porque le parecía muy bien que los belgas mirasen la historia con ojos de belgas y no con ojos de españoles. Pero entonces el asistente, de algún modo, empezó a irse por las ramas y a hablar del Descubrimiento de América y de la guerra civil y a decir que España era un país de bestias y que no había dado nada al mundo. A juzgar por lo que decía el asistente, en Madrid y en Barcelona, en Sevilla y en Bilbao, y en toda España, se vivía poco menos que en taparrabos y no había tranvías ni nada; sólo toreros y curas y bailaoras. Daba la impresión de que no había ni escritores, ni obreros, ni maestros, ni médicos, ni gente buena y culta preocupada por el progreso y por la libertad y por la justicia, ni ningún español, del norte o del sur, de aquí o de allá, de éste o del otro bando, que fuese de fiar. Sugirió también que las mujeres eran todas como esclavas, como zánganas o como algo peor.

Santi pensó en su país en guerra, en su madre, en la biblioteca española que tenían en el "Fleury", en los chicos de la primera y de la segunda expedición, en don Segundo y en su amor a la libertad y a la cultura y a la justicia y no pudo más y se puso en pie. Estaba de nuevo como mareado. Notó que la sangre se le subía a la cabeza y que el suelo temblaba bajo sus pies.

—Eso es mentira, monsieur —dijo.

Lo dijo con voz alta y grave, mirando al asistente. Santi sabía que España no era un país perfecto, sino que tenía cosas buenas y cosas malas y no consideraba justo que aquel señor sólo hablase de las malas y se pusiera a despotricar a diestro y siniestro poniéndolo todo por el suelo. Porque Santi tenía sus ideas propias sobre el particular, que eran éstas: un hombre podía decirle a su mujer que se pusiera las medias derechas, que si no iba a ir hecha una facha,* y podía darle, si era necesario, una bofetada a uno de sus hijos; pero nadie más tenía derecho a decir eso a aquella mujer y sólo el padre y la madre podían pegarle un tortazo a un niño. Los baracaldeses tenían perfecto derecho a quejarse de que las calles estaban mal pavimentadas y que esto o lo otro, que para eso eran baracaldeses,* pero si un forastero iba a Baracaldo y decía que aquellas calles eran una porquería, pues que se fuese a otro sitio donde las calles estuviesen mejor pavimentadas. Y lo mismo ocurría con toda España: los españoles podían decir que tal y que cual sobre España y sobre Felipe II y sobre la leyenda negra* y sobre la guerra y sobre lo que fuese, que para eso eran cosas suyas y luchaban y sufrían por ellas; pero que los extranjeros se convirtiesen en jueces de España le parecía a Santi que era como si invadiesen y pisoteasen las intimidades de Vizcaya y de Castilla, de Galicia y de Cataluña, de Andalucía, de Extremadura y de todas las tierras y las gentes de España.*

El asistente miró a Santi por encima de las gafas —porque llevaba gafas, unas gafas pequeñas, para leer; cuando no leía miraba siempre por encima de ellas— y preguntó:

—¿Intenta usted sugerir que soy un embustero?

Trató a Santi de "vous" en lugar de tutearle, con guasa;

algunos chicos rieron. Pero Santi estaba lanzado y cuando se sentía así, como cegado y con el vacío en el estómago y el suelo temblándole bajo los pies, él también se consideraba momentáneamente "desarbolado" y lo mismo le daba ocho que ochenta. Y dijo:

—No lo estoy sugiriendo, monsieur . . .

Respiró hondo, asustado de lo que iba a decir y al mismo tiempo admirándose de lo bien que lo iba a decir y de lo correctamente que era capaz de hablar en público.

—No, monsieur, no lo estoy sugiriendo —y explicó—: Estoy diciendo que usted es un embustero.

El silencio se podía tocar. El asistente fue hasta la puerta, la abrió y dijo:

—Venga usted conmigo.

Santi fue tras él. Le llevaron al despacho del prefecto, habló el asistente con el prefecto y le castigaron a Santi con "un jour de renvoi", que era un día de despido, un día —el siguiente— durante el cual no podría ir al Ateneo.

—La próxima vez será usted despedido para siempre —advirtió el asistente.

Y Santi tuvo que salir del Ateneo y eran las once y diez o así de la mañana. Le habían dado un papel comunicando el castigo para que lo firmara monsieur Fleury donde ponía "Enterado". Santi no se atrevió a volver al "Fleury" y pensó: "Les he dejado mal a todos." Lo lamentó por sí mismo, por sus compatriotas del "Fleury" que vendían canicas y hacían cambalaches para que comprara pilas para la linterna y siguiera estudiando y por los señores de la Casa de España, que eran tan comprensivos y tan buenos. "Pero he hecho lo que debía", se consoló. No estaba arrepentido. Mientras salía del Ateneo y echaba a andar calle arriba, sin rumbo fijo, experimentaba, más que tristeza, una gran indignación.

Y se sentó en un banco y siguió caminando, y salieron los chicos de las escuelas, y pasó la hora de comer —imaginó a todos en el comedor del "Fleury", y a Claude y a Hélène entrando, y a monsieur Fleury preguntando que qué le había pasado a Santiago que no venía con ellos —y paseó y se sentó y volvió a andar y pasó sin querer ante la casa de los Dufour y siguió caminando. Y miró todos los escaparates y todos los tranvías y autobuses que pasaban, y empezó a tener hambre, y llegó la tarde y pasó, y Santi seguía paseando, sin atreverse a volver al "Fleury", sin saber qué hacer.

Pensó preguntar por el camino de Laeken e ir a ver a monsieur Bogaerts, pero desechó la idea porque le parecía que aquello sería como obligarle a ser su cómplice además de darle un disgusto.

Aquel día nadie le había dado dinero para que comprara alguna cosa ("También es mala pata", se dijo) y tenía tanta hambre que hubiera comido aunque fuera un montón de caramelos, metiéndoselos a puñados en la boca y masticándolos. Andando, andando, se encontró en un parque-bosque que debía de ser el de Soignes. Atardecía ya, hacía frío, y no había casi nadie paseando por entre los árboles. Fue oscureciendo, el bosque se quedó vacío, y Santi continuó caminando sin rumbo fijo, pisando con melancólica fruición las hojas caídas de los árboles que alfombraban los caminos y el césped.

Recordó aquella tarde en que, en Retuerto, en la escuela, había estado pasando un pizarrín por la oreja, como si la oreja fuese el itinerario de la Vuelta a Francia y él fuese Trueba.* De pronto un chico le dio un empujón y el pizarrín —un pizarrín corto y bastante grueso, de manteca— se le escapó a Santi de los dedos y se le metió en el oído. En vano intentó sacarlo. No dijo nada a nadie, pero el chico del empujón* se chivó al maestro y el maestro trató de sacarle el pizarrín con unas pinzas y tampoco lo consiguió. Le dijo que se marchara a su casa y fuera con su madre al médico o a que le sacaran el pizarrín en el hospital.

Santi tuvo miedo y huyó corriendo al bosque de los castaños, cerca de Bengolea, hacia el Regato. Allí pasó horas y horas y comió castañas que cogía tirando palos y piedras a los árboles y luego pisoteando los erizos con las botas para sacar las castañas sin pincharse. Cuando oscureció, el río Bengolea, que era un arroyuelo de nada, en la noche parecía un río inmenso, y sólo oír el murmullo de las aguas Santi tiritaba de frío. Se acurrucó y quedó medio dormido junto a una casita que tenía un arco por donde pasaba un canalito de agua, bajo el puente, cerca del lugar en el que habían pintado una cruz en memoria del cura que se había ahogado allí hacía muchos años. Brotaron unas pocas estrellas en el cielo negro y frío y debían de ser las once de la noche cuando empezaron a sonar voces de hombres que llamaban "¡Santi, Santi!". Vio a muchos hombres que llevaban linternas y antorchas y que le buscaban por entre los castaños y el río; pero él no dijo nada y permaneció acurrucado. De pronto alguien le vio, gritó "Ahí está" y fueron todos hacia él. Su padre le miró con severidad, le dio unos azotes y luego le abrazó y musitó "Vamos a casa, hijo", y volvieron a casa cogidos de la mano, sin hablar. Al día siguiente salió con su madre por la mañana, subieron la cuesta que conducía a Cruces, bajaron hasta Burceña, cogieron allí el tranvía que iba a Bilbao y se apearon en Basurto, frente al hospital. Le dijeron a Santi que se tumbara sobre un quirófano y le pusieron una máscara, le echaron unas gotas de cloroforma y le sacaron el pizarrín. Cuando medio despertó, al incorporarse, Santi le dio sin querer una bofetada al médico y el médico se enfadó mucho y luego, sonriendo, le tiró del pelo de la coronilla. Santi y su madre regresaron en tranvía a Burceña, subieron a pie la cuesta de Cruces, de allí bajaron la otra cuesta, que estaba orillada por grandes eucaliptos, y llegaron a su casa de Retuerto, la casa en cuya parte de atrás estaba la higuera donde el gato malévolo había atrapado al pájaro.

Santi paseaba ahora por el bosque de Soignes y tenía hambre y miedo y sueño y frío; de vez en cuando cantaba para animarse y para no asustarse del ruido que hacían sus pies al levantar las hojas del camino. Y anduvo, anduvo, anduvo, y llegó un momento en que perdió toda noción de tiempo y de lugar y ya no sabía si estaba en Bruselas o en Retuerto o dónde.

Clareaba tímidamente cuando salió del parque, no sabía por dónde, ni qué carretera era aquélla. Un policía que iba en bicicleta le vio, se acercó a él y le preguntó:

—¿Te has perdido?

Santi no respondió y el policía le miró lentamente.

—Buscando aventuras, ¿eh?

Le hizo subir en la bicicleta, le dijo "Agárrate bien" y fueron por calles con casas y faroles y pararon delante de una Comisaría. Le dieron un vaso de leche caliente y le preguntaron que dónde vivía. Santi lo dijo. Un policía muy grueso, gordísimo, buscó en el listín de teléfonos, y llamó y habló con alguien: "Sí, aquí está. Ahora le llevamos." Le llevaron en auto al "Fleury" y, cuando llamaron, monsieur Fleury, mademoiselle Jacquot y mademoiselle Tys estaban esperándole; no se habían acostado en toda la noche. El policía se fue y cerraron la puerta. Santi no sabía ahora qué hacer ni qué decir. Sacó el papel con el "jour de renvoi" y se lo entregó a monsieur Fleury. Pero él no lo leyó.

—Llamé al Ateneo y me explicaron lo ocurrido —dijo—. Nos tenías preocupados y avisamos a la policía.

Monsieur Fleury no parecía enfadado. Miraba a Santi con sueño y con curiosidad, y Santi pensó de súbito que monsieur Fleury, mientras le miraba, estaba recordando al niño que él había sido hacía mucho tiempo.

—¿Tienes hambre? —preguntó el hombre.

—Sí, señor director —dijo Santi.

—Dadle algo de comer y que tome alguna cosa caliente —ordenó monsieur Fleury. Se volvió a mirar a Santi—. Voy a acostarme. Buenas noches. Mejor dicho, buenos días ya.

—Buenos días, señor director —murmuró Santi.

Mademoiselle Jacquot, bostezando, se fue. Mademoiselle Tys entró en la cocina con Santi, le preparó unos bocadillos y le puso un tazón enorme de café con leche. Parecía muy contenta de verle comer con apetito, de tenerle a su lado y de saber que no le había pasado nada. Luego le acompañó hasta el dormitorio. Todos los chicos dormían. Santi se acostó, tiritando, se arropó bien, y mademoiselle Tys, que nunca la había besado, le dio un beso en la frente y le dijo:

—Duerme bien, Santi —y se fue.

Unas horas después, cuando abrió perezosamente los ojos al sonar la campanilla, Santi vio que todos los chicos del dormitorio rodeaban su cama. No tuvo que levantarse porque mademoiselle Tys le dijo que descansara más tiempo y que luego ella le traería café con leche muy calentito.

Santi volvió a dormirse. Y por la tarde, a eso de las cuatro, recibió carta de sus padres y de Juanito en la que le decían que en casa todos estaban bien y que pronto volvería a Baracaldo.

XIV

El primer martes de diciembre, cuando Santi volvió del Ateneo a mediodía y se dirigió al comedor, observó en seguida que había varios niños nuevos. Supo inmediatamente, nada más verlos, que eran españoles.

—Han venido esta mañana con don Gregorio —le explicó Manolín—. Son cuatro chicos y una chica un poco mayor que se llama Montserrat.

—¿No hay ninguno de Baracaldo? —preguntó Santi.

—No —dijo Manolín—. Ni de Bilbao. Montserrat y su hermano son de Barcelona, y otro es de Madrid y los otros dos de otros sitios.

A Santi no acabó de gustarle aquello de que hubieran venido chicos españoles al "Fleury" y que ni monsieur Fleury ni don Gregorio, ni ninguno de la Casa de España se lo hubiera comunicado a él primero. Porque se sentía un poco como el alcalde de la comunidad española en el "Fleury" y tanto monsieur le directeur como las profesoras y todos los niños españoles y belgas le trataban como si real y verdaderamente se le hubiese designado jefe y responsable del grupo español.

—Luego hablaré con ellos —dijo Santi.

A la salida saludó a los cuatro chicos y luego dijo "Hola" a Montserrat, tendiéndole la mano con repentina solemnidad, porque Montserrat era una muchacha bastante alta, guapa y de muy buenos modales, y aunque sólo tenía catorce años parecía una verdadera señorita. No era como Aurelia, que tenía once y se veía que era una niña, casi como un compañero más,* sino que Montserrat era distinta; tenía un no sé qué de grato y de femenino en el modo de dar la mano y en su sonrisa y en su forma de hablar.

—Hola —saludó ella, como un eco.

—Yo me llamo Santi y soy de Baracaldo . . . bueno, como si fuera de Bilbao —se presentó Santi—. Tú eres catalana, ¿verdad?

—Sí —dijo ella—. Somos de Barcelona.

Al decir "somos" señaló a su hermano, que se llamaba Luis y tenía ocho años. Montserrat sonreía con una sonrisa muy seria y al mismo tiempo muy agradable, y Santi se dio cuenta de que la barcelonesa cuidaba a su hermano como él había cuidado durante todo el viaje a Begoña. Le resultó muy simpática la chica catalana.

—Yo tengo trece años y estudio fuera, ¿sabes? Soy el primer español que vino al "Fleury".

Ella le sonrió otra vez y le miró a los ojos, pero con una cierta expresión de timidez.

—Sí, eso me han dicho.

Santi también se halló un poco turbado, sin saber exactamente por qué.

—Tenemos un orfeón y solemos cantar canciones bilbaínas —dijo—. Si quieres cantar alguna vez con nosotros . . .

—Pues claro —asintió Montserrat—. Me gustan mucho las canciones bilbaínas y los bailes vascos. Y yo os enseñaré a bailar sardanas.

—Muy bien —aceptó Santi.

Le estuvo mostrando a Montserrat la biblioteca española y el "árbol de Guernica"; pero se le hacía tarde y dijo:

—Debo irme ahora. Tengo que salir para ir al Ateneo.

Tanto su hermano Luis como los demás niños españoles le llamaban "Monse" a Montserrat, pero al despedirse de ella, al darle la mano, Santi dijo:

—Hasta luego, Montserrat.

Porque le gustaba más Montserrat que Monse; el nombre entero tenía como más seriedad y empaque y más entrañabilidad y piropo que el diminutivo. Ella pareció agradecer el matiz y le correspondió con un "Hasta luego, Santiago". Y aunque a Santi le había gustado siempre que le llamaran Santi y no Santiago, le satisfizo mucho que Montserrat le llamase Santiago, como a un chico mayor, como de igual a igual. Pensó que a ella y a él todos les llamaban por el diminutivo y que en cambio ellos se trataban mutuamente con el nombre completo y dedujo que, con aquel simple detalle, se había establecido entre Montserrat y él como una complicidad, como un nivel de mutuo respeto y singularidad.

Santi se fue al Ateneo con Claude y con Hélène y no habló en todo el camino; en los oídos le seguía sonando aquel "Santiago" dicho por Montserrat. Se preguntó de súbito qué habría pensado la propia Montserrat y qué habrían pensado los demás españoles, porque la verdad es que había pasado todo el tiempo acompañando a la muchacha e intentando demostrarle lo mayor y lo listo que él era* y con los chicos nuevos casi no había cambiado más de dos palabras. Por un momento recordó a su hermano Juanito y lo que presumía y las bobadas que decía cuando estaba con alguna chica mayor; y se asombró un poco al comprobar que desde que había saludado a Montserrat estaba como atontado o así y no hacía más que pensar en ella: en su sonrisa seria y agradable, en lo guapa y en lo señorita que era y en el modo mesurado y tranquilo que tenía de hablar.

Mientras cenaban empezó a llover a cántaros. Después de salir del comedor fueron todos a la sala grande de la planta baja y allí Santi saludó con un leve movimiento de cabeza a Montserrat, sin hablar con ella, y estuvo charlando con los chicos que habían llegado aquella mañana. Mientras les hablaba les miraba a los ojos, midiéndoles, intentando saber de qué pie cojeaban* y si haría o no buenas migas con ellos.

Uno se llamaba Ramón Fernández y aseguraba que su hermano sabía bailar el chotis sobre un ladrillo y decía que "De Madrid al cielo y desde allí un agujerito para verlo".*

—Tú eres de Madrid, ¿no? —preguntó Santi.

Ramón afirmó con un gesto de cabeza y subrayó, echando un

poco la cabeza para atrás:

—Del mismísimo Madrid; de Chamberí "ná" menos.*

Ramón tenía doce años y era tan dicharachero y tenía tanta labia que mareaba un poco a los demás, porque cogía la palabra y no había modo de pararle; pero Santi creyó descubrir en sus ojos un acento triste, como una gran sombra, como un hondo dolor callado. Parecía como si Ramón hubiera sufrido mucho y quisiera decir "No seas gili" y hablar y hablar para no acordarse de sus penas. Santi pensó, mientras le miraba y sonreía: "¡Cuánto ha debido sufrir!"

Roberto Giner era de Valencia; era alto, callado y muy serio. Cuando le preguntó si conocía a Vicente Moreu Picó (que era el valenciano con el que Santi se escribía) Roberto lo meditó durante un rato, estrujando y revisando cuidadosamente sus recuerdos a fin de no equivocarse en la respuesta.

—No le conozco —dijo—. Valencia es una ciudad enorme, ¿sabes?

Santi sabía muy poco de Madrid, muy poco de Valencia y muy poco de cualquier ciudad o pueblo que no fuese de Vizcaya, y se ordenó: "Tengo que leer cosas sobre esas ciudades; tengo que aprender muchas cosas sobre mi país." Le dijo a Roberto:

—Me alegra conocerte —y le estrechó la mano.

El tercer chico se llamaba Manolo Espina y era de la provincia de Santander, de un pueblo que se llama Colindres y que está cerca de Laredo y de Limpias, donde se halla el Cristo milagroso de la Agonía. En seguida supo Santi que desde que había estallado la guerra Manolo había vivido transitoriamente en varias ciudades de España y de Francia antes de venir a parar al "Fleury".

—Bienvenido al "Fleury", Manolo —le dijo.

Golpeó a los tres recién llegados suavemente en el hombro y Javier, Fermín Careaga, Manolín y los demás vizcaínos que le rodeaban supieron que aquel gesto, aquel golpecito, era como el espaldarazo con que Santi proclamaba sin palabras su amistad.

Aquella noche, cuando todos subieron a sus dormitorios y Santi quedó con Hélène y con Claude, estuvo estudiando durante un rato y luego fue a la biblioteca española, que estaba siempre abierta, en el primer piso, junto a las clases. Cogió un libro que se titulaba "Rimas" y que era de Gustavo Adolfo Bécquer* y lo guardó en el bolsillo de la chaqueta. No llenó la ficha, sintiéndose de repente temeroso y avergonzado de que alguien supiera que lo estaba leyendo. Una vez acostado leyó las poesías iluminándose con la linterna. A la mañana siguiente guardó el libro en su armario, metiéndolo muy escondido entre sus ropas y sus cosas. Cerró el armario con llave, cosa que nunca había hecho porque lo consideraba un gesto de desconfianza hacia los demás.

El día 5 le dijeron a Santi que no habría clases en el Ateneo porque era San Nicolás y era fiesta. En el "Fleury" tampoco hubo clase el día 6; a todos los niños les dieron golosinas y juguetes. Santi explicó a los demás españoles que allí no se celebraba el día de los Reyes Magos,* que caía el 6 de enero, sino el día de San Nicolás, que era el 6 de diciembre.

Aquel día, a pesar de ser festivo y no tener clase, y a pesar de haber recibido golosinas y juguetes y de poder estar todo el tiempo jugando al fútbol o paseando en torno al árbol —porque no llovió, aunque, eso sí, hacía un frío que pelaba— fue para los españoles una fecha cargada de tristezas y de añoranzas y de recuerdos. Para Santi fue, además, un día de particular emoción.

Cantaron por la mañana unas bilbainadas junto al "árbol de Guernica" y por la tarde Montserrat dijo, mirando a Santi:

—¿Queréis que os enseñe a bailar sardanas? Son muy bonitas; ya veréis.

Santi y todos dijeron que sí y Montserrat explicó que había que ponerse en corro. Lo hicieron, rodeando el gran roble. Santi estaba al lado de Montserrat. Montserrat dijo que había que juntarse las manos y Santi sintió entre sus dedos la mano suave y cálida y grata de la muchacha y le entró una emoción tremenda, increíble, y ya casi no oía lo que ella decía ni sabía lo que había que hacer. Su única preocupación era seguir sintiendo la mano de Montserrat entre sus dedos. Procuraba no apretar demasiado y comportarse como si tal cosa,* como si cogerle la

A chistulari playing at a Basque fiesta

mano a la barcelonesa fuese como cogerle la mano a Aurelia o a cualquier otra chica. Pero no era lo mismo, no; por alguna razón incomprensible, inexplicable, no era lo mismo.

Bailaron y Montserrat cantó algo en catalán. El ritmo era delicado y fácil y pausado, pero Santi estaba como mareado. Y mientras movía torpemente las piernas procurando seguir el compás de la música (Santi había sido siempre un poco torpe para nadar, bailar y andar en bici) recordaba una poesía de Bécquer. De pronto todo el mundo se volvía loco y todo giraba y la vida, adquiría otra dimensión; una nueva dimensión que era como una puerta que empezaba a abrirse lentamente y por la que Santi penetraba un poco asustado. A cada paso que daba crecían su anhelo y su susto y le entraba como un vértigo. Se hundía dulcemente entre nubes; le parecía que caía, que caía . . . pero que caía hacia arriba, hacia lo alto.

Cuando acabó el baile todos dijeron que era muy bonito y que había que repetirlo otro día. Santi también dijo que sí, que la sardana era preciosa y que había que volver a bailar en corro; pero lo dijo sin mirar a Montserrat, procurando evitar su mirada. Se deshizo el grupo y Santi paseó con Manolín, Fermín Careaga, Javier, Andrés, Ramón, Roberto y Manolo. Montserrat, Aurelia y las niñas se quedaron hablando junto al "árbol de Guernica". Después de cenar Santi se excusó ante los demás españoles, diciendo que tenía que estudiar —al decirlo miraba a Montserrat a hurtadillas— y fue con Claude y Hélène a la sala grande para preparar sus deberes del día siguiente.

Fue avanzando el mes de diciembre. Durante varios días nevó. Daba frío y gozo contemplar el roble lleno de nieve, las tapias blancas y el suelo helado y resbaladizo. Por las noches todos los niños del dormitorio de Santi quedaban mucho tiempo mirando el hospital a través de los cristales viendo cómo los tejados, los árboles y los caminos del hospital parecían tarjetas de felicitación navideña y cómo en los pabellones habían puesto árboles de Noel con bombillas de colores. Vistas desde lo alto del dormitorio parecían estrellas azules y rosas y amarillas y moradas y rojas. Permanecían mucho tiempo así, mirando el hospital, y se iban a la cama tiritando de frío y un poco tristes, porque las Navidades se acercaban y España estaba esos días más cerca y más lejos que nunca.

Al día siguiente y al otro continuó lloviendo nieve. Llegó el 22; y en Bruselas no había lotería.* Santi se recordó a sí mismo saliendo muy temprano de casa y llevando en el bolsillo una hoja de papel donde había apuntado todos los números de lotería que jugaban en casa. Le encantaba mirar los números que en la plaza de los Fueros iba escribiendo un hombre sobre un gran encerado conforme los oían por la radio a los chavales del colegio de San Ildefonso de Madrid. Santi se acercaba al grupo de gentes que confrontaban sus números con los de la pizarra y preguntaba: "¿Ha salido ya el gordo?" A veces tardaba mucho en salir y otras salía en seguida, y Santi miraba a ver si les había tocado, y no. Nunca les tocaba nada de nada, excepto una vez que le correspondió el reintegro porque el gordo acababa en 3. Su padre y su madre decían: "Otro año será. Lo importante es que haya salud."

Aquéllos eran días muy entrañables en Baracaldo, fechas en que el aire y el frío, los árboles y las casas, las calles y las gentes, tenían sabor a Navidad. En casa de Santi hacían una lista con lo que iban a cenar en Nochebuena y compraban pavo y turrón de Jijona.* Santi insistía siempre en que él quería chicharro al horno y su madre le decía que eso lo comería cualquier otro día, que en Nochebuena era mejor comer pavo y angulas y turrón. Cuando llegaba la noche del 24 nunca ponían árbol, sino un Nacimiento que tenían en casa desde hacía muchos años y al que todos los diciembres había que reponerle alguna figura.

Pero en el "Fleury" la Nochebuena vino y se fue tristemente. Parecía que lo más navideño de la noche del 24 era la nieve que seguía cayendo y las camas vacías que había en los dormitorios, porque muchos chicos belgas habían ido a sus casas para pasar las fiestas. Santi había rechazado la oferta del señor Bogaerts de pasar la Nochebuena con ellos; quería estar entre los demás españoles y compartir sus nostalgias y sus tristezas. Cenaron un poco mejor que de costumbre, subieron al dormitorio una hora más tarde, y eso fue todo. Pero Santi y sus amigos no se acostaron, sino que se quedaron hasta muy tarde mirando por la ventana, recordando otras ventanas, otras Navidades y otras nieves. Manolín no había recibido ninguna tarjeta de felicitación de su casa —que llegó dos días más tarde— y estaba triste y enfurruñado. Andrés intentó consolarle tocando a la armónica "Si vas a Baracaldo, baracaldesa; si vas a Baracaldo, baracaldesa", pero ni Manolín ni Santi ni Fermín Careaga corearon la canción. Valentín se acostó en seguida y permaneció quieto en el lecho, despierto, con los ojos abiertos, sin decir nada, hasta casi las once.

Llegó el día 28 y Santi y algunos otros españoles empezaron a gastar inocentadas.* Le dijeron a Aurelia que la llamaba el director y era mentira. Colgaron papeles que decían "Soy tonto" en la espalda de algunos chicos y de varias niñas. Ataron un hilo a un billete de cinco francos que le había dado monsieur Bogaerts a Santi, dejaron el billete en la escalera, y cuando alguien lo veía y quería cogerlo, tiraban del hilo.

Y seguía nevando y llegó Nochevieja. Ocurrió lo mismo que en Nochebuena: cenaron un poco mejor y se fueron una hora más tarde a sus dormitorios. Pero ningún español se desnudó. Estuvieron dando vueltas por los pasillos y los dormitorios, matando el tiempo, y mademoiselle Tys hizo la vista gorda y no les reprendió ni dijo nada. Todos los chicos españoles y todas las chicas españolas se habían puesto de acuerdo en no dormir hasta que amaneciera el nuevo año. Monsieur Bogaerts le había traído a Santi, dos días antes, un gran paquete de uvas que el muchacho le había pedido, y cada español tenía doce uvas para comérselas a media noche. Santi había dicho que él avisaría cuando fueran las doce menos cinco. Algunos tenían sueño y se daban agua fría en el cuello, en la cara y detrás de las orejas para no dormirse. El hospital seguía iluminado y parecía que en todos los pabellones los enfermos estaban despiertos. A las doce menos cinco Santi le dio a Fermín Careaga la voz de alerta:

—Diles que son menos cinco.

Las niñas españolas salieron al pasillo, todas vestidas, y los chicos españoles salieron también al pasillo. Se miraron unos a otros y todos miraron a Santi, que había puesto el reloj a punto y lo consultaba constantemente. Sólo faltaban dos minutos y Santi dijo:

—Faltan dos minutos.

Levantó el brazo derecho, continuó observando atentamente cómo marcaba el paso la aguja en su segundero, avanzando poco a poco, pero inexorablemente, y de pronto anunció, bajando el brazo:

—¡Ahora!

Eran las doce en punto y empezaba otro año. En las escaleras y en los pasillos todos los españoles —que ahora eran, en total, veintisiete: diez niñas y diecisiete niños, Santi incluido— comenzaron a meterse las uvas en la boca; pero no de una en una, sino casi a puñados. Resultaba imposible comerse doce uvas* en doce segundos y además las pepitas eran muy grandes y uno se atragantaba si no tenía cuidado.

Santi pronunció, con voz solemne:

—Feliz año nuevo a todos y que volvamos pronto a casa.

Una niña rompió en sollozos.

—Feliz año mil novecientos treinta y nueve —deseó Javier.

Todos se fueron abrazando como hermanos y diciéndose "Feliz año nuevo, tú", "Felicidades, Javier", "Feliz mil novecientos treinta y nueve, Andrés", "Felicidades, Manolín". Santi abrazó a Aurelia y a Javier Aguirre Albizu y a casi todos. En el lío del pasillo se encontró ante Montserrat, la miró, ella le miró también y no se abrazaron.

—Feliz año nuevo, Montserrat —dijo Santi.

—Feliz año nuevo, Santiago —dijo ella.

Santi se sintió otra vez como cuando había cogido la mano de Montserrat para bailar la sardana. Quedó mirándola y ella quedó mirándole. Y él repitió:

—Feliz año nuevo.

Y ella repitió, estrechándole la mano:

—Feliz año nuevo.

Llegó mademoiselle Tys y deseó: "Feliz año nuevo a todos" y todos respondieron "Feliz año nuevo, m'sel", y mademoiselle

Tys dijo:

—Bueno, ahora todos a acostarse. Ya va siendo hora de que os vayáis a la cama, ¿no os parece? Vamos, vamos, a vuestros dormitorios.

Se fueron a sus dormitorios y un gran silencio se derramó sobre las escaleras. Pero los chicos no se acostaron todavía. Quedaron viendo caer la nieve junto a la ventana. Seguían encendidas las luces y las lamparitas del árbol de Noel en los pabellones del hospital, y Santi se dijo de repente que qué extraño se hacía pensar que lo que se celebraba en Nochevieja no era, al fin y al cabo, más que el hecho de que la tierra tarda doce meses en dar la vuelta alrededor del sol.

Le pareció que esto era como un milagro, que el universo era algo enorme, tremendo, maravilloso, y que parecía mentira que la tierra girase y que nosotros no nos diésemos ni cuenta. Aunque para Santi no había, en realidad, milagro mayor que el de la simple vida de cada día: respirar, saber lo que era el color amarillo, meter una semilla en la tierra y que saliese un árbol . . .

Volvió a pensar en la tierra tardando 365 días en dar la vuelta al sol y marcando el comienzo de un nuevo año. Miró el cielo y estuvo contemplando las estrellas, que brillaban muy claras y limpias. El radiador helaba. Consultó su reloj —era casi la una de la madrugada— y dijo:

—Bueno, me voy a dormir. A ver qué nos trae este año.

Los demás se acostaron también y se durmieron en seguida. Al día siguiente Eusebio se quejó de que no se encontraba bien y permaneció en cama. Mademoiselle Tys le consoló diciéndole que se le pasaría el dolor, pero como a mediodía aún no se le había pasado, avisó al doctor. Monsieur le Docteur vino ya al atardecer, miró a Eusebio, le hizo sacar la lengua, le apretó los dedos en la tripa, le auscultó y dijo que había que llevarlo a la enfermería. Eusebio era pequeño, acababa de cumplir ocho años, pero muy gordo y fuerte; pesaba mucho. Le ayudaron a vestirse, le pusieron el abrigo, le cubrieron con una manta y Santi y Javier Aguirre Albizu le llevaron en brazos hasta le enfermería, porque en el "Fleury" no había camilla.

Volvieron los chicos que habían pasado las fiestas en sus casas y se reanudaron las clases. Santi fue de nuevo al Ateneo con Claude y con Hélène. Y el día 6, el mismo día de Reyes, que pasó sin fiestas y sin juguetes, cuando Santi volvió por la tarde, nada más entrar, mademoiselle Jacquot le dijo que fuera a la enfermería.

Santi había pasado la jornada inmerso en una extraña atmósfera de melancolía y de malhumor, pensando que el 6 de enero siempre había sido día festivo para todos los chicos de España y recordando aquella noche del día 5 en que el nerviosimo le impidió conciliar el sueño. Se había levantado, asomándose al pasillo, y había visto a su madre y a su padre poner juguetes en el comedor. Fue entonces cuando Santi supo quiénes eran de verdad los Reyes Magos que les traían juguetes a él y a Begoña; pero nunca dijo nada a sus padres a fin de no decepcionarles.

—¿Es que no me oyes? —preguntó mademoiselle Jacquot—. Vete a la enfermería.

A Santi le dio un vuelco el corazón.

—¿Qué pasa, m'sel? —inquirió.

—Anda, vete, te esperan —dijo ella con voz inesperadamente triste y suave, sin aspereza—. Eusebio está muy grave.

Santi fue a la enfermería. No estaba el doctor. Mademoiselle van der Berg, la enfermera, se hallaba sentada en una silla ante la cama de Eusebio.

—Hola, Eusebio, ¿qué tal? —saludó Santi.

Eusebio no respondió.

—No te oye —musitó mademoiselle van der Berg.

—¿Está . . . está muy grave?

La enfermera hizo gestos de que sí con la cabeza.

—¿Cree usted que se salvará? —preguntó Santi.

Ella le miró en silencio a los ojos y no respondió.

—Dígame, m'sel . . . Eusebio se está . . . ¿se está muriendo?

Mademoiselle van der Berg suspiró ruidosamente y un mudo sollozo se le subió a Santi a la garganta. Entró el doctor, ojeó el papel que había delante de la cama de Eusebio, y luego depositó una mano sobre la frente y le levantó los párpados.

—¿Han avisado a la Casa de España? —interrogó Santi.

—Monsieur Fleury les ha telefoneado —dijo el doctor—.
¡Pobre niño! . . .

Y fue pasando el tiempo. Cada minuto duraba aproximadamente una hora. Santi llevaba todavía el abrigo y la cartera
con los libros y no sabía qué hacer; ni siquiera se atrevía a
quitarse el abrigo o a dejar la cartera en el suelo.

—Esta mañana deliraba y decía algo que no entendimos
—musitó el doctor.

Vino don Gregorio y un soplo de viento fresco entró con él
en la enfermería. Puso una mano en el hombro de Santi,
depositó su mirada en el rostro del doctor y el doctor movió la
cabeza como diciendo "Esto se acaba".

De pronto Eusebio empezó a moverse y a decir algo. Fue un
movimiento muy leve, casi imperceptible, como cuando la brisa
pasa de puntillas por entre ramas fuertes de árbol; y pronunció
algo muy débilmente, como si hablara con palabras sin letras.
Todos se acercaron al lecho y miraron a Eusebio con atención
y afilaron el oído, alertas para no perderse aquello que pudiera
decir.

Eusebio, durante un rato, no dijo nada ni volvió a moverse.
Luego, de súbito, gritó algunas palabras en español y en francés,
unas palabras que no tenían sentido. Sonrió con una sonrisa
ancha y pacífica, abrió los ojos, miró con extraordinaria fijeza
delante de sí y pareció ver algo muy hermoso y tranquilizador,
algo inefable que no estaba en la enfermería. Y así, sin cerrar los
ojos, sin dejar de sonreír, inclinó la cabeza del lado derecho y
quedó inmóvil. El doctor ahogó un suspiro, le cerró los
párpados, le cruzó las manos sobre el pecho y le acarició el pelo
con una sobriedad y una ternura infinitas.

Y entonces Santi murmuró, como si se lo dijera a sí mismo:

—Está muerto.

Rompió a llorar y puso la cabeza sobre los brazos quietos de
Eusebio. Seguía cayendo la nieve en copos grandes y silenciosos
y se oían ahora, apagadas, las voces de los chicos que corrían por
la galería camino del comedor.

TERCERA PARTE

EL REGRESO

—*Abre los ojos, deseada patria mía, y mira que vuelve a ti Sancho Panza, tu hijo, si no muy rico, muy bien azotado. Abre los brazos y recibe también a tu hijo Don Quijote, que si viene vencido de los brazos ajenos, viene vencedor de sí mismo.*

Cervantes, DON QUIJOTE.

XV

Se llevaron el cadáver de Eusebio en una furgoneta y ningún niño, ni siquiera Santi, pudo ir al entierro. Se fueron las nieves y se fue enero y vinieron febrero y marzo, con vientos y aguaceros y catarros y con la ración de tintura de yodo a gota por año, y se fueron; y llegó el mes de abril.

Con los primeros días de abril llegó el buen tiempo, como si aquel año la primavera se hubiese inaugurado en Bruselas con dos semanas de retraso.* Habían dejado de alimentar la gran caldera que estaba en el sótano y los radiadores estaban ahora yertos, como mudos. En las primeras horas de la mañana, al levantarse, en los dormitorios se notaba más frío que nunca. Pero el aire era más tibio y agradable, el cielo unas veces más blanco y otras más azul, el sol más constante y cálido y amigo. Se notaba que las cosas comenzaban a crecer bajo tierra, que árboles y plantas se vivificaban, que la primavera hacía correr a raudales la savia por sus venas y que la vida despertaba desperezándose. Los pájaros del invierno habían emigrado y alegres bandadas de pequeños pájaros cantores piaban y revoloteaban y hacían sus nidos por entre las ramas del noble roble.

Cansados de los meses que habían pasado bajo techo y entre cuatro paredes, encerrados en las clases, en los dormitorios y en la sala grande de la planta baja, todos los chicos del "Fleury" aprovechaban ahora las horas libres para estar en el patio jugando y corriendo, felices de sentir tierra bajo sus pies. Los españoles celebraron otra vez sus reuniones en torno al "árbol de Guernica"; allí volvieron a leer las cartas de casa y a cantar bilbainadas y allí volvieron a hablar de sus cosas y a bailar sardanas. Pero ahora Santi y Montserrat evitaban cogerse las manos y procuraban hallarse un poco distanciados cuando empezaba a formarse el corro.

Reanudaron los partidos de fútbol entre belgas y españoles, pero Santi cambió la alineación del equipo para que jugaran en él Ramón Fernández, Roberto Giner, Manolo Espina y Luisito, el hermano de Monserrat. Aunque hubo algunas protestas, los jugadores vizcaínos más pequeños aceptaron ser sustituídos por los chicos de Madrid, Valencia, Santander y Barcelona. Cuando Santi se puso, como siempre, la camiseta del "Athletic de Bilbao", Ramón Fernández, Luisito, Roberto y Manolo Giner dijeron que aquello no estaba bien, que a ver por qué iban a jugar ellos en el "Athletic de Bilbao".

Ramón dijo que en toda España no había mejor equipo que el "Madrid", Luisito dijo que no, que el mejor era el "Barcelona", y Roberto aseguró que, a pesar de la mala suerte y de que siempre tenía a los árbitros en contra (aunque en realidad no dijo árbitros, sino "réferes") no cabía duda de que el "Valencia", cuando quería, le ganaba a cualquiera. Manolo Espina se limitó a decir que el "Santander" unas veces iba bien y otras mal, pero que el "Santander" era el "Santander", que él era santanderino y que su equipo era el "Santander". Todos ellos aseguraron que el "Athletic de Bilbao" les caía muy bien y que era un equipo muy simpático, y que si no ganaba el suyo —el equipo de cada uno de ellos— que ojalá ganase siempre el Bilbao; pero que esto era una cosa y otra muy distinta jugar en el "Athletic de Bilbao". Santi dijo que de acuerdo, que en el "Athletic" sólo podía jugar gente de la cantera vizcaína. Propuso que los vizcaínos siguieran jugando con la camiseta del "Athletic", pero dijo que el equipo se llamaría, de allí en adelante, el "España". Se mostraron de acuerdo y jugaron y ganaron dos uno.

Javier, Manolín, Fermín Careaga y Ramón el madrileño se quejaron de que Luisito jugaba muy mal, que era un crío y no daba una,* y que por qué no le quitaban del equipo y ponían a otro en su lugar. Santi se negó.

—El Barcelona es uno de los históricos —dijo— y los menos que podemos hacer es poner a uno de sus jugadores en la selección nacional.

Pero Santi no lo decía porque el "Barcelona" fuese un histórico —que sí que lo era; eso nadie lo discutía— sino que defendía a Luisito porque era el hermano de Montserrat y no quería que el chaval se le fuese quejando a la hermana de que si Santi tal o de que Santi cual.

Javier Aguirre Albizu miró a Santi con reproche y le dijo:

—Parece mentira. Hay días que estás como atontado, Santi.

Santi se ruborizó un poco. Supo que Javier había adivinado la verdadera razón y esto le irritó.

—¿Qué quieres decir con eso? —preguntó desafiador.

—Nada —respondió Javier.

—¿Cómo que nada? ¿Algo habrás querido decir, ¿no? —insistió Santi.

—Nada, hombre, nada —repitió Javier; pero seguía mirándole con reproche.

—Ah, bueno —dijo Santi.

Pero sabía que no había salido muy airoso de todo aquello y que Javier, Manolín, Ramón, Andrés y los demás tenían razón: Luisito no daba ni una; parecía que nunca había visto un balón y lo único que hacía era perturbar, porque le echabas un centro medido, que era gol hecho con sólo dar una patadita al balón, y Luisito ni se enteraba.* A veces daba la impresión de que no sabía cuál era la portería española y cuál la belga.

—Bueno, voy a estudiar —se despidió Santi.

—Adiós, seleccionador —le despidió Javier con sorna.

—¿Qué te pasa? —se volvió Santi.

—Qué me pasa a mí, no; a ti —dijo Javier—. Llevas una temporada que te noto un poco raro.

—¡Bah! —hizo Santi.

Se encaminó hacia el edificio para subir al dormitorio. Quería quitarse la camiseta del "Athletic" y bajar luego a la sala grande a estudiar un rato antes de cenar. Pero justo mientras ascendía los cuatro escalones de piedra de la puerta de entrada comenzó a soplar un viento tan fuerte que cerró la puerta de golpe. Santi trató de abrirla empujando mucho mientras levantaba el picaporte y se dio cuenta de que alguien, al otro lado, intentaba también abrir la puerta y estaba bajando el picaporte en vez de levantarlo. Alguien deseaba salir, Santi deseaba entrar, y ambos se obstaculizaban manejando el picaporte y empujando la puerta.

—Levanta el picaporte, no lo bajes —gritó Santi para que le oyeran bien al otro lado.

Empujó con furia, en aquel momento la persona que estaba al otro lado de la puerta levantó el picaporte, y Santi abrió la puerta de un empujón, tirando al suelo a quien estaba al otro lado tratando de salir al patio. Era Montserrat. La barcelonesa estaba ahora en una posición muy poco elegante, en el suelo, e intentaba ponerse en pie. Santi se excusó.

—Perdona, mujer.

—La culpa ha sido mía —dijo Montserrat.

Pero se veía que no, que pensaba que la culpa no había sido de ella.

—¡Este picaporte! —se lamentó Santi vagamente.

Le tendió sus dos manos, para ayudarla a levantarse, y ella aceptó la ayuda. Y precisamente en aquel momento, cuando Santi la atraía hacia sí, sujetándola con ambas manos, y ella se levantaba apresuradamente, todavía un poco nerviosa, ruborizada y enfadada, justo entonces Javier, Manolín, Andrés, Fermín Careaga y Ramón el madrileño paseaban junto a la puerta, al pie de la escalinata, y les vieron. Se quedaron mirándoles, como un poco sorprendidos, y Javier le dio con el codo a Manolín. Santi se percató de que seguía oprimiendo con sus manos las de Montserrat, miró con ira a Javier y a los demás y chilló:

—¿Qué pasa?

—Nada, nada —dijo Javier. Y preguntó, con la boca llena de risa—: ¿Os ayudamos en algo?

Lo preguntó con retintín y luego, silenciosamente y despacio, muy despacio, continuaron paseando. De vez en cuando volvían la cabeza para mirarles.

—Perdona, chica —se disculpó Santi—. Estos tontos . . .

Montserrat bajó de prisa la escalinata y corrió en busca de Aurelia, que estaba con otras niñas junto al "árbol de Guernica". Santi subió al dormitorio, bajó en seguida a la sala grande y empezó a estudiar, pero se le hizo enormemente difícil concentrarse en sus deberes escolares. Se sentía apesadumbrado y humillado, como si hubiera hecho el ridículo, y seguía viendo la mirada burlona de Javier y el modo en que le daba con el codo a Manolín.

Al día siguiente por todo el "Fleury" se corrió el rumor de que Santi y Montserrat eran novios. Cuando al atardecer Santi saludó con una sonrisa a la muchacha, a la salida del comedor, ella hizo como que no le veía y pasó ante él como si tal cosa; un poco más estirada que de costumbre, con la cabeza un poco más alta que cualquier otro día y con la barbilla echada hacia adelante y los labios ligeramente fruncidos, pero como si tal cosa, "como si Santi fuera una pared o un manzano", que es lo que dijo más tarde a todos los españoles, riéndose, Javier Aguirre Albizu, que tenía una vista que parecía que veía crecer la hierba y que había sido testigo fiel de lo ocurrido.

Al subir al dormitorio Santi vio, desde el pasillo, cómo Javier hacía reír a todos los chicos haciendo una parodia del modo en que Montserrat había salido del comedor sin mirarle.

—Parecía una princesa o una mujer mayor —decía Javier—. Caminaba así (y lo hacía, remedando caricaturescamente los gestos y el andar de la muchacha) y pasó delante de él sin decir nada. Santi la sonrió como un tonto, así (y lo remedaba), con una sonrisa muy fina, y Monse ni le miró.

Durante un instante Santi no supo qué hacer: si entrar en el dormitorio y encararse con Javier o si hacerse el sordo y el ciego y bajar a la sala grande y seguir estudiando durante un rato. Esta segunda solución era la más cómoda y la que Santi estuvo tentado de aceptar, pero lo consideró una cobardía. Por suerte o por desgracia había visto las burlas de Javier, y aquello no podía quedarse así. Además Santi sabía que, si no entraba en el dormitorio ahora mismo, si daba silenciosamente media vuelta y bajaba las escaleras, haciendo como que no había visto ni oído nada, perdería su propia estimación. Y a Santi, que tenía muy buen fondo, ni le gustaba que nadie estuviese enfadado con él ni le gustaba estar él enfadado con nadie; pero con quien menos le gustaba estar enfadado era consigo mismo.

Entró en el dormitorio —captó perfectamente el silencio que se hizo, vio a Javier detenerse en medio de la parodia—, se sentó en su cama, empezó a descalzarse y miró cavilosamente a todos los chicos que, tras un momento de indecisión, comenzaron a desnudarse y a meterse en la cama. Y mientras se quitaba un zapato a Santi le entró otra vez el vértigo: la sangre le subió a la cabeza y el suelo comenzó a temblarle bajo el pie izquierdo (bajo el derecho no, porque lo tenía levantado quitándose el zapato).

—¡Javier! —gritó.

—¿Qué? —preguntó Javier Aguirre Albizu.

—A partir de hoy, para mí como si no existieras* —dijo Santi—. Y otra cosa te digo: como me dirijas la palabra te rompo la cara.

—Pero, Santi, hombre . . . —comentó Javier.

Santi se levantó, dio unos pasos caminando como un cojo —tenía el pie derecho descalzo y llevaba todavía el zapato en el izquierdo— y le pegó a Javier en la cara.

—Te lo he advertido —dijo.

Nada más haberle pegado se arrepintió; pero ya estaba hecho. Y el arrepentimiento de Santi era tan grande, estaba tan avergonzado de haber abofeteado a Javier, a Javier, que sabía que era su amigo y que no se había burlado de él por hacerle daño, sino porque la situación le parecía graciosa, que necesitó buscar imperiosamente una razón para explicarse lo que había hecho. Volvió a pensar en Montserrat, en el primer día que bailaron la sardana con las manos juntas, en Javier dándole a Manolín con el codo y haciendo reír a todos los españoles con sus comentarios sobre lo ocurrido entre él, Santi, y Montserrat.

Pensó que Javier iba a responder y se preparó para la pelea. Pero Javier le miró en silencio, con una mirada llena de reproche, de asombro y de tristeza, sin moverse, sin apartar su mirada de los ojos de Santi, y no hizo nada. Y de pronto comenzó a llorar en silencio, fue hasta su cama, se desvistió de prisa y se acostó.

Santi quedó inmóvil, más arrepentido y apesadumbrado que nunca. Comprendió que, puesto que públicamente le había ofendido, públicamente había de pedirle perdón. Y dijo en voz alta:

—Perdona, Javier. Perdona.

Pero Javier no dijo nada. Dos días después llegó la noticia.

Santi se levantó, se limpió los dientes, se lavó, se vistió, hizo su cama, fue al comedor, desayunó, y sin despedirse de los españoles, sin dirigirles una sola palabra ni una mirada —desde que había pegado a Javier no se hablaba con ninguno de ellos— salió con Claude y Hélène camino del Ateneo. Hacía todavía frío por la mañana temprano y Santi llevaba la boina muy sujeta, el cuello del abrigo subido y las manos enguantadas. Como todas las mañanas, se encontraba un poco adormilado, con sueño atrasado, y le pesaba enormemente su cartera escolar, como si en vez de libros y cuadernos contuviera plomo.

Caminaban los tres de prisa, en silencio, respirando agitadamente; siempre, infaliblemente, salían con el tiempo justo y tenían que apresurar el paso. Santi cambió la cartera de mano, se quitó el guante de la derecha, buscó el pañuelo en el bolsillo del pantalón y se sonó. Cuando volvía a guardar el pañuelo y sacaba la mano del bolsillo y elevaba un poco el brazo y se disponía a ponerse el guante, exactamente en ese momento, oyó la voz del hombre de la esquina voceando los periódicos de la mañana.

Al principio sólo oyó claramente una palabra: "guerra". Se acercó al hombre, que llevaba gorra visera y un abrigo muy largo, y que constantemente golpeaba el suelo con los pies, como si los tuviera helados, y el hombre volvió a pregonar la noticia. A Santi se le paralizó la respiración.

—¿Tienes dinero para el periódico? —preguntó a Claude.

Claude tenía dinero. Metió la mano en el bolsillo del abrigo y compró el periódico. Santi se lo arrebató·de las manos, se paró y se puso a leer.

—Se nos va a hacer tarde —advirtió Hélène.

—Déjale —dijo Claude—. ¿No te das cuenta?

El también había oído la noticia y miraba ahora por encima del hombro de Santi los grandes titulares de la primera plana: TERMINA LA GUERRA CIVIL ESPAÑOLA. Ultimo parte de guerra del general Franco.

Santi estuvo leyendo un rato, dejó la cartera en el suelo y continuó leyendo.

—Si queréis llegar tarde allá vosotros —sonó, impaciente, la voz de Hélène—. Yo me voy.

—Es verdad, Santi —dijo Claude, al cabo de un rato—. Se nos va a hacer tarde.

Santi prosiguió la lectura, devorando el apretado texto que seguía a los titulares. Toda la primera página, texto y fotos, todo estaba dedicado a España.

—Me vuelvo al "Fleury" —anunció Santi.

—Claude, ¿nos vamos o qué?— se impacientó Hélène.

—Sí —dijo Claude. Miró a Santi, luego a Hélène y añadió—: Sí, vamos.

Y se fueron Claude y Hélène, y Santi continuó leyendo, de pie en la acera, insensible a cuanto acontecía a su alrededor, sin oír los gritos del hombre que a su lado voceaba la noticia, sin ver los autos y las gentes que pasaban, sin notar apenas los empujones que alguien le daba al chocar con él en la acera.

Volvió corriendo al "Fleury" y casi llegaba ya a la Chaussée d'Alsemberg cuando observó que no llevaba la cartera. Rehizo el camino, la recogió, dio.media vuelta y corrió, jadeante, hasta tocar el timbre del "Fleury". Parecía que los pulmones se le salían por la boca. No vio quién le abrió; sólo oyó una voz femenina que le preguntaba: "¿Qué ocurre?, ¿qué te pasa?" Pero Santi no respondió. Balanceaba a un lado y a otro su pesada cartera y llevaba en la otra mano, convulsamente apretado entre sus dedos, el periódico. Recorrió el patio sin parar y vio a mademoiselle Tys —sí, era mademoiselle Tys: la reconoció— que le hacía un gesto, como pidiéndole que se detuviese, y que le preguntaba: "Santi, ¿ocurre algo malo? ¿Por qué no estás ya en el Ateneo?" Santi subió las escaleras de dos en dos, sin fijarse en quien subía o en quien bajaba, sin ver nada, sin oír nada.

Entró en el dormitorio en el momento en que iban a bajar a clase. Gritó:

—¡Javier, Javier!...

Javier, Fermín Careaga, Andrés, Manolín y Ramón el madrileño y todos se quedaron mirándole sin decir nada. Javier parecía más sorprendido que enfadado.

—¿Qué pasa, Santi? —inquirió.

—Ha acabado la guerra. Aquí, en el periódico...

Entregó el periódico a Javier y se apoyó en la pared, agachándose y respirando muy agitadamente. Se hizo un gran silencio, un silencio denso e impresionante, sólo roto por Manolín, que leía el francés en voz alta, sílaba a sílaba.

—Santi, ¿lo has leído todo? —preguntó Javier—. ¿Todo?

Santi hizo gestos de que sí y Valentín preguntó:

—Pues, ¿qué pasa?

—La guerra ha terminado —dijo Javier. Y añadió lentamete—: La ha ganado Franco.

—¿Franco luchaba del lado de la República o del otro? —preguntó Julián.

—Del otro —dijo Santi.

Y se miraban unos a otros, silenciosamente, y no lo querían creer. No sabían muy bien qué se debatía en aquella guerra, ni por qué había estallado, ni por qué habían luchado. La política era como trabajar, como fumar, como mandar o como ir al café o a la taberna: cosa de hombres. Pero Santi y sus compañeros tenían un gran sentido de lealtad a sus parientes y amigos, y vecinos, y paisanos, y hubieran querido que ganaran los de casa. Y se hizo otra vez un gran silencio. Santi se acercó a Javier, le cogió por los hombros y se sonrieron apagadamente. Manolín preguntó:

—Ahora que ya no hay guerra podremos volver pronto a casa,

¿verdad?

Santi se asomó a la ventana, miró el hospital y la calle y vio, sobre los pabellones del hospital y sobre el pavimento de la calle de al lado, otros edificios y otras casas y otras gentes. Pensó en Ugarte y en Baracaldo y en Bilbao, en el campo de Lasesarre, en la escuela de Arteagabeitia y en Tío Lázaro, en las colas y en los hombres que iban al frente cantando en los camiones y en el silbido de las bombas y en los panecillos de Tío Lázaro, y en su padre y en su madre y en Juanito y en la plaza de arriba y en la calle Portu y en la mujer que cantaba y colgaba ropa cuando el tren arrancaba, y en el día en que se metió el pizarrín en el oído. Pensó también en Eusebio muriéndose en la enfermería del "Fleury" y pronunciando en su agonía palabras en español y en francés, y en aquel chico vizcaíno de cuyo nombre no quería acordarse* a quien había conocido en Gouy-lez-Piétons y que había sido árbol y ahora era mástil, y en Aresti dándole sus ahorros para todos los españoles, y en monsieur y en madame Dufour y en la mujer que comía pastas incansablemente, y en Begoña y en don Segundo y en la casa de las dunas y en Felines, que a lo mejor estaría ahora en Rusia o en Inglaterra, y en el *H. M. S. Campbell* y en el olor a lluvia y a humo que a veces se aspiraba en todo Baracaldo. Y todos estos recuerdos se mezclaban y confundían dentro de su cabeza y delante de sus ojos, dando vueltas vertiginosamente, como un tío-vivo que casi le mareaba.

Suspiró y miró a Javier, a Tomás, a Ramón Fernández, a Roberto y a Fermín Careaga. Luego detuvo su mirada en el rostro de Manolín y dijo:

—Sí, ahora que ya no hay guerra podremos volver pronto a casa.

XVI

Aquel mismo día, después de comer, Valentín, Fermín Careaga, Tomás y Manolín —y también algunas de las niñas, porque Santi comunicó la noticia a Aurelia y ella la transmitió a todas las chicas —empezaron a hacer la maleta y a decir qué cosas se llevarían y cuáles no. Parecía como si fueran a marcharse en seguida.

—No tengáis tanta prisa —advirtió Santi—. A lo mejor pasan semanas antes de que podamos irnos.

Pero Valentín, Fermín, Tomás y Manolín pasaron unas horas de feliz nerviosismo, buscando a mademoiselle Tys para que les abriera el cuarto del sótano donde estaban las maletas. Cantaban entre dientes y miraban con ojo crítico las pequeñas cosas que habían ido atesorando durante todo aquel tiempo en sus armarios: las cartas de casa, algún regalo del día de San Nicolás, unos caramelos, un tiragomas que se había hecho Manolín, algunos tebeos, un libro, un cuaderno en el que Fermín hacía dibujos con regla y compás, porque quería ser delineante como su padre, una estilográfica cuyo tubo de goma estaba ya reseco y medio podrido, unas canicas de cristal . . . Flotaba por todo el "Fleury", en los rostros y en las palabras, y en las actitudes de todos los españoles, como una expectación y una atmósfera de víspera.

Andrés se puso muy triste al observar aquellos preparativos y permaneció taciturno, como si estuviese en parte ofendido y en parte asustado. Ahora se daba cuenta de que durante varios meses, desde el día siguiente al de la rebelión, había estado haciéndose una ilusión imposible. Lo irremediable había llegado: acabarían yéndose todos los españoles y él tendría que quedarse en el "Fleury".

—No te pongas así, tú —le alentó Fermín Careaga—. Si te vas a venir con nosotros . . .

—Te vienes a mi casa, si quieres —le dijo Manolín—. Verás cómo te gusta Baracaldo.

Andrés sabía que Fermín Careaga y Manolín eran sinceros y se lo decían de veras; pero sabía también que una cosa es lo que proponen los niños y otra lo que disponen los padres,* que son los que mandan. ¿Y cómo le iban a recibir a él los padres de Manolín? Además, ¿le dejarían los señores de la Casa de España que se fuese con los demás niños del grupo español del "Fleury"? No, eso no podía ser; Andrés sabía que eso no podía ser. Mientras les miraba y les oía hablar de su próximo regreso a España, Andrés recordaba los días en que se había puesto la camiseta del "Athletic de Bilbao". Había sido muy feliz bailando con los demás en torno al gran árbol y formando parte del orfeón español y cantando:

> Si vas a Baracaldo, baracaldesa,
> si vas a Baracaldo, baracaldesa,
> llévame la maleta, que poco pesa,
> ay, ay, ay, que poco pesáaa.

Pero no, él no era de Baracaldo, él no era uno de ellos. Todo aquello que le habían dicho Santi y los demás, cuando le hicieron español a la sombra del "árbol de Guernica", todo aquello no era verdad. Andrés comprendía ahora que lo había sabido siempre, pero que siempre había rechazado este conocimiento. Porque Andrés sabía ya, por propia experiencia, que la vida no la habían hecho los niños, sino los hombres, y la habían hecho a su medida. Los hombres eran los hombres y había que respetarles y obedecerles, pero Andrés pensaba que casi todos los adultos eran vanidosos como diosecillos y creían estar siempre al cabo de la calle* cuando en realidad sabían muy poco sobre un montón de cosas que los niños comprendían muy bien.

—No te entristezcas, Andrés —le dijo Santi, poniéndole una mano en el hombro—. Aún tardaremos algún tiempo en irnos, y ¿quién sabe . . . ?

Dejó la frase colgando, como poniendo un trozo de esperanza en cada uno de los puntos suspensivos. Pero Santi compartía el escepticismo de Andrés respecto a la presunta sabiduría de los hombres. Había pasado tanto tiempo desde que las personas mayores fueron niños, y comprendían tan poco y tan mal la simple realidad de las cosas, que a veces le parecía a Santi que había muchísimos hombres que nunca habían sido niños. Pensó en lo solo y triste que se iba a encontrar Andrés en el "Fleury" cuando ellos se fuesen, y a mediodía, en el comedor —Santi seguía sentándose al lado de Raymond, como el día de su llegada— le dijo a Raymond:

—Cuando nos vayamos, procura que Andrés no nos eche de menos.

Raymond le dijo que Andrés ahora era muy simpático, y que tanto él como los demás belgas querían ser amigos suyos—porque jugaba bien al fútbol, era muy divertido y tocaba de maravilla la armónica— pero que Andrés no les hacía ningún caso porque prefería estar siempre entre los españoles y hablar en castellano, y cantar bilbainadas, y bailar sardanas, y jugar de medio centro en el "España".

Cuando nos vayamos, meditó Santi confusamente, todo será como tenía que ser: las familias unidas y no separadas, los españoles en paz con los españoles, los niños belgas con los niños belgas y los chicos españoles estudiando, jugando y creciendo sobre su propia tierra. Pensó también que Andrés, por culpa de las circunstancias, era también en cierto modo un árbol que se había convertido en mástil; pero Santi estaba seguro de que después de que los españoles se hubiesen ido, Andrés volvería a encontrar sus raíces y se convertiría otra vez en árbol.

La fecha de la partida se retrasó más de lo que Santi y los demás pensaban. Don Gregorio y el otro señor de la Casa de España que había ido una vez al "Fleury", don Dámaso, fueron a verles un domingo por la mañana, en las postrimerías de mayo —hacía más de un mes que había terminado la guerra— y les dijeron que sus familias querían que regresaran cuanto antes. Pero como eran cientos y cientos los niños que habían sido evacuados y vivían ahora distribuidos por todo Bélgica, y aun por otros varios países, no volverían todos de una vez, sino por turnos, en varias expediciones.

—Hay que preparar trenes y resolver muchos detalles —dijo don Dámaso—. En cuanto todo se arregle volveréis a vuestras casas. Será cuestión de poco tiempo.

Don Gregorio les preguntó si todos querían regresar a España y Santi dijo "Sí" y Javier, y Tomás, y Manolín, y Fermín Careaga y los demás, de Vizcaya, de Madrid, de Valencia, de Barcelona y de Santander, dijeron también que sí, que querían volver cuanto antes a España.

—¿Van a venir ustedes con nosotros? —preguntó Santi.

Don Gregorio y don Dámaso intercambiaron una rápida mirada.

—Lo nuestro es distinto, Santi —musitó don Gregorio—. Ya sabes: cosas de la política. Vosotros sois niños a quienes esperan en sus casas, pero nosotros . . . Hemos perdido la guerra, Santi.

—Lo sé —dijo Santi; y bajó tristemente la cabeza.

Pero no acababa de comprender por qué don Gregorio, don Dámaso, don Segundo y los señores de la Casa de España no iban a regresar a Vizcaya con ellos. Porque para Santi, que acababa de cumplir catorce años, la cosa estaba planteada en simples y rotundos términos que, a su modo de ver, no admitían vuelta de hoja.* El hubiera querido que la guerra la ganaran los suyos y los suyos habían perdido; pero la vida, pensaba, era algo más que la política, tenía que ser más que la dichosa o la maldita política. Porque los parientes y los amigos y los vecinos y los paisanos de Santi habían perdido la guerra, sí, pero España seguía siendo su país y Vizcaya seguía siendo su provincia, y Baracaldo seguía siendo Baracaldo, y Bilbao, Bilbao.

"Yo no podría vivir lejos de España toda mi vida", se dijo. Porque no solamente amaba a esta tierra que era la suya, sino que la necesitaba, comparó, como el árbol al suelo firme, como las alas al pájaro, como la lluvia a la nube . . . Durante un instante tuvo delante de los ojos el rostro de Montserrat, pensó que ella volvería a Barcelona y él a Baracaldo, y que tal vez no la volvería a ver jamás, y al corazón le falló un latido.

Pero era curioso, meditó, que él había aprendido a amar y a necesitar realmente a su tierra, a saber lo que eran Baracaldo, Vizcaya, España, desde la lejanía de la larga ausencia, desde la añoranza del éxodo y del llanto.

Miró con pena a don Gregorio y a don Dámaso y murmuró:

—Lamento que no vuelvan ustedes con nosotros.

—Nosotros también, Santi —dijo don Gregorio. Suspiró muy hondo y repitió—: Nosotros también.

Santi imaginó que ya había llegado a Bilbao, que abrazaba a sus padres y a Juanito, que se bajaba del tren en la estación de Baracaldo, cruzaba el pequeño subterráneo y echaba a andar calle Portu arriba. ¿Viviría aún aquella mujer que colgaba la ropa en la ventana, en la casa alta frente al andén de la estación? ¿Qué harían Joaquín, Sabino, el Pecas y el grandullón de Santander? ¿Seguirían jugando a la pelota tras las paredes de las casas? "Tal vez el santanderino haya vuelto a Santander; él también era un evacuado", se dijo. ¿Y Sarita, la hija del dentista don Braulio Algárate, continuaría haciendo dedos sobre el teclado e inundando de notas musicales toda la calle?

Al pensar en la proximidad del regreso algo se le enredaba a Santi en la garganta al tiempo que una neblina misteriosa se le metía suavemente en los ojos y no le dejaba ver bien.

Llegaron los exámenes, los temidos exámenes de fin de curso, y Santi aprobó. Los chicos belgas fueron a pasar las vacaciones de verano a sus casas y otra vez se notaba ahora su vacío en el comedor, en los dormitorios y en el patio. Una mañana soleada, radiante, todos los españoles y algunos belgas, monsieur y madame Fleury, su hija Marie, mademoiselle Tys y mademoiselle Jacquot, subieron a un autobús y fueron a pasar unas semanas a Gouy-lez-Piétons. Allí, esperándoles, estaba Aresti con su bicicleta y sus ganas de hablar español y su sonrisa grande y su gorra de golf.

—¡Qué alegría me da veros! —exclamó—. Sabéis que la guerra ha terminado y que pronto volveremos, ¿no?

—Sí —dijo Santi. Y preguntó—: ¿Y el otro?

—¿Agustín? —Aresti venció un gesto de indecisón y al fin respondió—: No ha querido venir.

A los pocos días de llegar* a Gouy-lez-Piétons comenzó a observarse como una atmósfera de tensión en el aire, como una crispación en la cara de todos los habitantes del pueblo, como una alarma en los titulares de los periódicos y en la voz del hombre que leía las noticias por la radio.

Se hablaba mucho de los nazis y de Munich y de la línea Maginot, de un hombre con un bigote muy pequeño que se llama Adolfo Hitler y del pasillo de Dantzig, de los judíos y de los sudetes y de Chamberlain.* A comienzos de septiembre Aresti les dijo a Santi, a Javier y a Montserrat, muy en secreto, para no asustar a los pequeños, que había estallado la guerra y que iban a imponer racionamientos en Bélgica. Se hablaba algo de movilizar y de hacer refugios. Aresti les contó también que hacía apenas veinte minutos, cuando había ido a la pequeña librería-papelería del pueblo, el dependiente le había dicho que tendría que racionar las plumillas de acero.

Cuatro días más tarde, mientras se dirigían a jugar a orillas del río —todos los chicos del "Fleury" iban en grupo y caminaban en aquel momento a la altura de la estación— pasaron unos aviones muy rápidos, volando muy bajo y volviendo a ocultarse entre las nubes y volando otra vez muy bajo. Todos los chicos del "Fleury" y Aresti y los hombres y las mujeres del pueblo miraron hacia lo alto, con la mano a modo de visera, porque hacía sol, y vieron unas cruces raras, que las llamaban "cruces gamadas", pintadas sobre las alas de los aviones. Un hombre, desde el andén de la estación, gritó:

—Les voilà, les boches!

Y nada mas ver las cruces gamadas y oír la voz del hombre todo el mundo se tiró al suelo o fue corriendo a refugiarse en su casa. Santi estuvo temiendo oír de nuevo el ulular de la sirena o el ta-ta-ta-ta de la ametralladora o el "ssss" de las bombas en el aire; pero no hubo nada.

Tirado en el suelo, sobre los raíles de la vía férrea, junto a la barrera levantada, pensó: "Otra vez la guerra." Otra vez aquella cosa terrible que era la guerra se presentaba ante sus ojos, y Santi no comprendía, no acababa de comprender por qué siempre, aquí y allá, a lo largo del tiempo y de la geografía, tenía que haber guerras. Era algo tan ilógico y cruel y brutal que despertaba no solamente su tristeza, su miedo y su odio, sino también su asombro, su perplejidad.

Volvieron pronto a Bruselas, pero ya no había ni paz ni júbilo en el "Fleury". Los hombres no jugaban a la pelota en la calle de al lado y el hospital parecía más melancólico y dolorido que nunca. Se celebró un desfile en la Calzada de Alsemberg y a todos los niños se les permitió presenciarlo desde el edificio de la dirección.

Entre los uniformes, los gritos, los aplausos de la muchedumbre, los cascos de los caballos y los himnos patrióticos —nunca se cantó tanto "La Brabanzona"* en Bruselas como durante aquellos días— Santi vio a monsieur Thibaud, su profesor de matemáticas, vestido de oficial, desfilando al mando de una compañía. Javier y Santi se miraron y creyeron oír nuevamente las canciones que desde los camiones cantaban los milicianos que iban al frente y los gritos de saludo y los aplausos que les dirigía el público desde las aceras. Sabían que después de los himnos y de las marchas militares vendrían los bombardeos, o acaso la ocupación nazi, que era lo que todos los belgas temían más. Vendrían también los refugios, los racionamientos y las listas con los nombres de los padres, los hermanos, los parientes y amigos caídos en el campo de batalla. Y Bélgica se vestiría de luto.

Cuando terminó el desfile fueron todos los españoles al "árbol de Guernica" y se sentaron sin decirse nada. Al día siguiente, a eso de las diez de la mañana, llegó don Gregorio, a quien acompañaba en esta ocasión monsieur Fleury, y reunió a todos los españoles en la sala grande de la planta baja. Y ellos comprendieron que había sonado la hora del regreso.

—Pasado mañana sale un tren especial hacia España —informó don Gregorio—. Muchos de vosotros iréis en él. Ahora leeré sus nombres. Los demás tendrán que esperar otra nueva expedición de regreso. Pero que nadie se preocupe; la próxima tanda también emprenderá viaje muy pronto.

Sacó unos papeles y empezó a leer nombres. Cada vez que citaba un nombre el niño o la niña que regresaba sonreía o se ponía a llorar de alegría; pero en seguida procuraba no manifestar demasiado su júbilo pensando en la tristeza de aquellos que deberían quedarse hasta el próximo viaje. No regresarían en aquella expedición ninguno de los últimos en llegar al "Fleury": ni Montserrat y su hermano Luis, ni el madrileño Ramón Fernández, ni el valenciano Roberto Giner, ni el santanderino Manolo Espina. De los vizcaínos regresaban todos menos Tomás, que era de Bilbao; Julián, que era de Lequeitio, y Fermín Martínez, que era también de Bilbao.

—No os preocupéis —les consoló don Gregorio—. Regresaréis en la próxima expedición.

Pero los que habían de permanecer a la espera quedaron tristes, tristes y preocupados, y no existía ni gesto ni palabra capaces de consolarles.

—Los que habéis de salir pasado mañana ya podéis empezar a preparar vuestras cosas —continuó don Gregorio—. Vendremos a buscaros en autobús; el tren saldrá de la estación central de Bruselas. Haréis cambio en París y de allí iréis a Hendaya. Luego a Irún y a San Sebastián. Desde San Sebastián iréis también en tren a Bilbao. Allí os esperarán vuestras familias.

Don Gregorio se volvió a Santi.

—He hablado con el señor Bogaerts —dijo—. Vendrá a buscarte esta tarde e irás con él a su casa. Así saldrás directamente con tu hermana. A los demás les verás en el tren.

Se fueron don Gregorio y monsieur Fleury y los chicos se sentaron junto al "árbol de Guernica", en silencio. Tomás lloraba.

—A lo mejor les ha pasado algo a mis padres —musitó— y

por eso no vuelvo en esta expedición. Hace más de dos meses que no tengo noticias de ellos.

—Ya has oído lo que ha dicho don Gregorio: volveremos en seguida —le animó Fermín Martínez.

—Sí, eso ha dicho, que volveremos pronto. ¿Pero cuándo?

—Voy a preparar mis cosas —dijo Santi—. Tal vez el señor Bogaerts venga a buscarme después de comer.

Fue al dormitorio y todos le acompañaron. Los chicos que no regresaban se reunieron junto a la ventana y estuvieron viendo cómo los demás subían del cuarto del sótano con sus maletas y abrían los armarios y empezaban a preparar su equipaje. Mademoiselle Tys les trajo las mudas y la ropa limpia que acababan de subir de la lavandería. Santi entregó la camiseta del "Athletic de Bilbao" a Andrés.

—Para los españoles que os quedáis* —dijo.

Sonó la campanilla, fueron al comedor y volvieron al dormitorio. Estaban todos allí, silenciosos, mirándose, cuando llegó mademoiselle Jacquot.

—Santi, monsieur Bogaerts te espera en el despacho del señor director. ¿Has preparado tu maleta y tus cosas?

—Sí, m'sel.

—Pues anda, despídete —dijo mademoiselle Jacquot.

—Sí, ahora —murmuró Santi.

Las miradas de todos los chicos se clavaron en él, y no sabía qué hacer ni qué decir. No había decidido todavía si debía abrazarles, darles la mano de uno en uno, o decir simplemente adiós y marcharse antes de que se percatasen de que estaba a punto de llorar. Cogió la maleta y la dejó en la puerta, junto al pasillo. Pero no se marchó. Fue hasta la ventana y miró al hospital. Oyó el ahogado sollozo de Tomás y le puso una mano en el hombro. Y de pronto Santi no pudo más, le entró el hormigueo de la tristeza en los labios y en los ojos y rompió a sollozar. Así, ciego por las lágrimas, fue abrazándoles a todos de uno en uno, sin pronunciar una palabra, porque no podía. Se encaminó de nuevo hacia la puerta, se apoyó con la cara en la pared, dándoles la espalda y permaneció así varios minutos, hasta que se calmó un poco.

—Adiós, —dijo con voz ahogada.

Andrés, que todo parecía estar mirándolo sin ver nada, se levantó de súbito —estaba sentado en su cama —y fue hasta la puerta.

—Déjame que te lleve la maleta.

—"Mmmm", dijo Santi sin abrir los labios, moviendo afirmativamente la cabeza. Andrés empuñó la maleta y casi no podía con ella,* y Javier y Manolín se adelantaron para ayudarle. Salió Santi y salió detrás Andrés intentando llevar él solo la maleta, y tras ellos salieron Javier Aguirre Albizu y Manolín, procurando ayudarle, y todos los demás. En el primer piso, ante la puerta de su dormitorio, estaban Montserrat, Aurelia y las demás chicas españolas.

Santi trató de serenarse y comportarse como una persona mayor delante de Montserrat.

—Hola —dijo.

—Hola —respondió Montserrat.

—Menos Monse todas nos vamos pasado mañana —intervino Aurelia—. Nos veremos en el tren.

—Sí —musitó Santi.

Miró a Montserrat y le tendió la mano. Y si algo le hubiera gustado a Santi era comportarse como un hombre en aquel instante, no llorar ni decir ninguna tontería, sino darle la mano a la barcelonesa y decirle una palabra amable dándole a entender que no la olvidaría, como si la estuviera diciendo un poema que no se veía que era un poema. Comenzó a pronunciar con voz firme:

—Adiós, Montserrat, siempre . . .

Pero de nuevo Santi rompió a llorar ruidosamente, Montserrat también rompió a llorar, y se contagiaron con su llanto otros niños y niñas.

—Bueno, Montserrat —murmuró Santi, precipitadamente—. Nada . . . adiós, maja.

Bajó corriendo las escaleras y todos, chicos y chicas, españoles y belgas, fueron tras él. Andrés, Javier y Manolín llevaban la maleta entre los tres y otros niños tocaban la maleta con un dedo, como si también ellos estuviesen ayudando a llevarla. Recorrieron la larga galería, llegaron ante el edificio de la dirección y se detuvieron.

Santi subió al despacho del director, llamó a la puerta, la voz de monsieur Fleury dijo "Adelante", Santi entró, y se encontró ante la grave sonrisa y la mirada quieta y grata de monsieur Bogaerts.

Ya ha llegado el momento, Santi —dijo monsieur Bogaerts—. Pronto estaréis de nuevo en vuestras casas, con vuestras familias.

Monsieur Fleury le sonrió a Santi y le tendió la mano. Santi se la estrechó con fuerza.

—Adiós, monsieur Fleury. Gracias por todo —dijo—. Le recordaré siempre.

—Que tengas buen viaje —deseó monsieur Fleury— y que seas muy feliz en tu patria. Aquí todos os vamos a echar mucho de menos.

—Adiós, monsieur Fleury —repitió Santi.

Salió y bajó las escaleras y encontró a todos los niños esperándole. Le pareció que tardaba una eternidad en recorrer los veinte pasos que conducían desde allí al ancho y corto pasillo donde estaba la puerta principal. Monsieur Bogaerts caminaba a su lado; los chicos iban detrás, formando un grupo compacto.

Al llegar a la puerta Santi se detuvo y se creó un momento de indecisión y de silencio. Se notaba frío en el ancho pasillo sumido en la penumbra. Mademoiselle Jacquot abrió la puerta y un chorro de sol les deslumbró a todos.

—Tu maleta, Santi —dijo Javier.

Santi se volvió y quedó mirándoles durante largo rato. Vio a Montserrat, seria y erguida, buscando sus ojos. Y durante un instante Santi recordó el día de su llegada al "Fleury" y el día en que llegaron los otros vizcaínos y el día en que, al regresar del Alteneo, a mediodía, había hablado por primera vez con Montserrat. Se le hizo raro imaginar que aquella noche su cama estaría vacía en el dormitorio y que Tomás lloraría en silencio porque no se iba con ellos. Ya no volvería a ver nunca más el "árbol de Guernica" del patio, ni el hospital con los pabellones iluminados en la noche. Hubiera querido decir algo a todos, tener una palabra o un gesto para cada uno de ellos. Hubiera deseado, sobre todo, consolar a Andrés y decirle que Bélgica era un país de gente buena; decirle que debería estar orgulloso de ser belga; decirle que si él, Santi, no fuese español, le hubiera gustado ser belga. Pero no dijo nada. Empuñó la maleta y murmuró:

—Vámonos, monsieur Bogaerts.

Cruzó el umbral dando la espalda a todos los chicos, monsieur Bogaerts salió detrás de él, y alguien (la voz de Andrés desfigurada por el llanto, estaba seguro) gritó: "Adiós, Santi." Y en aquel momento, suavemente, cerraron la puerta desde dentro.

Santi dio unos pasos y permaneció inmóvil en la acera. "Taxi, taxi", gritó monsieur Bogaerts. Un taxi que pasaba paró; el conductor cogió la maleta y la colocó junto a su asiento. Santi subió al taxi como un autómata, monsieur Bogaerts dijo: "A Laeken, rue Stevens Delannoy", el taxi echó a andar y Santi estuvo mirando por la ventanilla trasera, mirando, mirando, mirando, hasta que de pronto, al doblar una calle, el "Fleury" se perdió de vista.

XVII

Era miércoles y era pasado mediodía y era noviembre. Todos los taxis, todas las calles, todos los caminos de Bruselas conducían a la estación. Todo eran maletas y nervios, matrimonios altos, rubios, y chicos y chicas de mirada española y ropas belgas que llevaban en el pecho o en la solapa un cartoncito que decía· su nombre. El andén, ancho y largo como una gran carretera, era insuficiente para contener la avalancha de movimientos, de gritos, de adioses, de abrazos, de maletas y piernas y brazos. El tren, con su larga sucesión de vagones, parecía una interminable serpiente metálica cuyas ventanas, como vidriosos ojos rectangulares, brillaban al sol. Muchos chicos ocupaban ya sus asientos; habían bajado las ventanillas y hablaban con quienes habían ido a despedirles. Señoritas de la Cruz Roja iban y venían poniendo orden, ayudando a colocar bultos en las redes, indicando asientos vacíos, repartiendo aquí y allá instrucciones orales.

—Aún faltan veinte minutos —dijo monsieur Bogaerts—. Hay tiempo.

Caminaron a trompicones por el andén, sorteando obstáculos por entre el maremágnum de gentes y maletas. Santi anunció:

—Esperen aquí un momento. Voy a ver si encuentro a los del "Fleury".

Recorrió el andén mirando por las ventanillas y vio algunos rostros vagamente familiares, rostros de niños y de niñas a quienes le parecía haber visto en el Ayuntamiento bilbaíno, a bordo del *H. M. S. Campbell*, en la isla de Olerón y en la casa de las dunas. Javier Aguirre Albizu, Manolín y Aurelia estaban asomados a las ventanas de su departamento y le llamaron a gritos, haciéndole señas.

—Te hemos guardado dos asientos —dijo Javier.

—Un segundo —dijo Santi.

Volvió donde le esperaba Begoña con monsieur y madame Bogaerts, Lucienne y Simonne, y echaron todos a andar hacia adelante, hacia el furgón donde había que depositar todas las maletas y luego al vagón en el cual, distribuidos en varios departamentos, estaban los chicos del "Fleury"

—Bueno, ya está —dijo Santi.

—Faltan aún ocho minutos —consultó monsieur Bogaerts.

Begoña se sentó al lado de Aurelia, junto a la ventanilla; Santi al lado de la puerta del pasillo, junto a Javier. Monsieur y madame Bogaerts, Simonne y Lucienne les miraban desde el andén.

—Begoña —llamó madame Bogaerts.

Begoña esbozó una sonrisa tímida, tímida y triste, se levantó y salió al andén. Madame Bogaerts la abrazó y la besó y se llevó un pañuelo diminuto a los ojos, secándose cuidadosamente las lágrimas. Santi adivinó que aquellos ocho o siete o seis minutos que faltaban se iban a hacer eternos para quienes despedían y para quienes eran despedidos.

Sonaban llantos y frases de recomendación como cuando salieron de Bilbao: "No dejes de escribirnos", "Di a tus padres que tenemos muchos deseos de conocerles y que iremos a verles a España en cuanto acabe la guerra", "Sigue hablando francés y escríbenos de vez en cuando", "En la maleta te he puesto un bordado precioso de Gante para tu madre". "Cuídate mucho, que empieza a hacer frío y tú en seguida te acatarras" . . . Los chicos decían que sí y callaban y miraban a los demás españoles. A veces les llamaban con nombres en francés; si era Juan le llamaban Jean y si era Carlos le llamaban Charles. Santi pensó que posiblemente a muchos de ellos ya casi se les había olvidado el español. Y cayó en la cuenta, con súbito desaliento, de que Begoña apenas sabía ya unas pocas palabras de castellano. Siempre que iba a verla a casa de los señores Bogaerts o siempre que ella había ido a visitarle al "Fleury", Santi procuraba hablarla en español, pero Begoña le respondía infaliblemente en francés. "Sabe más palabras en flamenco que en castellano", calculó Santi; porque en casa de los Bogaerts, además de francés, se hablaba también algunas veces en flamenco.

Sonó un pitido de aviso y se elevó un clamor de palabras y gritos.

—Ya va a arrancar —dijo Fermín Careaga.

En aquel momento entró mademoiselle Tys en el vagón, muy agitada y muy bella, con un sombrerito y un abrigo que Santi no le había visto nunca.

—Gracias a Dios que llego a tiempo. El tráfico . . . —se disculpó, jadeando.

Llevaba unos paquetes de caramelos y un termo con café con leche que entregó a Aurelia.

—Os he traído esto por si acaso.

Mademoiselle Tys estaba a punto de llorar y no quería. Recorrió los departamentos, despidiéndose de todos los niños y de todas las niñas del "Fleury". Volvió al departamento donde estaban Santi, Aurelia, Fermín Careaga, Manolín, Javier, Merche y Valentín, y les dio un beso.

—Buen viaje a todos, niños —deseó.

Santi balbuceó: "Ninde-lez-Tremoloo. Recordaré siempre el nombre de su pueblo, m'sel." Ella movió la cabeza arriba y abajo, muy nerviosa, y dijo: "Yo os recordaré siempre a todos vosotros, siempre", y bajó al andén. Monsieur Bogaerts consultó su reloj y acompañó a Begoña hasta su asiento.

—Adiós, Santi —se despidió, estrechándole la mano.

—Monsieur Bogaerts, no sabe lo mucho que . . . —comenzó Santi.

Monsieur Bogaerts le interrumpió con una triste sonrisa.

—Ya lo sé. No hace falta que lo digas.

Salió y quedó en el andén junto a madame Bogaerts, Lucienne,

Simonne y mademoiselle Tys. Sonó un nuevo pitido, las ruedas empezaron a moverse, se elevó un griterío ensordecedor y cientos de cabezas y brazos se asomaron a las ventanillas diciendo adiós. Les respondieron cientos de pañuelos que tocaron los ojos humedecidos y se elevaron como banderas de despedida en el andén. El tren dio un tirón, las ruedas murmuraron cha-cha-cha y rodaron de prisa, cada vez más de prisa. Santi, Begoña, Aurelia y Javier miraban hacia el grupo que se iba quedando cada vez más pequeño, perdiéndose, minimizándose, confundiéndose entre el gentío del andén. Blandían manos y pañuelos una y otra vez, y siguieron blandiéndolos hasta que la estación fue una pequeña mancha en la lejanía, y aún se balanceaban manos y pañuelos cuando ya la enorme serpiente metálica estaba en medio de un largo túnel y todo era negrura a su alrededor.

Cuando el tren salió a la luz del sol Santi miró hacia atrás y sólo vio vagones en vía muerta y muchos raíles y una hilera de casas orillando la vía férrea.

—Bueno, ya estamos camino de casa —dijo Aurelia.

—Sí —repitió Santi—. Ya estamos camino de casa.

Se contemplaban unos a otros en silencio, enarcando las cejas y aupando los hombros, como diciéndose "Ya ves" o "Así es la vida". Santi se irritó al observar que Aurelia le hablaba a Begoña en español y que Begoña respondía en francés. Al final todos en el departamento acabaron hablando francés para no dejar a Begoña al margen de la conversación que surgía aislada, de tarde en tarde, iniciada por vagos comentarios o preguntas deshilvanadas: "Atardece", "¿Cuánto crees tú que tardaremos en llegar a Bilbao?", "¿Te figuras lo que estarán haciendo los demás españoles del 'Fleury'?", "Voy a comer un bocadillo", o "¡Tengo unas ganas de estar en casa!" . . .

Santi suspiraba, cerraba los ojos, quedaba escuchando la voz de Begoña y de tarde en tarde abría los ojos, la miraba y casi no la reconocía con aquel puro acento belga, aquel sombrero nuevo y aquellos gestos y frases de cortesía que empleaba a cada momento: "s'il vous plait", "pardonnez-moi", "peux-je? . . .".*

Y todo esto le ponía a Santi malhumorado, y decía: "Voy a estirar las piernas" y salía por el pasillo y miraba por los departamentos y volvía y se sentaba y cerraba los ojos y se hacía el dormido, porque estaba nervioso, exhausto, y no tenía ningún deseo de hablar.

Llegaron a París al anochecer y fueron ocupando sus puestos en algunos de los numerosos autobuses que les estaban esperando. Les dijeron que no se preocuparan de las maletas, que se las darían cuando llegaran a la estación de Achuri. Y la estación de Achuri era ya Bilbao y Santi pensó que estaba a punto de tocar con las manos el objeto de su añoranza durante tanto tiempo. Cruzaron París para ir a la otra estación y Santi vio grandes edificios y estatuas y calles y puentes sobre el Sena, y pasaron cerca de la Bastilla, y en todas partes había ahora soldados y sacos de arena bajo algún puente y protegiendo algunos monumentos, y con la nariz achatada en el cristal Santi se preguntó: "¿No aprenderán nunca los hombres?, ¿no dejarán nunca de odiarse y destruir casas y ciudades y de matarse unos a otros?, ¿no dejarán nunca de asustar a los niños y de hacer sufrir a las mujeres?"

Su mirada se encontró con la de Javier, y los dos parecían pensar lo mismo. Habían sido evacuados de sus pueblos y de sus ciudades porque en ellos había guerra, y habían encontrado en Francia y en Bélgica la paz; pero ahora, cuando la guerra había terminado en España y ellos regresaban a sus hogares, ahora Bélgica y Francia estaban en pie de guerra. Y era siempre la guerra, siempre la maldita guerra: guerra de tres años en España, recuerdos de guerra entre las arenas junto a la casa de las dunas, noticias de guerra que llegaban hasta el "Fleury" diciéndole a Valentín que su padre había muerto, resto de guerra en la sordera de monsieur Bogaerts, y ahora una guerra que empezaba y que nadie sabía qué catástrofes traería consigo ni cuánto tiempo duraría. "¿No aprenderán nunca los hombres, nunca?", tornó a preguntarse Santi.

Llegaron a la otra estación, que era vieja y oscura y un tanto destartalada. Bajaron del autobús, ocuparon sus asientos en el tren y algunos pequeños comenzaron a bostezar y a decir que tenían frío y que querían llegar pronto a casa. Cuando el tren arrancó Santi le preguntó a Javier cómo estaban Andrés, Montserrat y los demás. Javier replicó: "Bien; ya sabes", y Santi tuvo la sensación de que hacía años que había marchado del "Fleury".

—Me pidió Monse que te diera recuerdos, Santi —le informó Aurelia.

—¿Eso te pidió?

—Eso —dijo Aurelia.

Santi entornó los párpados y se sonrió emocionadamente al pensar en Montserrat. Recordó, abochornado y curiosamente feliz, lo torpe que había sido el despedirse de la muchacha. El dolor se había llevado como un torrente todas las cosas bonitas que hubiera querido decirla, o sugerirla, y en su lugar sólo había acertado a decirla "Adiós, maja", como un tonto. Sintió sobre su rostro el peso de las miradas de Aurelia y de Javier. Se levantó y dijo:

—Las piernas se me han vuelto de goma.

Preguntó: "¿Estás bien, Begoña?", y ella movió la cabeza y respondió: "Oui, Santi." El la miró con vago reproche por aquel "Oui" y salió del departamento. Quedó en pie en el pasillo, mirando la noche por la ventanilla. Le entró un deseo irresistible de ver si Aresti iba en el tren y comenzó a pasear y a curiosear por todos los departamentos. Pasó de vagón en vagón y fue mirando en vano durante más de media hora, detenidamente, posando su mirada en todos los rostros. Se asomó a un departamento que conservaba todas las luces encendidas y que estaba ocupado por un chico ya algo mayor, unos niños y unas niñas y una chica que parecía una señorita. Allí tampoco estaba Aresti. Ya iba a seguir caminando por el pasillo cuando la muchacha que parecía una señorita le dijo:

—Tú eres Santi.

—Sí —musitó Santi.

Volvió a mirarla a la cara, vio sus ojos y sus labios de sonrisa burlona y la reconoció: "La chica del pañuelo rojo."

—Tú eres Lucía.

—Sí.

—La última vez que te vi bajabas las escaleras de la Casa de España dando la mano a dos señoras. Y llevabas un pañuelo rojo.

—Es verdad —asintió ella—. Lo recuerdo.

—Ha pasado mucho tiempo, han pasado muchas cosas . . .

Ella movió la cabeza, se levantó, salió al pasillo y los dos quedaron mirando la noche tras los cristales.

—Has cambiado mucho —apreció él—. Eres . . . eres casi una mujer.

—Tú también has cambiado mucho. Pero te reconocí en seguida.

Sonrió y Santi adivinó la razón.

—Estás pensando que mi madre insistía en peinarme al entrar en el Ayuntamiento.

Ella emitió una risa burlona, pero al mismo tiempo cariñosa, llena de melancolía y de amistad.

—¡Cuántas cosas han pasado desde entonces! —suspiró—. Parece que aquello sucedió hace más de cien años, ¿verdad?

—Sí.

Callaron y estuvieron viendo cómo el tren iba adentrándose en la oscuridad y cómo de cuando en cuando pasaban por un pueblo dormido o una estación vacía. A lo lejos se confundían las bombillas de casas y de postes con las luces de unas pocas estrellas que semejaban temblar de frío. Permanecieron así mucho tiempo, silenciosamente, contentos de haberse visto de nuevo, contentos de compartir muchas pequeñas y grandes cosas, contentos de estar allí, en el estrecho pasillo, y de que fuera de noche y de que el tren caminara hacia España. Al fin Lucía observó:

—Hace frío.

—Sí.

—Voy a dormir un poco. Buenas noches, Santi.

—Buenas noches, Lucía. Mañana nos veremos.

Ella hizo un gesto de que sí y entró en su departamento, cerró la puerta y apagó la luz. Santi anduvo varios minutos pasillo adelante antes de darse cuenta de que su vagón no estaba hacia adelante, sino hacia atrás. Recordó su decisión de buscar a Aresti, pero ahogó un bostezo y se dijo: "Ya han apagado la luz en casi todos los departamentos. Si viene, mañana le veré en Irún o en Bilbao." Regresó a su departamento, que tenía también las luces apagadas y las cortinas echadas y se sentó, sintiendo frío. Javier no se movía.

—¿Estás dormido?

—No —dijo Javier—. Estoy pensando.

—¿En qué?

—En la vuelta a casa, en mis padres, en el "Fleury" . . . En todo eso.

Llegaron a Hendaya por la mañana temprano. Asomado a una ventanilla, Santi divisó las altas curvas de unos montes y un gran cacho de cielo. Pronunció mentalmente: "España" y permaneció inmóvil, expectante. Había poca gente en la estación, gente que hablaba francés y castellano y vascuence, y señoras que servían café caliente en vasos de cartón. El tren reanudó la marcha.

—Allí está el Bidasoa —señaló Santi—. Ahora vamos a cruzar el puente.

Javier, Begoña, Aurelia, Valentín y Merche se apelotonaron junto a la ventanilla. Manolín y Fermín Careaga seguían durmiendo. Cientos de cabezas, a lo largo del tren inacabable —un tren tan enorme que desde donde estaba Santi casi nunca conseguía atisbar el último vagón—, estaban ahora asomadas a las ventanillas. El tren disminuyó la velocidad, comenzó a caminar sobre el puente y Santi trató de calcular lo más exactamente posible cuál era la mitad del puente. Cuando estuvo sobre aquella línea imaginaria que él consideraba justo la mitad del río, se volvió a Begoña.

—Ya estamos en España, Bego.

Ella dijo "Sí, Santi", y Santi suspiró alegremente al oírla decir "sí" y no "oui". Ahora Begoña parecía otra vez pendiente de él, estrechamente unida a él, como en el viaje de ida.

Cuando llegaron a Irún y bajaron del tren vieron en el andén, en la sala de espera y en la calle muchos uniformes militares y banderas y retratos de Franco y de José Antonio y letreros de *Arriba España* y camisas azules.* Santi experimentó una sensación de desconcierto y se metió en su desván para auscultarse y saber qué le pasaba, qué pensaba, qué experimentaba.

Recordó a Tío Lázaro, que había muerto, y al primo Antonio, el aviador, que había marchado con Prieto a Méjico. Santi, que tenía un gran sentido de fidelidad, no quería ser desleal con ellos ni con su familia ni con sus vecinos y paisanos ni consigo mismo ni con los demás chicos españoles del "Fleury". Y pensó que mientras los adultos habían ensangrentado las tierras de España, luchando por lo que les separaba, él y los demás chicos, en el "Fleury", habían luchado y habían conseguido seguir siendo ellos mismos y habían ganado su pequeña guerra en el extranjero gracias a la unión que les proporcionaban las únicas armas de que disponían: los recuerdos de sus casas, la añoranza de España y sus raíces y su pasado y su idioma, que a todos englobaban, a todos hacían iguales y a todos identificaban. Porque a los españoles, meditó Santi confusamente, lo mismo a los hombres que a los niños, en realidad son más y más fuertes y más poderosas y más verdaderas las cosas que les unen que las cosas que les separan. Esta era una realidad que él había aprendido y había sentido, concreta y tangible como un objeto físico, durante la larga ausencia.

Ahora, mientras recorrían las calles de Irún y les llevaban a un enorme edificio donde les servían café y refrescos y bocadillos, y mientras seguían viendo uniformes y fotografías de Franco y camisas azules, Santi se dijo que él tenía catorce años y en cierto modo era casi como si fuera un adulto, como un miliciano vencido o un exiliado político que retornaba a la patria. Santi se sentía triste por la derrota de los suyos, sí, pero también feliz y esperanzado por pisar de nuevo la tierra de la que Dios, el gran alfarero, le había hecho; la tierra de la cual Santi no podía ni quería prescindir; la tierra que tan profundamente se le había metido en el corazón y en el recuerdo durante los años de lejanía y de añoranza. Ardía en deseos de estar de nuevo entre los suyos, de abrazar pronto a su madre, a su padre y a Juanito, y de pasear por la calle Portu, por las plazas de arriba y de abajo, por San Vicente, por la calle Arana y por la cuesta de Arteaga-beitia, y de hartarse como un tragón de Baracaldo, hasta coger como un cólico de Baracaldo. Experimentaba una enorme dicha al pensar que desde hacía un rato podía dirigirse a cualquier persona que pasara por la calle y preguntarle: "Por favor, ¿me dice qué hora es?", así, en castellano, en el mismo idioma en que Cervantes había escrito el *Quijote*.

Pronunció mentalmente: "Ha terminado la guerra. Ha terminado la guerra. Ha terminado la guerra", y luego: "Estoy de nuevo en España. He vuelto a casa." Le inundó una gran piedad al ver las ruinas de unas casas bombardeadas y recordó la noche en que, en el "Fleury", había hablado a Dios pidiéndole que nunca más la política opusiese a hermanos contra hermanos en las trincheras, que nunca más hubiese guerra en España y que, si la había, no luchasen los españoles entre sí, sino contra gentes de otro país. Apretó con más fuerza la mano de Begoña.

—Dentro de unas horas estaremos en Baracaldo.

Fueron en tren desde Irún a San Sebastián y en la estación de Amara subieron a otro tren, un tren también enorme, lar-guísimo. Y al otro lado de la vía férrea, a unas pocas horas de distancia . . .

—¿Te das cuenta, Javier? —preguntó Santi—. Cuando el tren se pare . . . estaremos ya en la estación de Achuri.

—Bilbao —dijo Javier Aguirre Albizu.

—Bilbao —repitió Santi.

Un gran nerviosismo animaba a todo el tren, tanto a los viajeros como a la propia máquina, que echaba mucho humo y a veces jadeaba como un anciano al subir una cuesta. Cuando se detuvo un momento a medio camino, para recibir agua, volvió a ponerse en marcha renqueando como si le fallase el aliento. A pesar del cansancio y de la prieta emoción nadie ofrecía aspecto de tener sueño ni ganas de estar sentado. Todos iban de un lado para otro, recorrían pasillos, se metían en otros vagones saludando a amigos o charlando con los demás chicos. Un chaval como de once años iba por todos los departamentos preguntando: "¿Hay alguien de Bermeo?" Santi buscó a Aresti, pero no le vio. "Vendrá en otra expedición", se consoló.

Pasaron los minutos, pasaron las horas y alguien gritó:

—Mirad. Ariz.

Santi se asomó a la ventanilla, vio una estación pequeña con un letrero que indicaba "Ariz" y el corazón se le salió de la boca* y casi le ahogó. El paisaje era verde y el cielo de plomo; amenazaba lluvia. Los picos de los montes se confundían a lo lejos con las nubes bajas y Santi acarició, con el tacto de su mirada, las fachadas de algunas casas solitarias, las jaras del camino humilde, el aldeano que araba con una yunta de bueyes, el pueblecito medio oculto entre arbustos, árboles, helechos y jaros, los tejados y los balcones inconfundibles. Estaban ya llegando a Bilbao. Al doblar un recodo vio columnas de humo ascendiendo hacia el cielo y un camión que bajaba la cuesta y se dirigía a Ariz. Empezó a caer un ligero sirimiri y murmuró, enternecido: "Nos da la bienvenida." Subió la ventanilla, se sentó y experimentó frío y gozo al ver cómo diminutos arroyuelos se deslizaban por los cristales.

El tren se metió en un túnel y volvió a salir. Santi cerró los ojos y afiló el oído para oír el ruido monocorde de las ruedas del tren. Y de pronto la máquina se paró con un largo chirrido, exhalando un suspiro de alivio. Santi sintió muchas voces y gran movimiento a su alrededor, pronunció en voz baja: "Ya hemos llegado" y abrió los ojos.

—Ya estamos en la estación de Achuri —gritó Javier.

Bajaron todos los chicos y les condujeron a una sala de espera. Al otro lado, a través de la puerta, se veía mucha gente y se oía el rumor de sus voces. Muchos se asomaban a mirarlas y un chico gritó de pronto: "¡Madre, madre!" y corrió hacia la puerta y abrazó a una mujer y ambos lloraron.

Sonaban nombres allá fuera, en la otra sala, e iban entrando hombres y mujeres. Se miraban unos a otros, los niños a las mujeres y a los hombres, los hombres y las mujeres a los niños, y se reconocían y se abrazaban, unos llorando y repitiendo "Madre" o un nombre de niño a de una niña con grandes voces; otros en silencio, felices de estar juntos, de mirarse en el espejo de aquellos ojos, de sentir aquellas manos y aquella sonrisa y aquellas lágrimas.

Y de pronto Santi vio a su madre y a su padre. La madre corrió hacia Begoña y la abrazó gritando "Hija, hija", y Begoña dijo "Mamá", no "madre", sino "mamá"; y Santi se abrazó a su padre y permaneció inmóvil, callado. Sollozó al abrazar a su madre y al ver que ella, una vez más, le despeinaba. Manolín, Fermín Careaga, Lucía y Javier estaban también con sus padres. Valentín lloraba sordamente, cogido de la mano de una mujer vestida de luto.

—Ya estáis de nuevo en casa, hijos —dijo la madre de Santi.

No se cansaba de mirarles y de tocarles la mano y el pelo y de decirles: "Habéis crecido mucho", "¿Os encontráis bien?", "¿Estáis cansados, hijos?" El padre musitó: "Santi, ya eres casi un hombre", y la madre dijo: "Vamos a casita, vamos a casita, hijos." Se dirigieron a la salida y en un mostrador les dieron las maletas. Santi se encontraba repentinamente exhausto y como mareado y casi no pensaba ni sentía ni veía nada, como si toda la tensión y las emociones de los últimos días le hubieran dejado ahora, de golpe, completamente vacío por dentro.

Alguien gritó: "¡Santi!" y dio media vuelta y se encontró con Javier Aguirre Albizu, que le sonreía con la mano tendida.

—Ya sabes mis señas. Tienes también las de Fermín y Manolín, ¿no?

—Sí —dijo Santi.

—Tienes que venir a verme a mi casa. ¿Me lo prometes?

—Sí —dijo Santi.

Se abrazaron y Javier marchó con una mujer delgada, de expresión seria, y un hombre alto y grueso, con gafas, que llevaba la maleta.

—Bueno, vámonos ya —apremió Santi.

Empuñó la maleta, el padre empuñó el maletín y la maleta grande de Begoña y salieron de la estación. En la acera casi chocaron con Lucía.

—Ya hemos llegado, Santi —dijo ella.

—Sí. Tú vives en Bilbao, ¿verdad?

—Sí. ¿Y tú?

—En Baracaldo. Digo que . . . que tal vez algún día nos veremos por ahí.

Ella sonrió. Había otra vez un asomo de burla en sus labios y en sus ojos. Era de nuevo la chica del pañuelo rojo.

—Puede* —dijo.

Su voz y su expresión se hicieron más suaves y más tiernas al añadir:

—Ahora . . . adiós, Santi.

—Adiós. Adiós, Lucía.

Santi empuñó una vez más la maleta y rompieron a andar. Junto a la iglesia de San Antón Santi se paró, se asomó a la ría, cogió el cartoncito que llevaba en el pecho y que decía su nombre, lo rompió en trocitos diminutos y los fue echando al agua.

—¿Y Juanito? —preguntó de pronto.

—Está cumpliendo el servicio militar. ¿Y sabes dónde?: en Melilla, donde lo hice yo —explicó su padre—. Ahora tiene novia formal y parece que piensa casarse pronto. Ella se llama Paquita y vive en la calle Fica, ¿sabes?

"Ahí vive también Javier Aguirre Albizu", recordó Santi. Era como si de algún modo, tangencialmente, se anudaran los hilos del pasado y del futuro.

Cogieron el tren para Baracaldo. La madre lloraba silenciosamente y seguía haciendo preguntas y más preguntas y mirando a Santi y a Begoña y a Begoña y a Santi. Cuando llegaron a Baracaldo y bajaron, Santi esperó a que el tren se fuese y contempló el hospital militar de Sestao, el campo de Lasesarre, el puente sobre el río Galindo y la ventana del tercer piso de la casa de enfrente, donde ya no había ropa tendida. Vio un jilguero en una jaula en el piso primero y gente que caminaba por la calle Portu.

En la plaza de abajo las tres letras U. H. P. y los letreros de *No pasarán y Euzkadi Azkatuta* habían sido sustituidos por retratos de Franco y de José Antonio y letreros de *Arriba España*. No había sirimiri, pero olía a humo y a mojado y Santi aspiró con fruición este olor. Ya no quería analizar sus impresiones, ni lo que veía, ni lo que sentía, ni nada; solo quería sentirse a sí mismo en Baracaldo, sentir sus pies pisando las calles de Baracaldo, sentir su mirada depositada sobre gentes y casas y cosas de Baracaldo.

Al llegar ante la casa donde habían estando jugando Sabino, Joaquín, *el Pecas* y el santanderino, Santi se detuvo un instante, miró en derredor suyo y no vio a nadie. Volvió a oír la voz de su padre explicando: "Santi y Begoña se van de viaje", la voz del *Pecas* que preguntaba: "¿Volverán pronto?", y la voz de su padre que respondía: "No sé; depende. Cuando esto acabe."

"Esto" había sido la guerra y había acabado. Santi subía ahora por la calle Portu, sonriéndose melancólicamente a sí mismo, y metía sus zapatos, adrede, en todos los charcos. Y tampoco ahora le decía nada su madre. Y al aspirar imágenes y ruidos, sabores y sensaciones, Santi descubrió que durante la larga ausencia había conservado a Baracaldo, a todo Baracaldo, intacto en su recuerdo.

Su padre pareció adivinarle el pensamiento.

—Joaquín y Sabino vendrán hoy a buscarte a casa —dijo—. ¿Qué tal esa zurda de gran pelotari?

—Allí no había frontones, padre —respondió Santi—. Jugábamos muy poco a la mano. Era todo diferente.

—Tendrás muchas cosas que contar, ¿verdad hijo? —preguntó el padre.

—Sí —dijo Santi—. Muchas cosas.

Y pensó que tal vez con el tiempo él fuese escritor. Y se prometió que si llegaba a serlo, si era verdad lo que le había dicho don Segundo, que él podía ser escritor, algún día escribiría todo lo que les había pasado, todo. Y hablaría de mademoiselle Tys, que era de Ninde-lez-Tremoloo, y del hospital y de las gotas de tintura de yodo, y de cuando Tomás se meó en la cama, y de cuando Aresti les entregó sus ahorros, y de cuando él empezó a presumir para caerle bien a Montserrat, y de cuando llamaron "el árbol de Guernica" al gran roble del patio, y de cuando lloraban a escondidas porque casi todos los chicos del "Fleury" tenían visita y ellos no, y de cuando se enteraron de que la guerra había terminado, y de cuando formaron el equipo de fútbol "España", y de cuando Eusebio murió hablando ininteligiblemente en castellano y en francés, y de cuando hicieron español a Andrés . . .

Y Santi miró a su padre y dijo:

—Sí, nos han pasado muchas cosas. Ya sabes: cosas de chicos.

Le entraron de pronto ganas de llorar. Ahogó un suspiro y siguió caminando calle Portu arriba.

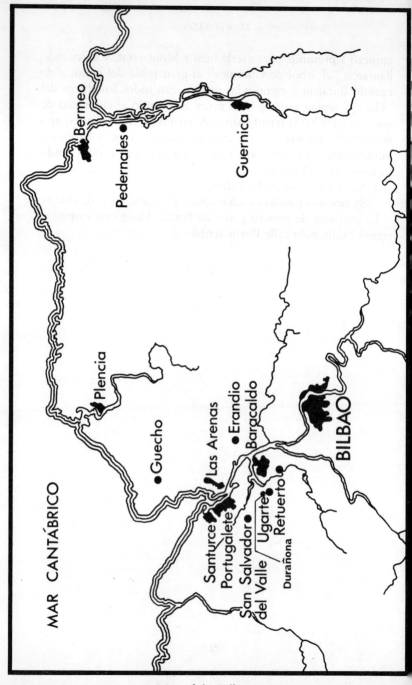

Map of the Bilbao area

NOTES

The figures refer to pages

35   **pelota**: the Basque regional game. See note to page 183.

36   **vería el santanderino . . . a la mano**: 'that fellow from Santander would see how pelota should be played with the hand.'
y ya estaba: 'and it was done', 'that was it', 'there it was'.
una pelota de las de verdad, de las . . .: 'a proper ball, one of those . . .'
U.H.P.: *Uníos hermanos proletarios*, a left-wing slogan. **Euzkadi Azkatuta**: 'Free Euzkadi'. **No pasarán**: a cry of resistance used by the French in the 1914–18 war and adopted by the republicans in the Spanish civil war.
Altos Hornos: the *Altos Hornos de Vizcaya* are one of the largest steel-works in Spain, and have a factory just beside the railway station in Baracaldo.
Iturrigorri: trade name of a drink still remembered though no longer manufactured.

37   **Y entonces fue cuando . . .**: 'And it was then that . . .' Notice the Spanish equivalent of the English "that".
habían: plural verb to agree with the real or psychic subject (*esperas*) rather than the grammatical subject (*todo*).
Almirante Cervera: nationalist cruiser which shelled San Sebastián in August 1936 and was active off Bilbao afterwards.

39   **. . . los chicos**: this pathetic detail exemplifies the humiliations of war. See Introduction.
supo: the author often uses the preterite form of this verb where an imperfect might be expected.

40 **La:** indirect object, an example of "laísmo".
las fiestas del Carmen: the feast of our Lady of Mount Carmel, July 16.

41 **el padre:** the use of the definite article with names of relatives is familiar and affectionate.
la Virgen de Begoña: our Lady of Begoña is specially venerated throughout Biscay. Her shrine is on a hill overlooking Bilbao; hence Begoña is a popular name in the province.

42 **... alguna parte:** Do you consider the author's attempt to show the difference between the village boy and city children successful? Compare this passage with Santi's impressions of Brussels (p. 106).

43 **Dos de Mayo:** the Spanish people revolted against Napoleon on the 2nd May 1808.
Archanda: a hill near Bilbao.

44 **la Babcock Wilcox:** the engineering works of the international company of that name, which is in the Galindo district of Bilbao.
Encartaciones: the western region of Biscay, which enjoyed special privileges from about the 10th century. The *fueros*, or privileges of these charter-lands, were formally recognized in 1394 by the overlord of the province.

46 **No quiero:** 'I won't.'

47 **¿Dónde es lo de los niños ...?** 'Where is it the children leave from?' This is not a case of position (*estar*) but of place (*ser*). See: R. Navas Ruiz, *Ser y estar*, Salamanca 1963, p. 201.

48 **zortziko:** a Basque dance, normally in 5 × 8 time, danced by eight men without women, and accompanied on the fipple-flute (*chistu* or *txistu*) and tabor (*tamboril*). Here the dance-tune is referred to.

54 **don Segundo:** teachers and superiors in general are usually called *don*, *doña* or *señorita* followed by the christian name.
H.M.S. Franch: in fact this was the destroyer H.M.S. Blanche, which was active off the Basque coast and indeed almost had an engagement with the Cervera. She was sunk by a mine in 1939. The Campbell survived both wars, and was sold for scrap in 1947.
La Naval: a shipyard in Bilbao.
Sota y Aznar: a shipping company, some of whose boats can

still be seen in operation.

55 **como si tal cosa:** 'just like that', 'without more ado'.

Durañona: a little hill in Ugarte, outside Bilbao.

chapista: this really means a car body-worker. The *chapa* is the identity tally used by factory-workers for clocking in, but Santi does not know what the tallyman (*celador*) is called.

Bata, Gorostiza: two famous footballers still remembered for their feats with *Athletic de Bilbao*.

Indalecio Prieto y Tuero: (1883–1962), leader of the moderate socialists, minister of finance in the first republican government (15. iv. 31–16. xii. 31) and thereafter minister of Public Works, the Navy and Defence.

se lo rifaban: this doesn't mean that the women actually raffled him, but that he was very popular with them.

A ver si . . . : an introductory phrase, meaning something like: 'let's see if', 'let's hope . . .'

56 **"El afiladoooor":** knife-grinders play a high-pitched whistle and call out to announce that they are in one's street.

57 **¿A ti qué te importa?:** 'Mind your own business.'

59 **H.M.S.:** either don Segundo or the author is mistaken here, of course, for H.M.S. stands for "His Majesty's Ship". The rest of his lesson is also inaccurate.

60 **. . . plis:** transcription of the young boy's attempt to imitate English pronunciation.

61 **al otro barco, al Franch:** personal *a*, probably because the ship is an individual thing with a personality of its own. Compare e.g. *a un lobo* (p. 67) and *al autobús* (p. 90).

62 **Juan Sebastián Elcano:** Basque commander of the Victoria, the first ship to sail round the world, who completed in July 1522 the voyage which he had begun as a pilot with Magellan in August 1519.

63 **fijos:** adverbial use of adjective. Such use is frequent in Spanish and in this book.

67 **Cuánto tiempo:** equivalent to: 'Long time no see.'

la noche de San Juan: on St. John's night, June 24, there is a tradition in many countries of lighting bonfires.

68 **una cría de nada:** 'just a baby'

Hay que ver: 'It just shows', 'It's amazing'.

gestos de que sí: 'affirmative signs'.

Mira que no habernos visto: 'Imagine not seeing one another.'

69 **Todo lo de su aldea:** 'Everything about his village'.

. . . **los agujeros:** this would be an itinerant tinsmith or tinker.

70 **y de pronto . . . :** here there is an abrupt change from a rather slow and detailed narrative to a sketchy and hazy remembering on Santi's part. Do you find this change in time and tempo effective?

. . . **hacían pis:** all of these expressions are quite polite in Spanish, though the first is slightly less so than the others. See *aguas menores* (p. 106).

Ya ves: 'Well, there you are.'

71 **Las Arenas** and **Plencia:** beaches about 7 and 15 miles respectively from Bilbao.

74 **No era solamente que Santi añorase:** subjunctive after *no+ ser*.

que sí que los añoraba, y mucho: 'although he did miss them, and very much'.

75 *ESPAGNE:* this is a clear suggestion that Spain is one and is seen to be one from outside, though internally it is divided, not only by the war, but also by separatist and regionalist movements and by differences in the character of the people. The author is fulfilling his promise to write a *libro de sumas*.

. . . **Bilbao su ciudad:** a recognized characteristic of Spaniards is their passionate devotion to the place where they were born, to the *patria chica*, as well as, if not rather than, to Spain itself.

76 **se fueron aburriendo:** use of *ir* or *venir* with gerund refers to the beginning or end of a gradual or prolonged action.

que: an introductory *que*, which in English speech would often be represented merely by a brief pause, and in English writing perhaps by a semi-colon.

Ochandiano: on the 4th of April 1937 the Basque militia retreated from Ochandiano before the nationalist attack, leaving at least 600 dead and 400 prisoners.

los dos apellidos: every Spaniard uses the first surname of his father and the first surname of his mother—who retains it after marriage—, and thus has two surnames. In informal use, the second, or mother's, surname is often dropped.

¿Y si . . . ?: 'And what if . . . ?'

77 **de los nuestros:** 'on our side', 'one of us', i.e. on the republican

side.

jueves: in French and some Spanish schools, Thursday is a half day.

79 **¿En qué tabla vas?:** 'What (multiplication) table are you at?'
. . . la fecha: social letters in Spanish normally show only the name of the town where written, not the full address, which goes on the outside of the envelope.

80 **. . . su jersey:** it is usual to wear a black armband or to insert a black button in one's lapel to show mourning.

82 **¿Manda usted algo?:** a formula requesting permission to leave.

84 **calambrazo visual:** Is this simile effective? Compare with *chirriar los ojos* (p. 140) and *le parecía que . . . caía hacia arriba* (p. 200).

86 **a los demás que los parta un rayo:** 'to hell with the others.' Literally: may a lightening bolt cleave the others.
. . . rebeldía: notice how the author repeatedly emphasizes the guilt of adults, the innocence of children and the subordinate position of the latter to the former: a tragic dilemma.

87 **un helado . . .:** 'an icecream served in a glass as if they were going to drink it, but instead they ate it with a spoon.'
¿Qué os parece si cantamos?: 'Do you think we should sing?' All the songs referred to are popular songs from Bilbao, but are known and sung throughout Spain.
donde iban: 'where they were'. See note to p. 79.
María del Socorro: called after our Lady of Perpetual Succour.
la del farol. ¿Va?: 'the one about the lamp. Ready?'

88 **Hablaban de Cervantes . . .:** 'They spoke so highly of Cervantes, praising him to the skies so much, that it made Santi rather suspicious, and he wasn't too keen on that Cervantes.' Cervantes lost the use of one hand fighting against the Turks at the battle of Lepanto in 1571.
Cada palabra . . .: Do you think a young boy could see all this in the *Quijote*, even in an intuitive, unreasoned way, or is the author's own admiration for Cervantes being imputed to Santi?

89 **a tirón por año:** this refers to the Spanish custom of pulling a child's ears as many times as the years of his birthday.
le daba no sé qué leerlo: 'he felt queer reading it'. **No sé qué:** 'something', 'something strange'.

90 **"Vaya un domingo más aburrido, ¿eh?" Todos decían que sí:** 'What a boring Sunday, eh? They all said it was.'
Lasesarre: a football ground in Baracaldo.
al Baracaldo: the Baracaldo team.
a Sabino era al . . . : notice the repetition of the preposition in this and similar emphatic sentences, e.g. *de lo que . . . es de que* (pp. 114, 179).

91 **Vergüenza os debería dar:** 'You should be ashamed of your-selves'.
soltera como tu madre: this insult might seem more gross in English than in Spanish, which is full of such insults, as also of analogous compliments.

93 **pasara lo que pasara:** 'whatever happened'.
bandera española: the republican flag of red, yellow and purple.

94 **Casa de España:** Spanish cultural centre attached to the Embassy.

95 **muy poca cosa:** 'very insignificant'.

99 **se le hizo muy cuesta arriba:** 'it was very hard for him'.
cómo sería el niño español: 'what the Spanish boy . . . would be like'.
habían hecho empapelar: 'they had got (a room) papered'.
nada más entrar: 'the moment he entered'.

100 **¿Te parece?:** 'Does that suit you?
no poder más: 'to be exhausted', 'be able to take no more'.

101 **Anda la mar, tú:** 'Golly!'

104 **aupó los hombros:** 'he raised his shoulders' (as a sign of reluctance or indifference).
sacar: 'to make a lot of lather', 'to put just a trace of a parting': an example of the repetitions in vocabulary mentioned in the Introduction, page 22.
no por eso iba a disminuir el ruido: 'that wouldn't make the noise any less.'
le dieron . . . : this would be an extremely rich continental breakfast.

105 **. . . sentada:** in the buses to which Santi was accustomed most if not all of the passengers would probably stand.

107 **uno cualquiera:** 'one at random'.

108 **estaba pero que desconocido:** he was totally unrecognizable.

almorzar: when used by city-dwellers, *almorzar* is a slightly upper-class word for lunch; *comer* is the more usual term in Spain. In South America and in country areas the usage is different.

dijo que a ver: 'asked'.

. . . sin canela: in Spain rice pudding is normally eaten cold and often with cinnamon.

sí: emphatic *sí*. 'And there Santi did feel at ease.'

115 **¿Cómo va eso?:** 'How are things going?'

117 **y eso que . . . :** 'in spite of the fact that . . .'

Y de Mundo nada, que no salía ni uno: 'But none of Mundo; not even one (picture card) turned up.'

que daba gusto verla: 'in such a way that it was a pleasure to watch her'. The similar expression *dar gloria* is used on p. 174.

le preguntó . . . : you will have noticed that after verbs of asking, telling, etc. *que* always precedes anything else, including *qué*.

118 **hizo como que no:** pretended not to.

Si: this is the introductory *si*, which usually implies a relationship of contrary reason. It would either be omitted in translation or might be rendered: 'when they are such nice people', or: 'after all . . .'

123 **Por lo que dedujo Santi:** 'From what Santi could gather'.

124 **se las sabían todas:** 'they knew all the tricks'.

126 **. . . tenía juzgado:** for judicial and certain legal purposes, Spain is divided into *partidos judiciales* with a court and registry in each.

128 **Vaya con Raymond:** 'Good for Raymond.'

130 **Y eso sí que no:** 'And that certainly mustn't happen.'

131 **un Gargantúa de cartón:** gigantic, Gargantuan and large-headed pasteboard figures parade in the streets of towns and villages on festival days—on St. Agatha's day, February 5th, in Baracaldo. Some carry sticks or inflated pig's bladders with which they good-humouredly beat the ground or the by-standers as they pass.

132 **las Brigadas Internacionales:** the International Brigades fought on the republican side in the Spanish civil war.

135 **El Arenal:** a little park and avenue between the *Café del Arriaga* and the Town Hall in Bilbao.

139 **. . . siempre triste:** two examples of the mutual respect and

kindness which unites the children, while their elders are fighting one another at home.

ni a sol ni a sombra: 'anywhere'.

140 **Salud:** 'health'. This replaced, during the republic, the christian *Adiós*. Comrade, of course, is the communist address.

. . . por el suelo: see note to p. 84.

144 **si Dios quiere:** this expression is far more commonly used than the corresponding D.V. (*Deo volente*) or 'God willing' in English.

145 **. . . olbide:** without the child's mis-spellings this reads: *Santi, si me muero en sueños que me entierren en San Vicente. Que no se te olvide.*

. . . el alma del difunto: the fact that the Basque provinces remained almost entirely catholic while fighting on the republican side was just one more paradox in the Spanish civil war.

146 **Tengo sueño del año que lo pidan:** 'I'm as sleepy as a dog.'

147 **Santiaguito:** a sweet-shop in Bilbao.

148 **. . . lenta y monótona:** Do you consider that the author has managed, in the preceding pages, to convey the monotony, nostalgia and sadness of the children, but without boring the reader? If so, how?

150 **estaba hecho una pocilga:** 'was like a pig-sty'.

152 **No me ponga las manos encima:** 'Don't put your hands on me.'

153 **. . . a usted:** The following, among other, relevant questions may be asked about this scene: Does it evoke a healthy or unhealthy, moderate or immoderate, indignation in the reader? Does it involve him so much that he loses his objective view of the literature? Does it contribute to the development of the novel?

155 **no creas, también es muy famoso:** 'but don't think just because of that it's not also very famous.'

el misionero de los leprosos: Luis de Castresana's first novel, *Nosotros los leprosos* (1950), has the work of Fr. Damian as its theme.

156 **cuatro trapos:** 'a few rags and nothing else.'

158 **Se ve que van para mujeres:** 'You can tell they're going to be women.'

159 **No vais . . . :** this sentence, if spoken in French, would show no

difference between the polite and familiar forms of the verb. Perhaps the author has overlooked this minor point.

161 **Asunto olvidado:** 'Let's forget it.'

162 **poner algo de su parte:** 'play one's part', 'give a little'.

Fuenteovejuna: a political play (*c.* 1618) by Lope de Vega in which villagers, by uniting against the abuses of an overlord, force the king to impose justice.

164 **(echar) pelillos a la mar:** 'let bygones be bygones'. This expression is used by children, sometimes accompanied by each pulling a hair from his head and blowing it away, to make peace or to seal a pact.

166 **Alejandro Lerroux:** founder of the Radical party, first Foreign Minister of the Republic and Prime Minister six times between 1933 and 1935.

Sabino Arana Goiri (1865–1903): founder of the Biscayan Nationalist party and leader of the Basque Nationalist party.

Manuel Azaña was Prime Minister four times between 1931 and 1936 and on 10th May 1936 became President of the Republic.

Prieto: see note to p. 55.

sin decir ni pío: 'without uttering a word'.

167 **Se aprueba la moción por unanimidad:** 'The motion is approved unanimously.'

. . . un novio: the bridegroom's "I do" in Spanish is *Sí.* Here of course there is no suggestion that the Spanish children may even suspect that they are not conferring a great honour on André, or that he might feel any offence to his own patriotism.

a ver qué vida: 'naturally'.

168 **al zagal de Juan Haldudo:** see Don Quijote, Part I, chs. IV and XXXI. Andrés but not Andresillo is the boy's name.

169 **no tenía un pelo de tonto:** 'he was far from stupid'.

171 **. . . un meón:** see note to p. 75.

dar que hablar: 'give cause for gossip'.

San Mamés: the name of the *Bilbao Athletic* (pronounced *Atleti*) football ground. After publication of this novel, *Athletic* made the author their honorary no. 12 player.

haré que te la manden: 'I'll have it sent to you.'

173 **¿Cómo cuatro españoles?:** 'How do you mean, four Spaniards?'

174 **que no se diga:** 'let it never be said'.
un portero que ni Zamora: 'a goalkeeper that even Zamora couldn't match'.

177 **no tenía nada de patio:** 'wasn't in the least like a yard'.

178 **valoró:** you will have noticed the author's practice of replacing an indiscriminate verb of saying after a piece of direct speech by one which expresses the speaker's state of mind. See e.g. *se extrañó Raymond*, p. 173.
hombre: a common interjection denoting friendliness and surprise.

179 **el oro y el moro:** 'the sun, moon and stars'.

180 **lo mismo le daba ocho que ochenta:** 'he didn't care whether it was one thing or another'.

181 **un juego muy raro:** this is no doubt the *jeu de balle* or *jeu de pelotte*, quite popular in Belgium and some other countries.
lo pensó mejor: 'he thought better of it'.

183 **Pegaba unas cortadas . . . :** *pelota* is played in a *frontón* or court, which usually has three walls: front, back and left; the right side is open. The ball may be struck with the bare or gloved hand (*a la mano* or *a guante*), with a wooden bat (*a pala*), a long curved basket (*a cesta*) or a shorter basket along which it slides rapidly (*a remonte*). The *chapa* referred to here is the metal tape or line on the front wall about a metre from the ground. **Cortada:** a stroke of the ball very near the line on the front wall and on to the left wall. **Dejada:** a short, very slow, ball on the front wall which is difficult for an opponent to return. **Tanto:** a fault or a score, depending on whose side one is on. (In football *tanto* is a goal.) **Sacar:** to serve. **Bocho:** (*pop.* for *choco*) a stroke of the ball exactly on the angle of the left wall and the ground, very difficult to return.
Ni Atano recoge eso: 'Even Atano couldn't return that one.' *Atano III*, nickname of Mariano Juaristi Mendizábal, singles *pelota* champion for over twenty years from 1926 onwards.
punterazo va punterazo viene: 'just kicking the ball about'.

184 **después de acabados los deberes:** 'after the exercises were finished'.

186 **no le salía:** 'it just wouldn't come'.
Ramón de Basterra (1888–1928) and **Manuel Aranaz Castellanos** (1875–1925): two minor Basque writers, the

256

former known mainly for his patriotic poetry, the latter a costumbrist short-story writer and journalist.

187 **puso . . . que no había por donde cogerlos:** 'tore them to pieces'.

188 **que si no iba a ir hecha una facha:** 'otherwise she would go around looking ridiculous'.

para eso eran baracaldeses: 'that was what they were Baracaldeses for'.

leyenda negra: Spanish historians consider that other European countries have been inventing a "black legend" of calumnies around Spain, based on hatred and envy of her glory, since the early XVI century.

. . . las gentes de España: It is fairly certain that many Spaniards would agree with Santi in the whole of this paragraph. Do you agree with him, and do you think the sentiments expressed fit well into the novel?

190 **Vicente Trueba:** A Spanish cyclist who participated in the 1935 Tour de France.

el chico del empujón: 'the boy who had given him the push'.

195 **casi como un compañero más:** 'almost like one of the boys'.

196 **lo mayor y lo listo que él era:** 'how grown-up and clever he was'.

de qué pie cojeaban: 'what their weaknesses were', 'what they were like'.

"De Madrid . . . para verlo": an expression of the Madrileño's pride in his city, dating from the end of the XVIII century. Compare: "See Naples and die."

197 **Del mismísimo Madrid . . . :** 'From Madrid itself, from Chamberí no less.' Chamberí is an elegant district of Madrid. *Ná* = nada.

198 **Bécquer:** the *Rimas* by Bécquer (1836–70) are love poems.

el día de los Reyes Magos: 6th January, Epiphany or feast of the three Magi, is the day on which Spanish children are given their presents, brought by the three kings, who replace Santa Claus.

como si tal cosa: 'just as normal'. See note to p. 55.

201 **lotería:** the Christmas lottery is a national event in Spain, with one first prize (*premio gordo*) and countless lesser prizes.

turrón de Jijona: *turrón*, nougat, of various kinds is eaten particularly on Christmas eve, *Nochebuena*, which is the main feast of the season.

202 **gastar inocentadas:** 'make fools of one another'. The feast of the Holy Innocents is Spain's "fool's day".

203 **. . . doce uvas:** to eat twelve grapes at midnight on New Year's eve is another Spanish custom.

209 **. . . de retraso:** Spring is 21st March–21st June.

210 **no daba una:** 'never did anything right'.

le echabas un centro medido . . .: 'if you passed him a well-aimed centre that would be a sure goal if he only gave the ball a little kick, Luisito wouldn't even see it.'

214 **para mí como si no existieras:** 'as far as I'm concerned, it's as if you didn't exist.'

218 **. . . no quería acordarse:** *Don Quijote* starts with the often-repeated words, *"En un lugar de la Mancha, de cuyo nombre no quiero acordarme, . . ."*

220 **. . . disponen los padres:** the saying *"Los hombres proponen y Dios dispone"* exists also in English, "Man proposes but God disposes."

creían estar siempre al cabo de la calle: 'they thought they knew it all'.

222 **no admitían vuelta de hoja:** 'there were no two sides to it'.

224 **A los pocos días de llegar:** 'A few days after arriving'.

. . . Chamberlain: All of these subjects were of particular significance at the beginning of the Second World War. The **Munich** Agreement of 1938 gave **Sudetenland**—home of the Sudeten Germans—to Germany. The **Maginot** line was a series of fortresses along France's border with Germany, which the French hoped would halt an invasion. **Pasillo de Dantzig:** the Polish corridor, which gave Poland a port on the Baltic sea and gave Hitler an excuse to invade Poland on 1st September 1939.

225 **La Brabanzona:** *La Brabançonne*, the Belgian national anthem.

227 **os quedáis:** notice how the 2nd person plural of the verb is used to insist, once again, that André is Spanish, without actually saying so.

228 **casi no podía con ella:** 'it was almost too much for him'.

. . . "peux-je": the Spanish use of such polite expressions is
234 different from, and less frequent than, the French or English.

Peux-je would not, of course, be correct French.

239 **. . . camisas azules:** José Antonio Primo de Rivera founded the right-wing movement *Falange Española* in October 1933. Its members, who wore—and wear—blue shirts, fought on the nationalist side in the war. The slogan *Arriba España* replaced *Viva la República.*

241 **el corazón se le salió de la boca:** an expression of deep emotion.

243 **Puede:** 'Maybe.'

VOCABULARY

Most words closely resembling the English in meaning and appearance are omitted, as are elementary words and most adverbs ending in -mente. The gender of the less familiar nouns is indicated when this is not obvious from the ending or is an exception to the rules governing gender.

abajo, down, below, bottom; **de —,** lower; **calle —,** down the street; **venir —,** to tumble down
abandonar, to leave
abarcar, to take in
abeja, bee
abochornado, flushed
abofetear, to slap
abotargado, swollen
abrazado (a), hugging
abrazar, to embrace, hug
abrazo, hug
abrigar, to put on warm clothes
abrigo, overcoat
absoluto, en —, (not) at all

abuelo, grandfather; (*pl.*) grandparents
aburrido, boring, bored
aburrirse, to be bored
acabar, to end, quite *or* actually do something; **— de,** to have just done something
acalorado, heated
acariciar, to caress
acaso, maybe; **por si —,** just in case
acatarrarse, to catch a cold
acechar, to lie in wait (for)
acecho: al —, on the watch
aceite, oil
acento, accent, tone
acera, footbath
acercar(se), to approach, bring near
acero, steel
acertar, to succeed
acodarse, to lean
acompasado, regular, monotonous
aconsejar, to advise, warn
acontecer, to happen
acordarse, to remember

acostado, in bed
acostarse, to go to bed
acotado, preserved (*for game*)
acristalado, glazed
actitud, attitude
acto, act; — **seguido,**
  immediately
acudir, to come
acuerdo: de —, in agreement
acunar, to lull to sleep
acurrucar(se), to huddle
acusador, accusing
achatar, to flatten
adecuado, opportune
adelantado, ahead
adelantarse, to go ahead, step
  forward
adelante: hacia —, forwards,
  ahead; **carretera —,** on the
  road ahead; **de allí en —,**
  from then on
además, besides, as well
adentrar(se), to penetrate
adentro, deep inside;
  tierra —, inland
adiós, hello, goodbye
adivinar, to guess, sense
admirativo, admiring
adónde, where
adoquín, paving-stone
adormecedor, soporific
adormilado, dozing, sleepy
adosado, (leaning) against
adquirir, to acquire
adrede, on purpose
advertir, to instruct, assure,
  warn
afecto, affection
afeitado, shaven

afilador, knife-grinder
afilar, to sharpen
aflorar, to blossom out
agacharse, to squat
agarrada, tussle
agarrar, to seize; —**se,** to hold
  on
agigantarse, to become
  gigantic
ágil, agile
agitado, agitated, restless
agitar, to shake; —**se,** to shake,
  be agitated
aglomerado, packed
agonía, agony
agotar, to exhaust; —**se,** to
  run out, be exhausted
agradar, to please
agradecer, to thank for
agradecido, thankful
agricultor, agricultural
agua, water; **hacer — s**
  menores, to urinate
aguacero, heavy shower
aguantar, to hold out, bear
aguar la fiesta, to spoil the fun
aguardar, to wait (for)
Agueda, Agatha
aguinaldo, gift for a feast-day
aguja, hand of a watch
agujereado, with holes
agujero, hole
agur, cheerio
ahí, there; **por —,** over there,
  around, about that
ahogado, stiffled
ahogar(se), to drown, stiffle
ahorrar, to save
ahorros, savings

airado, irate

aire, air; **al — libre,** in the open air

airoso: salir —, to acquit oneself well

aislado, isolated

ala, wing

alameda, avenue

alargar, to lengthen

albañil, mason

alcalde, mayor

alcance, reach; **al —,** within reach

aldaba, (door) knocker

aldea, village

aldeano, village(r), country (person)

alegrarse, to be glad, be delighted

alegría, gaiety, joy

alejarse, to become distant

alentador, encouraging

alentar, to cheer

alerta, alert, alertness

aletear, to flutter

alfarero, potter

alféizar, window-sill, window-opening

alfiler, pin

alfombra, carpet

alfombrar, to carpet

alforja, knapsack

alguacil, constable (*now almost obsolete*)

algún(o), some, any, one or two

aliento, courage, encouragement, breath

alimentar, to feed

alimento, foodstuff

alineación, line-out

alinear, to field (*a player*), to line up

alirón, come on! hurrah!

alivio, relief

aliviado, relieved

almacén, store

almacenar, to store

almohada, pillow

almorzar, to have lunch

alpargata, canvas sandal

alrededor, around; **a su —,** around one; (*pl.*) surrounding area

alto, high, tall; **en lo —,** on *or* at the top, on high; **— orno,** blast-furnace, foundry

altura, height, level; **a la — de,** opposite

alumbrar, to enlighten

alzar, to raise

allá, there, over there, that's up to . . .; **más —,** beyond

allanar, to flatten

amable, likeable, kind

amanecer, (to) dawn

amar, to love

amargo, bitter

amarillento, yellowish

amarillo, yellow

ambos, both

amenaza, threat

amenazar, to threaten

ameno, agreable

ametralladora, machine-gun

ametrallar, to machine-gun, strafe

amigar, to make friends

amigo, (of a) friend, friendly
amistad, friendship; **hacer —,** to make friends
amistoso, friendly
amodorrado, drowsy
amoroso, loving
amplio, large, wide
amueblar, to furnish
anciano, old man
anclado, anchored
anchas, ease
ancho, broad
andar, to go on, walk, ride, gait; **¡anda!,** come on!
andén, platform
anginas, tonsilitis, pharyngitis
angula, elver, young eel
angustia, anxiety
angustiado, anguished, upset
angustioso, full of anguish
anhelo, desire
animar, to animate, encourage, cheer
ánimo(s), cheerfulness, encouragement, spirits
aniquilar, to annihilate
anochecer, nightfall
ansioso, anxious
ante, in front of, by, in someone's eyes, to
antipático, unfriendly
antiguo, ancient
antorcha, torch
anudar, to fasten, clasp
anunciador, announcing, warning
anzuelo, fishing-hook
añadir, to add
año, year; **tener** *or* **contar . . .**

años, to be . . . years old
añoranza, longing
añorar, to long for, miss
apacible, peaceful, calm
apagado, subdued, muted
apagar, to turn off; **—se,** to die out, go out
aparador, sideboard
aparcado, parked
aparecer, to appear
aparentar, to pretend, appear
aparición, apparition
apartar, to remove, put aside; **—se de,** to leave
apearse, to alight
apelotonarse, to huddle together
apellido, surname
apenas, scarcely (any)
apesadumbrado, vexed
apestar, to stink
apetitoso, appetizing
apiñado, crowded together
aplacar, to placate
aplastar, to flatten
aporrear, to hit
apostar, to bet
apoyarse, to lean; **apoyado,** leaning
apreciar, to appraise
apremiar, to urge
aprensión, apprehension
apresurado, hurried
apresurar el paso, to hurry
apretado, tightly packed, clutched
apretar, to press; **—se,** to move over
aprobar, to approve, pass

aprovechar, to take advantage
(of); **aprovecha,** go on,
now's your chance

apuesta, bet

apuntalado, underpinned

apuntar, to note down; **—se,**
to put one's name down

arábigo, Arabic; **goma —a,**
gum (arabic)

arañar, to scratch

arar, to plough

árbitro, referee

árbol, tree; **— de Noel,**
Christmas tree

arboladura, rigging

arbusto, bush, shrub

arco, arch

arco-iris, rainbow

Ardenas, Ardennes

arder, to burn

ardiente, burning

ardilla, squirrel

arena, sand; **saco de —,**
sandbag

arenoso, sandy

argolla, ring

argumental, of the plot

argumento, plot

arma, arm, weapon

armar, to cause, create

armario, wardrobe

armónica, harmonica

aro, hoop

arpía, harpy, fiend

arrancar, to pull off, tear out,
start

arrastrar, to drag; **—se,** to
worm one's way

arrebatar, to snatch

arreglar, to mend, dress, solve,
arrange

arrepentimiento, sorrow,
repentance

arrepentirse, to repent

arriba, above, up, top; **de —,**
upper; **hacia —,** up; **— del
todo,** at the top; **más — de,**
above

arrimar, to place side by side
or on

arrodillarse, to kneel

arrojar, to throw, cast

arropar, to wrap up

arroyo, stream

arroz, rice; **— con leche,** rice
pudding

arrugado, creased

arte (*m. f.*), art

artillero, gunner

asado, roast(ed)

ascender, to go up, climb up

asco, disgust; **dar —,** to
disgust

asegurar, to assure

asentir, to assent, agree

aseo: cuarto (sala) de —,
bathroom

así, thus, so, in this way, like
that; **— es como,** that's how;
— que, so; **— como,**
just like that

asido, holding on

asiento, seat

asignatura, subject

asistente, assistant teacher

asomado, leaning (out)

asomarse, to lean out or over,
look out, appear

asombrarse, to be amazed
asombro, amazement
asomo, trace
aspecto, aspect, appearance
aspereza, roughness, harshness
aspirar, to breathe (in)
Asunción, Assumption, *girl's name*
asunto, matter
asustar, to frighten; **—se,** to be frightened
ataque, attack
atar, to tie
atardecer, to become evening; eventide
ataúd, coffin
atender, to see to
Ateneo, Athenaeum, College
atento, attentive
atenuar, to lessen
aterido, numb, stiff
atesorar, to hoard
atinar, to hit a mark
atisbar, to catch sight of
atónito, astonished
atontado, stupified, stupid
atosigar (a), to harass (with)
atracar, to berth
atraer, to draw to
atragantarse, to choke up
atrapar, to grab
atrás, behind; **de —,** behind
atrasado, belated
atravesar, to go through
atreverse, to dare
atril, music-stand
atroz, atrocious
aula, classroom
aupar, to raise; **¡aupa!** up,

come on!
auscultar, to auscultate
ausencia, absence
ausente, absent(-minded)
autocar, coach
autocrítico, self-critical
autómata (*m.*), automaton
avanzar, to advance
avellana, hazel-nut
aventura, adventure
avergonzado, ashamed
averiado, broken down
averiarse, to break down
averiguar, to ascertain
aviador, airman
ávido, eager
avión, airplane
avisar, to inform
aviso, warning
ayuda, aid
ayudar, to help
Ayuntamiento, Town Hall
azadón, hoe, spade
azar: al —, by chance
azotaina, spanking
azotar, to beat
azote, whip, lash, slap

babor, port (side)
bachoki, Basque Nationalist Centre
badana, tanned sheepskin
bailadora, female flamenco dancer
bajar, to go, put *or* bring down, get off, get out of
bala, bullet
balancear(se), to swing, balance

265

balazo, shot
balbucear, to stutter
baldosa, flag-stone, tile
balón, (foot)ball
banco, bench
banda, band
bandada, flock
bandeja, tray
bandera, flag
banderín, pennant
bando, faction
bañarse, to take a bath, bathe
baño, bath
baracaldés, (person) from Baracaldo
barandilla, bannister
barba, beard; **salir la —,** to be shaving, become a man
barbería, barber's
barbilla, chin
barco, boat; **— de guerra,** warship; **en —,** on a boat
barquillo, wafer
barra, bar
barrabasada, mischief, bold action
barrera, barrier
barrio, district
barullo, flurry
bastar, to suffice; **—se,** to have enough
bastón, cane
bata, overall
batalla, battle
batir palmas, to clap hands
batuta, baton
bayeta, flannel
bayoneta, bayonet
beber, to drink; **—se,** to drink

down
belga, Belgian
Bélgica, Belgium
bello, beautiful
besar, to kiss
beso, kiss
bestia, beast
betún, polish
biblioteca, library
bici, bike
bicho, insect: **— raro,** "queer fish"
bien, welfare, well, all right, comfortable; **— del todo,** properly; **estar —,** to fit; **o —,** either, or; **lo — que,** how well
bienestar, wellbeing
bienvenida, welcome; **dar la —,** to welcome
bienvenido, welcome
bigote, moustache
bilbainada, song of Bilbao
bilbaíno, of Bilbao
blanco, white, target; **en —,** blank
blandir, to brandish, wave
bobada, stupidity
boca, mouth; **— abajo,** face downwards
bocadillo, sandwich
bocado, mouthful, bite
bocanada, puff, blast
bocina, car horn
bocinazo, blast of a horn
bocho, *see note to p. 183*
boda, wedding
bofetada, slap
boina, beret

bola, ball
bolo, skittle, ninepin
bolso, (hand)bag
bomba, bomb, pump; **tirar de la —,** to flush
bombachos, plus-fours
bombardear, to bomb, bombard
bombardeo, bombardment, bombing
bombilla, bulb
bombón, chocolate, sweet
bonachón, kind-hearted
bondad, goodness
borbotón, gush
borda, side of a ship
bordado, embroidered, piece of embroidery
bordar, to embroider
borde, side, edge
bordear, to go along the bank, border
bordo: a —, on board
borracho, drunk
borroso, blurred
bosque, wood
bostezar, to yawn
bota, boot
botadura, launching
botar, to bounce, rebound
bote, boat, tin
botella, bottle
botellín, small bottle
botón, button
brazo, arm; **del —,** arm in arm
brea, pitch
breve, brief, small
brida, reins, bridle
brillante, shiney

brillar, to shine
brillo, shine
brincar, to leap
brisa, breeze
bromista (*m. f.*), joker
bronca, quarrel
brotar, to spring out
bruma(s), haze
brusco, abrupt
Bruselas, Brussels
bucólico, bucollic
buenecito, good little
bueno, good, well; **— con,** kind to
buey, ox
bufanda, scarf
bulto, bundle; **hacer —,** to bulge
buril, burin, chisel
burla, mockery
burlarse, to make fun
burlón, mocking
buscar, to seek; **venir a —,** to come for
busca, search

caballero, gentleman
cabaña, cabin
cabello(s), hair
caber duda, to be doubtful
cabezazo, header
cabezudo, large-headed pasteboard figure
cabo, end; **al — del tiempo,** after a time
cacahuete, peanut
cacerola, saucepan
cacharros, pots and pans
cachava, sheep-hook

cacho, bit

cada, each, every; — cual, each one

cadáver, corpse

caer(se), to fall (off), falling; — bien (a), to be liked (by)

café, coffee, café

calabaza, pumpkin

calabozo, cell

calado, soaked

calambrazo, fit of cramp, spasm

calavera, skull

calcetín, sock

caldera, boiler

calderilla, small change

calefacción, heating

calentar, to heat

calentito, nice and warm

cálido, warm

calmarse, to calm down

calmoso, calm

calor, heat

calvo, bald

calzada, road, avenue

callado, silent

callar, to be silent, remain silent

camarada (m. f.), comrade

cambalache, barter-deal

cambiar (de), to change, swap, exchange

cambio(s), change; en —, on the other hand; hacer —, to change

camilla, stretcher

caminar, to walk, go

caminata, long hike

camino, road, way, path;

— de, towards

camión, lorry

camisa, shirt

camiseta, jersey

campana, bell

campanilla, bell

campante: tan —, quite self-complacent

campeón, champion

campo, field, pitch, court

camposanto, graveyard

can, dog

canalito, little canal

canción, song

canela, cinnamon

cangrejo, crawfish, crab

canica, marble

cansancio, tiredness

cantábrico, Cantabrian

cántaros: llover a —, to rain cats and dogs

cantera, quarry, talent,

cantor, singing, "school"

caña, rod

cañón, cannon, barrel

caoba, mahogany

capataz, foreman

capaz, capable

capitán, captain

cápsula, shell

captar, to capture, catch

cara, face; de — a, facing; tener — de, to appear to be

caracol, snail

caracola, large shell

caramelo, toffee

carbonilla, cinder(s)

carburo, carbide

carcajada, burst of laughter

carga, loading
cargado, loaded, filled
carilla, side
cariño, affection
Carmen, (feast of) our Lady of Mount Carmel
carne (f.), flesh; en — viva, raw
carramarro, crab
carrera, race
carrerilla, little run; coger —, to take a run
carretera, road
carro, cart, the Plough
carruaje, carriage
carta, letter
cartearse, to hold a correspondence
cartera, brief-case, satchel
cartón, cardboard
cartoncito, little card
cartuchera, cartridge pouch
casco, shell, helmet, hoof
caso, fact; hacer —, to pay attention
castaña, chestnut
castaño, brown, chestnut-tree
castigar, to punish
castigo, punishment
castellano, Spanish
catalán, Catalan
catarro, head-cold
cautivar, to captivate
cauto, cautious
cavilar, to brood
caviloso, brooding
cebo, bait
cebolla, onion; papel —, onionskin paper

ceder, to yield, give; — paso, to give way
cegar, to blind
cegato, short-sighted
ceja, eyebrow
celador, tallyman, warden
celebrar, to hold, celebrate
cementerio, cemetery
cenicero, ash-tray
ceniza, ash
centro, centre; medio —, centre half
ceñir, to girdle, bind
cepillo, brush
cera, wax
cerebro, brain
cereza, cherry
cerezo, cherry-tree
cerilla, match
certeza, certainty
cervecería, beer-parlour or stall
cerveza, beer
cesar, to cease
césped, lawn
cesta, basket
cíclopeo, Cyclopean
ciego, blind
cielo, sky, heaven
ciencia, science; a — cierta, definitely
ciento, (a) hundred
cierto, (a) certain, true
cigarrillo, cigarette
cima, crest, top
cinc, zinc
cincel, chisel
cincuentón, fifty-year old
cine, cinema

cinta, tape, ribbon, string
cinturón, belt
ciprés, cypres
ciruelo, plum-tree
cita, appointment, rendezvous
citar, to quote, call
ciudad, city
clarear, to become bright
claridad, clarity
claro, of course, clear
clase, class, classroom, type
clavar, to fix
clave, key
claxon, hooter
coaccionado, under duress,
  constrained
cobarde, coward
cobardía (act of) cowardice
cobrar, to take on
cocinera, cook
coche, car
cochero, driver
cochino, pig
codo, elbow; dar con el —,
  to nudge; — con —,
  shoulder to shoulder
coger, to catch, take, pick
cohete, rocket
cojear, to limp
cohibido, inhibited
cojo, lame (person)
cola, queue; hacer —, to
  queue
cólico, colic, stomach-ache
coleccionar, to collect
colegio, college, school
coletazo, blow of a tail
coletilla, addition, P.S.
colgado, hanging

colgar, to hang (out); colgante,
  suspension
colocar, to place
colonia, colony, camp, eau de
  Cologne
color, colour
columna, column
columpio, swing, seesaw
combatir, to fight
combatividad, spirit of
  combat
comedor, dining-room,
  refectory
comentar, to remark,
  comment (on)
comentario, comment
comenzar, to start
comer, to eat, lunch
comestible, food
cometer, to commit
comida, food
comienzo(s), beginning
comisaría, police-station
como, how, as, as if, as it
  were, pardon?; (with
  subjunctive) if
cómodo, comfortable, easy
compañerismo, comradeship
compañero, companion,
  partner
compañía, company
compartir, to share
compás, time (in music),
  compass
compasivo, compassionate
comparar, to compare
compatriota (m. f.), fellow-
  countryman
compenetrarse, to harmonize

complacer, to please
completo, complete; **por —,**
completely
complicado, complicated
complicar, to complicate
cómplice, accomplice
complicidad, complicity
comportarse, to behave
compra, purchase; **de —s,**
shopping
comprensivo, understanding
comprobar, to notice, find
común, common
con, with, in
conato, attempt
conceder, to grant, give
concernir, to concern
conciencia: a —, conscien-
tiously; **tener —,** to be
conscious
concierto, concert
conciliar el sueño, to get to
sleep
concluir, to conclude
concordar, to agree
concretar, to combine
concurrido, busy, thronged
conde, count
condiscípulo, fellow-pupil
conducir, to lead
conducta, conduct, behaviour
conductor, driver
confiar, to confide (in)
confidencia, confidencial chat
confitura, jam
conforme, according as,
agreed
conformarse, to agree
confrontar, to confront,

compare
confundir, to confuse
confuso, confused
congregarse, to congregate
cónico, conic, tapering
conocedor, knower, someone
who knows
conocido, well known
conocimiento, knowledge
consciente, conscious
conseguir, to obtain, manage
conservar, to preserve, keep
consigo, with one
consolar, to console
construir, to build
consuelo, consolation
consultar, to consult
contagiar, to infect, affect
contar, to tell, count; **— con,**
to take into account
contemplar, to look at
contener, to contain, hold,
repress
contento, content, happy
contorsionar, to contort
contra, against; **en —,** against
one
contrabandista (*m.*), smuggler
contradecir, to contradict
contrafuerte, shoe-stiffener,
heel-stiffener
contrario, opposing, **al** *or*
por el —, on the contrary
convenir, to be suitable
convertirse, to become
convivir, to live together
convivencia, living together
convulso, convulsed
copa, goblet, drinking-glass;

sombrero de —, top hat
copiar, to copy
copo, flake
cordial, cordial, sincere
cordón, lace
corear, to sing a chorus
coro, choir, chorus
corona, crown, wreath
coronilla, top of the head
correr, to run, go fast,
    circulate; **corriendo,** fast
corresponder, to respond, fall
    to one by lot
corro, circle (of people)
cortada, *see note to p. 183*
cortar, to cut, cut short
cortés, courteous
cortesía, good manners,
    respect
corteza, bark
cortina, curtain
corto, short
cosa, thing, business; **— de,**
    about
coser, to sew
costa, coast
costar, to cost, take (an effort)
costumbre (*f.*), custom;
    de —, as usual
costura, sewing
crear, to create; **—se,** to be
crecer, to grow, increase
creciente, growing
cremallera, zip-fastener
criatura, creature
crío, young child, baby
crispación, tautness
Cristo, (statue of) Christ; **— de
    la Agonía,** Christ in agony

cristal, (pane of) glass, lens
criticar, to criticize
crítico, critical
croar, to croak
cromo, picture, picture-card
cruz, cross; **— gamada,**
    swastika
cruzar, to cross; **— por,** to
    pass through; **— con,** to pass
cuaderno, exercise-book
cuadernito, little pack
cuadrado, square
cuadro, picture
cuajado, congealed, caked
cualquier(a), some, any, who?,
    anyone
cuando, when; **de — en —,**
    now and then
cuanto, how much, anything;
    —más, the more; **todos —s,**
    everyone who; **en —,** as
    soon as; **en — a,** as regards;
    unos —s, a few; **— antes,** as
    soon as possible
cuarto, quarter, room
cubierta, deck
cuchara, spoon
cucharita, spoon, teaspoon
cuello, collar, neck
cuenta, account; **darse —,** to
    realize; **a fin de —,** when all
    is said and done; **arreglar
    — (a),** to settle accounts
    (with); **caer en la —,** to
    realize
cuentagotas, dropper
cuento, story
cuero, leather
cuerpo, body

272

cuerda, cord; **dar —,** to wind
cuesta, hill; **en —,** sloping;
— **arriba,** uphill (*work*)
cuidado, care; **con —,**
carefully; **tener —,** to take
care
cuidadoso (de), careful
(about)
cuidar (de), to take care of,
mind
culpa, fault; **por —,** through
the fault
culpable, guilty
culto (a), cult (of), ceremony
(surrounding); cultured
cumpleaños, birthday
cumplir, to reach (*age*), fulfil
cuneta, roadside drain
cura (*m.*), (parish) priest
curiosear, to peep
cursi, vulgar, pretentious
curso, course, school year,
class
curva, curve, bend
chacolí, chacolí (*a light red
wine*)
chaleco, waistcoat
chapa, metal bottle-top, plate,
tally, line on a pelota-court
chapista, metal plate-worker,
"tallyman"
chapotear, to splash
chapurrear, to jabber
chapuza, bungler
chaqueta, jacket
chaquetilla, jacket, blazer
charco, puddle
charla, chat
charlar, to chat

Charlot, Charlie Chaplin
charol, patent leather
chasquido, lashing, crack
chato, short and flat
chaval, lad
chicharro, caranx (*fish*)
chillar, to scream, screech
chillido, screech
chimenea, chimney, open fire,
funnel
chiquitear, to go on a pub-
crawl
chirriar, to grate
chirrido, grating sound
chiste, joke
chistu, chistu, fipple-flute
chistulari, chistu-player
chivarse, to tell tales
chocar, to collide
chófer, driver
chori, bow (*Biscay pop.*)
chorro, flood, stream
chotis, schottische (*a polka-like
dance*)
chufa, chufa, earth-nut
churro, churro, fritter

dama, lady; (*pl.*) draughts
danza, dance
daño, harm
dar, to give, produce, teach,
put; — **un paso,** to take a
step; — **a,** to look on to,
open on to; — **por,** to
consider
debajo, underneath; — **de,**
under
deber, to owe, must, ought;
duty, exercise

debido, proper

débil, weak

debilidad, weakness

decepción, disappointment

decepcionado, disappointed

decidir, to decide; **—se,** to make up one's mind

decidido, decided; **cosa decidida,** agreed

décimo, tenth

decir, to say, call

dedo, finger, toe; **al dedillo,** perfectly; (*pl.*) finger-exercises

dedicar, to devote

deducir, to deduce, conclude

defenderse, to get by

defensa (*m.*), defender

defensivo, defensive

definir, to define

dejada, *see note to p. 183*

dejar, to leave (alone), let, lend, show up, stop, neglect; **— ver,** to show

delante, ahead, in front; **de —,** front

delantero, forward

delgado, thin

delineante, draftsman

delinear, to outline

delirar, to rave

demás, rest, other(s)

demostrar, to show

dentro: por —, inside, within, in

denso, dense

departamento, compartment

dependencia, outbuilding, office

dependiente, shop-assistant

depositar, to deposit, rest, leave

deprimir, to depress

derecho, straight, right

derramar(se), to scatter, spill, spread

derretir, to melt

derrota, defeat

derrotismo, defeatism

derrumbar(se), to crumble

desafiador, defiant

desagradecido, ungrateful person

desaliento, dismay

desamparo, helplessness

desamparado, helpless

desapacible, rough

desaparecer, to disappear

desaprobación, disapproval

desarbolar, to unmast, fell trees, upset

desarrollarse, to develop

desasirse, to break away

desasimiento, detachment

desasosegarse, to become restless

desayunar, to have breakfast

desayuno, breakfast

desbandada, stampede

descalzarse, to remove one's shoes *or* socks

descalzo, bare(foot)

descansar, to rest

descanso, rest

descarado, barefaced

descarga, unloading

descender, to descend

desconcierto, discomposure,

disagreement
desconfianza, mistrust
desconocido, unknown
desconsolado, disconsolate
descontado: dar por —, to
take for granted
descubrimiento, discovery
descubrir, to discover
desde, since, from, from . . .
on; **— hacía,** for . . .
previously; **— luego,**
certainly; **— el momento
en que,** for
desear, to desire
desechar, to dismiss
desembocar, to come (into)
desenvoltura, self-assurance
desenvolver, to unwrap
deseo, desire
desértico, desert-like
desesperado, desperate
desfigurado, deformed
desfilar, to parade
desfile, parade
desgana, reluctance
desgañitarse, to shriek
desgastado, worn out
desgracia, mischance
deshacer, to break; **—se,** to
disintegrate
deshilacharse, to fray, ravel
deshilvanado, disconnected
desierto, deserted
designar, to appoint
desleal, disloyal
deslizarse, to slip
deslumbrar, to dazzle
desmayado, faint
desmayarse, to faint

desmoronar, to crumble
desnudarse, to undress
desnudo, naked
desocupado, unoccupied
despabilado, lively
despacioso, slow
despacho, office
desparramarse, to spread
despectivo, derrogatory
despedida, parting, farewell
despedir, to dismiss; **—se,** to
leave one another, say
goodbye
despegado, distant, harsh
despegar, to unseal, open
despeinar, to tousle one's hair
despejar, to clear
despensa, larder
desperezarse, to stretch one's
limbs
despido, dismissal
despierto, awake
despojar, to despoil, strip
despotricar, to rant
desprender, to give off
destartalado, ramshackle
destello, gleam
destemplanza, disorder
desván, attic
desvanecerse, to vanish
desvelar, to keep awake
desvestirse, to undress
detalle, detail
detectar, to detect
detener(se), to stop, rest
detenidamente, slowly
detrás (de), behind
devolver, to send back, return
dibujo, drawing

dicha, happiness
dicharachero, slangy
dichoso, happy, fortunate
diente, tooth; **entre —s,** in a whisper
diestro, right
difunto, deceased
digerir, to digest
diluido, diluted
diluvio, deluge
diminuto, tiny
Dios, God; **por —,** for God's sake
diosecillo, little god
dirección, director and administration
director, head(master), director; **señor —,** Sir
directora, headmistress, directress
dirigir, to direct, conduct, cast, address; **—se,** to address, go towards
disco, record
discreto, discreet
discurso, speech
discutir, to argue
diseminado, disseminated
disgusto, upset, grief; **dar un —,** to upset, annoy; **llevar un —,** to be upset
disimular, to hide, disguise
disminuir, to diminish
disponer(se), to prepare, ordain; **— de,** to have
disposición, disposal
disputa, argument
distanciado, apart
distendido, relaxed, swollen

distinto, different
diversión, amusement
diverso, different; (*pl.*) various
divisar, to distinguish, make out
do, C (*in music*)
doblar, to turn, bend, fold, tie
docena, dozen
doler, to hurt
dolor, pain, sorrow
dolorido, sorrowful
domingo: vestido de —, in one's Sunday best
don, Mr.; gift
donde, where; **— sea,** anywhere
doña, Mrs.
dorado, golden, gilt
dormido, asleep
dormir, to sleep; **—se,** to go to sleep
dormitorio, dormitory, bedroom
dorsal, back
dos: de — en —, two by two
ducharse, to take a shower
duda, doubt; **sin —,** doubtless; **no cabe —,** there's no doubt
dudar, to doubt, hesitate
dueña, owner
duna, dune
duque, duke
durar, to last
duro, 5 pesetas

ea, well, come on
eco, echo
echar, to throw (out), begin, pour (in), have, pull; **— a**

perder, ruin; **— la llave,** lock; **— de menos,** miss

edad, age; **de —,** elderly; **de cierta —,** rather old

edificio, building

educado, mannered

eje, axle

ejecución, execution

ejercer, to exercise

elegir, to select

elevarse, to stand

elogio, praise

embajador, ambassador

emborronado, splotchy

embustero, liar, trickster

emitir, to emit

emocionado, excited

emocionar, to excite, move

empapelar, to paper

empaque, solemnity

empaquetar, to parcel

empellón, push; **a —es,** by pushing

empeñarse, to insist

empinado, steep

empollón, swat

emprender, to start on

empresa, company

empujar, to push

empujón, shove

empuñar, to seize

enarcar, to knit (*one's brow*)

encallecido, callous

encaminarse, to go

encantar, to delight

encanto, charm

encararse con, to face

encargarse, to be in charge, take charge

encariñarse con, to become fond of

encarnar, to incarnate

encarnación, incarnation

encartado, (person) from the Charter-lands (*see note to p. 44*)

encasquillarse, to get jammed (*as a gun*)

encender(se), to light

encerado, blackboard

encerrar, to lock in, enclose

encima: por —, on top, above, on

encomendar, to entrust

encontradizo: hacerse el —, to pretend to meet by chance

encontrar, to find, meet; **—se,** to feel, be

encrucijada, crossing

encuentro, meeting; **a su —,** to meet one

encharcado, in puddles

enfermera, nurse

enfermería, infirmary

enfrentar, to bring face to face; **—se,** to face

enfrente, facing (one)

enfundado, encased

enfurecer, to infuriate; **—se,** to become furious

enfurruñarse, to scowl, be depressed

engañar, to deceive

englobar, to embody

enguantado, gloved

enhiesto, upright

enjabonar, to soap

enladrillado, bricked in

enloquecer, to madden
enmohecido, rusty
enorgullecer, to make proud
enorme, enormous
enraizado, deeply rooted
enredar(se), to catch
enrollar, to roll (up)
ensanchar, to widen
ensangrentar, to cover in blood
ensayar, to rehearse
ensordecedor, deafening
entarimado, stage
entero, entire
entender, to understand;
 — de, to know about; **—se,** to agree, understand one another
enterado, (well-)informed
enterar, to inform; **—se,** to find out
enternecerse, to be moved *or* affected
enterrar, to bury
entierro, burial, funeral
entornar, to half-close, shut
entrada, entrance, ticket;
 puerta de —, front door
entrañable, intimate, dearly loved
entrañabilidad, intimacy, deep feeling
entre: por —, between, among, in
entregar, to hand over, give
entristecer, to sadden; **—se,** to become sad
entumecido, numb, cramped
envase, container

envidia, envy
envolver, to envelop
envuelto, wrapped
equilibrio, balance
equipaje, luggage
equipo, team, kit
equivocarse (en), to go wrong (in)
erguido, erect
erizo, hedgehog, prickly husk, coarse person
esbozar, to outline, trace
escalera, stairs
escalinata, steps
escaparate, shop-window
escalón, step
escamar, to make suspicious
escampar, to clear up
escepticismo, scepticism
esclavo, slave
escoger, to choose
escolar, school-child, school
escollo, stumbling block
escombro, débris
esconder, to hide
escondidas: a —, in secret
escondido, hidden
escopeta, shotgun
escopetear, to fire repeatedly (on)
escocés, Scottish
escritor, writer
escritura, writing
escrutar, to scrutinize
escuchimizado, thin and weak
escudar, to shield
escudo, shield, coat-of-arms
escueto, uninvolved

esculpido, sculptured
esculpir, to sculpture
escultura, sculpture
esforzarse (en), to make an effort
esfuerzo, effort
ese, S
eso de, about
espacio, space, room
espacioso, spacious
espalda, back; **de —s,** with one's back to. someone; **dar la —,** to turn one's back
espaldarazo, slap on the back, recognition
espantar, to frighten
esparadrapo, sticking-plaster
especie, kind
espectador, spectator
espejo, mirror
espera, wait; **sala de —,** waiting room; **a la —,** waiting
esperanza, hope
esperanzado, hopeful
esperar, to expect, wait (for)
espeso, thick
espina, bone; **— dorsal,** backbone
espontáneo, spontaneous
esposa, wife
espuma, foam, froth
esqueleto, frame
esquina, street-corner
estallar, to break out, explode
estanco, cigarette shop
estantería, shelf
estatua, statue
estatura, stature

estela, wake
estilográfica, fountain pen
estimación, esteem;
— propia, self-esteem
estirado, stiff, prim
estirar(se), to stretch, tighten
estómago, stomach
estorbar, to obstruct
estraza: papel de —, brown paper
estrechar la mano, to shake hands
estrecho, narrow, close
estrella, star; **— de mar,** starfish
estrenar, to wear for the first time
estribor, starboard
estrujar, to wring
estuche, case, box
estudiantil, of students
eternidad, eternity
eucalipto, eucalyptus tree
eufórico, euphoric
Euzkadi, the Basque Country (*see Introduction*)
evacuar, to evacuate
evitar, to avoid
evocar, to evoke
exacto, accurate
exaltar, to exalt, excite
excederse, to go too far
exhalar, to exhale
exiliado, exile
exilio, exile
éxodo, exodus
expectante, expectant, anxious
experimentar, to experience,

feel
explicar, to explain, teach
explotar, to exploit
exposición, exhibition
extender, to reach out; **—se,**
  to spread
extenuado, worn out
extranjero, foreign,
  foreigner; **al —,** abroad
extrañado, surprised
extrañarse, to be surprised
extraño, strange
extraviado, lost
extremo, extreme, outside

fábrica, factory
fabril, manufacturing
fachada, façade, front
falta, mistake; **hacer — a uno,**
  to need
faltar, to lack, be left (*time*)
fallar, to fail, miss
fanfarrón, boastful, bully
fango, mud
faro, light
farol, (street-)lamp
fatalidad, fatality, ill-fortune
fe, faith
fecha, date; **por aquellas —,**
  during that time
felicidades, congratulations,
  best wishes
felicitación, congratulations,
  greetings
felino, feline, cat
feliz, happy
féo, ugly
férreo, iron-like, stern
ferrocarril, railway

festín, banquet
festivo, holiday, feast-
fiar (de), to trust
ficha, form, card; **llevar
  una —,** to keep an index
  card
fiel, faithful
fidelidad, fidelity
fiesta, festival, holiday; **aguar
  la —,** to spoil the fun
figura, figure, statue
figurarse, to imagine
fijador, fixer, hair-cream
fijarse (en), to imagine, notice,
  take note of
fijeza, steadiness
fijo, fixed
fila, file, line; **— india,** single
  file
filtrarse, to filter through
fin, end; **a — de,** in order to;
  por —, at last; **al —,** finally;
  en —, in short; **al — y al
  cabo,** after all
fino, slim, refined
final, end
firma, signature
firmar, to sign
firme, firm; **tierra —,** *terra
  firma;* **de —,** hard
firmeza, firmness
física, physics
físico, physical
flamenco, Flemish
flecha, arrow
flequillo, fringe; **a —,** in a
  fringe
flojear, to be weak
flor (*f.*), flower

florido, in flower
flotar, to float
flote: salir a —, to see one
  through
fogón, stove
fondo, back, bottom, trace,
  nature, behind; **en el —,**
  deep down
fonógrafo, phonograph
forastero, stranger
forma, shape, way; **no hay —,**
  it is impossible
formar, to form
fornido, hefty
fortaleza, fortress
forzoso, forced
foto (*f.*), photo
fotografía, photograph
fotografiar, to take
  photographs
frac, evening dress, tail-coat
fraguar, to hatch, plot
frambuesa, raspberry
francés, French
Francia, France
franco, franc
frase, sentence
fregar, to scrub, wash
frente (*m.*), front
frente (*f.*), forehead
frente (de), straight; **— a,** in
  front of; **en —,** in front
fresa, strawberry
fresco, cool, fresh
frondoso, leafy
frontera, frontier
frontón, (wall of) pelota court
frotar, to rub
fruición, enjoyment

fruncir, to curl
fruta, fruit
fuego, fire
fuente, sink
fuera, outside, abroad, away;
  allá —, over *or* out there
fuero, fuero, law granting
  local privileges
fuerte, strong, hard, loud
fuerza, force
fugaz, fugacious
fumar (en), to smoke; to miss
  (*a class*)
funcionar, to function, work
funcionario, employee,
  official
furgón, luggage-van
furgoneta, light truck
furia, fury, rage
furor, fury
fusil, rifle
fútbol, football
futbolista (*m.*), footballer

gabardina, rain-coat
gabarra, barge
gafas, glasses
galería, gallery
galga, (key *or* handle for)
  winding
galleta, biscuit
gamada: cruz —, swastika
gana(s), desire; **tener —,** to
  feel like; **de mala —,**
  reluctantly; **darse la — de,**
  to like
gandul, idler
garganta, throat
Gargantúa, Gargantua, giant

gasolina, petrol
gasolinera, motor-boat
gato, cat
gaviota, seagull
gemelo, cuff-link
genio, temper
gente (*f.*), people
gentil, genteel
gentío, throng
gesto, sign, gesture; **tener —,** to make a sign
gigante, giant
gigantesco, gigantic
gili, fool
gimnasia, P.E.
gimnástico, gymnastic
girar, to revolve, turn
glorieta, small square, traffic-island
gol, goal
golosina, sweet
goloso, sweet-toothed
golpe, blow, pat; **de —,** with a bang
golpear, to beat, hit
goma, rubber, gum
gordo, fat; **hacer la vista gorda,** to turn a blind eye; **(premio) —,** first prize
gorra, cap
gorro, cap
gota, drop; **gotita,** trace
gotear, to drip
gozar, to enjoy
gozo, joy
gozoso, glad, happy
grabado, engraving, print, picture
gracia, fun, grace; **hacer —,** to seem funny
gracioso, gracious, funny
grado, degree
graduar, to test (*eyes*)
grajea, tablet
grandeza, greatness
grandullón, big fellow
grato, graceful, pleasing
gravar, to carve
grave, grave, serious
grifo, tap
grillo, cricket
gris, grey
grito, shout; **a gritos,** shouting
griterío, shout
grúa, crane
grueso, stout
grumete, cabin-boy
guante, glove
guapo, good-looking
guardar, to keep, put away, mind
guasa, jest; **con —,** in jest, satirically
Gúdula, Gudule (*name*)
guerra, war; **en pie de —,** on a war footing
guijarro, pebble
Guillermo, William
guiñar un ojo, to wink
guiño, wink; **hacer —s,** to wink
guirigay, hubbub
gusano, worm
gusto, pleasure, taste; **dar —,** to be pleasant; **a —,** happy, at ease

habitación, (bed-)room

habitado, imbued; inhabited
habitante, inhabitant
habla (*f.*), speech
hacer, to do, make, act;—**de,**
to act as; —**se,** to become
(accustomed), seem, be;
—**se el,** to pretend to be;
—**se con,** to get; —**se a la**
mar, to set sail
hacia, towards, to, for
hacía, previously
halagado, flattered
halagüeño, flattering
hallar, to find; —**se,** be
hambre (*f.*), hunger; **pasar —,**
to go hungry
hartarse, to fill oneself
hasta, even, until, to; — **luego,**
cheerio
hebilla, buckle
hechizado, bewitched
hecho, fact, done, made; **ya —,**
ready-made
helado, ice-cream
helar, to freeze
helecho, fern
hélice, propeller
herida, wound
herido, wounded man
hermano, brother; (*pl.*)
brothers and sisters
hermoso, beautiful
héroe, hero
heroicidad, heroic act
hierba, grass
hierro, iron
higuera, fig-tree
hilera, row
hilillo, thin thread

hilo, thread
hilobala, hemp thread
himno, hymn, song
hinchado, swollen
hinchazón, swelling
hipar, to hiccup
hipnotizado, hypnotized
hipo, hiccup
historia, history, story
historial, story
histórico, historic
hizo, *pret. of* **hacer**
hoja, leaf
hola, hello
hogar, home
hoguera, bonfire
hojear, to leaf through (*a book*)
hombro, shoulder
homenaje, homage
hondo, deep
honor, honour
hora(s), hour, time, moment;
a primera —, early
horario, time(-table)
horizonte, horizon
hormiga, ant
hormigueo, twitch
horno, oven; **al —,** baked;
alto —, blast-furnace,
foundry
horquilla, fork; bunch
horrorizar, to horrify
hubiera, *imperf. subj. of* **haber**
hucha, piggy-bank
hueco, hole, space, hollow
huella, trace, print
huérfano, orphan
huerta, kitchen-garden
huerto, orchard

hueso, bone
huesudo, bony
huevo, egg
huida, flight
huidiza, furtive
huir, to flee
humanidades, humanities, arts
humedecerse, to become moist
húmedo, damp, tearful
humildad, humility
humilde, humble, poor
humillar, to humiliate
humo, smoke
humor, (sense of) humour
hundir(se), to sink
hurtadillas: a —, secretly
husmear, to sniff, peer

ida, single journey; **— y vuelta,** return
identidad, identity
idioma (*m.*), language
ignorar, not to know
igual, equal, the same; **de — a —,** as an equal
ilusión, illusion, dream
imagen, image
imitativo, for imitation
impacientarse, to lose one's patience
impedir, to hinder
imperdible, safety-pin
imperioso, powerful
impertinencia, impertinence
implacable, implacable, relentless
imponente, impressive

imponer, to impose
importar, to matter
impresión, impression, opinion
impresionante, impressive
impresionar, to impress, move, daunt
impreso, (im)printed
imprimir, to imprint
inacabable, endless
incansable, tireless
incendiarse, to burn
incidencia, incident
inclinado, bent
inclinar, to bow
incluir, to include
incluso, even, including
incómodo, uncomfortable
inconfundible, unmistakeable
inconsciente, unconscious
incorporarse, to sit up, form part
increíble, incredible
indagar, to inquire
indecible, inexpressible
índice, index
indignar, to make indignant; **—se,** to become indignant
inefable, ineffable, inexpressable
inesperado, unexpected
infalible, infallible, invariable
infantil, child's
infundir, to infuse, fill
ingeniero, engineer
inhóspito, inhospitable
iniciar(se), to begin
injusto, unjust
inmerso, immersed

284

inmóvil, immobile
inmovilidad, immobility
inofensivo, inoffensive
inolvidable, unforgettable
inquietud, restlessness
insensible, imperceptible,
  insensitive
insistir, to insist
insoportable, unbearable
inspeccionar, to inspect
intemperie, open air, harsh
  weather
intenso, intensive
intentar, to try
intercambiar, to exchange
interesar, to interest, be liked
interior, internal, underwear;
  (*pop.*) vest
interponerse, to intervene
intervenir, to take part,
  intervene
intrigado, intrigued
introducirse, to get into
intuir, to feel
inundar, to flood
inútil, useless
invadir, to invade
inventario, inventory
invicto, unvanquished
invierno, winter
invitado, guest
inyección, injection
ir, to go, be, begin; **—se,** to go
  away; *with gerund,* to do
  something gradually; **¿va?,**
  O.K.?
ira, anger
irradiar, to radiate
irritado, irritated, ruffled

irritarse, to become irritated
isla, island
izquierdo, left

jabalina, javelin
jabón, soap
jadeante, puffing
jadear, to pant
jamás, ever
jamón, ham; **— de York,**
  cooked ham
jara, cistus, rock-rose
jarabe, "bottle" (of medicine)
jaro, small oak, thicket
jaula, cage
jefe, chief, leader; **— de
  estación,** station master
jilguero, goldfinch
jornada, day, day's work
jota, jig
joyería, jeweller's shop
júbilo, glee, joy
judío, Jew
juez, judge
jugador, player
jugar (a), to play, gamble on
juguete, toy
jugoso, fall of juice
juntar, to join
junto a, beside; (*pl.*) together
justo, just, exactly, minimum
juzgado, law-court
juzgar, to judge

katiuska, high (boot)
kiosco, kiosque, stand

labia, palaver
labio, lip

labor (*f.*), task
ladera, side, slope
lado, side, part; **del otro —,**
on the other side
ladrar, to bark, howl
ladrillo, brick
ladrón, thief
lagartija, newt
lamentar, to be sorry for;
—se, to complain
lámpara, lamp
lana, wool; **perro de —s,**
poodle
lanza, lance
lanzar, to cast, throw, launch
lápida, head-stone
lápiz, pencil; **a —,** in pencil
largo, long; **a lo — de,**
throughout
lasitud, lassitude, weariness
lástima (de), pity (for)
lastimar, to hurt
latido, beat
latir, to throb
lavabo, toilet
lavadero, washing-place
lavandería, laundry
lavar(se), to wash
lazo, bow
leal, loyal, faithful
lealtad, loyalty
lección, lesson
lectura, reading
leche, milk; **café con —,**
white coffee
lecho, bed
lejanía, distance
lejano, distant
lejos, far; **a lo —,** in the
distance
lentitud, slowness
lento, slow
leña, firewood; blow; **dar —,**
to hit
león, lion
leproso, leper
letra, letter, writing, words of
a song
letrero, notice
levantar, to raise; **—se,** to get
up
leve, light, slight
levita, morning-coat
liar, to roll, tie
libertad, freedom
libre, free; **aire —,** open air
librería, book-shop
librito, pack
licenciado, graduate
ligero, light, slight
limonada, lemonade
limpiabotas, boot-black
limpiar, to clean
limpio, clean
lince, lynx, sharp-sighted
person
lindar con, to be next to
línea, line
linterna, flash-lamp
lío, muddle; **armar —,** to
cause confusion
liso, flat
lista, list, strip, stripe
listín, directory
listo, clever, ready, lost (*ironic*)
lobo, wolf
localizar, to locate
loco, mad

lomo, back; **a —s de,** astride
lona, canvas
losa, slab, grave-stone
lotería, lottery(-tickets)
lúcido, lucid
luchar, to fight
luego, then, later
lugar, place
lugareño, villager, local
luminoso, bright
lustroso, shiny
luto, mourning
luz, light

llamar, to call; **—se,** to be
  called; **— a la aldaba,** to
  knock
llano, flat
llanto, cry, weeping
llave, key; **echar la —,**
  cerrar con —, to lock
llegada, arrival
llegar, to arrive, begin,
  manage
llenar, to fill (up)
llevar, to carry, wear, keep,
  move, take, to have been;
  —se, to take (away), get on
lloriqueo, whimpering

macabro, macabre
machacar, to swat at
madera, wood
madrastra, step-mother
madrileño, (person) from
  Madrid
madrugada, daybreak,
  morning; **de—,** at daybreak
maestro, primary teacher;

señor —, Sir
mágico, magic
magnífico, magnificent
maja, "old girl"
mal, bad, badly, ill, wrong
maldecir, to curse
maldito, cursed
maleducado, bad-mannered
malestar, uneasiness
maleta, suitcase
maletín, little bag
malévolo, malevolent
malhumor, bad humour
malhumorado, bad-humoured
malucho, not very well
malta, malt
manco, one-handed
mancha, stain
mandar, to send, command;
  — a paseo, send packing
mando, command; **al —,** in
  command
manejar, to manipulate
manera, manner; **a — de,** by
  way of; **no hay —,** it is
  impossible
manga, sleeve
manillar, handlebars
maniobra, manoeuvre
mano (*f.*), hand; **de la —,**
  holding one's hand; **a —,** by
  hand; **dar la —,** to shake
  hands; **a la —,** with the hand
manta, blanket
manteca, grease
mantel, table-cloth
mantener, to maintain, keep,
  have
mantequilla, butter

manzana, apple
manzano, apple-tree
mapa (*m.*), map
máquina, engine, machine, typewriter
maquinista, engine-driver
mar (*m. f.*), sea; **la — de,** very
maravilla, marvel; **de —,** marvellously
maravilloso, marvellous
marcado, marked
marcar, to score, show (*the time*), stress
marco, frame-work
marcha, motion, departure, march; **poner en —,** to start
marchar, to go, walk; **—se (de),** to leave
marea, tide
mareado, (sea-)sick, dizzy
marearse, to become sea-sick
maremágnum, pandemonium
margen, edge; **al —,** out
marido, husband
marinera, sailor-girl
marinero, sailor
marrón, brown
más, more, most, rather, other, worse, else, majority; **a — no poder,** like anything; **no . . . —,** only; **lo — posible,** as much as possible
máscara, mask
masticar, to chew
mástil, mast
matadero, slaughter-house
matar, to kill
matiz (*m.*), shade of difference
matrimonio, married couple

mayor, older, elder, grown-up, elderly, larger, greater
mayorcito, grown-up (*youngster*)
mayúsculo, capital (*letter*)
mear, to urinate
mecánico, mechanic
mecanismo, mechanism
mecer, to rock
mechero, lighter
media, sock, stocking
médico, doctor
medida, measurement; **a su —,** to suit oneself
medido, (well) judged or placed
medio, half, semi, mid-; **en — de,** in the middle of; **por —,** by means
medir, to measure
mejilla, cheek
mejor, better; **a lo —,** maybe; **cuanto —,** the better; **— dicho,** rather
melena, hair
melocotón, peach
meloso, mealy-mouthed
membrillo, quince
mención: hacer —, to intend, be going to
menear, to stir
menor, least
menos, less, except, least; **al, cuando** *or* **por lo —,** at least; **— mal,** just as well, fortunately; **echar de —,** to miss, **poco —,** almost; **na(da) —,** no less
mentir, to lie

288

mentira, lie; **parece —,** it's unbelievable
mentiroso, liar
meón, piddler
mercado, market
mercancías, goods
mercante, merchant ship
merced, (our Lady of) mercy
mercería, haberdashery
merienda, afternoon snack
mesurado, measured
metálico, metal
meter, to put (in), make, bring in; **—se,** to get in, go in; **—se con,** to attack, meddle
metro, meter
mezcla, mixture
mezclar, to mix
miedo, fear; **tener — a,** to be afraid of; **dar —,** be frightening; **de —,** terrific
miga, crumb; **hacer buenas —s,** to get on well
milagro, miracle
milagroso, miraculous
miliciano, militiaman
militar, military
milla, mile
mineral, ore
minero, miner, mining
minimizarse, to become tiny
mínimo, least; **lo más —,** in the least
mirada, look, glance
misa, Mass
misión, mission, job
misionero, missionary
mismo, same, -self, this very;

aquí —, just here; **lo — . . . que,** both . . . and
misterioso, mysterious
mitad, half, middle
mobilizar, to mobilize
mocoso, brat
modales, manners
modalidad, form
modo, way: **de ningún —,** on no account; **no hay —,** it is impossible; **— de hablar,** manner of speaking; **a su —,** in one's own way
mojado, wet
mojar, to wet
mojojón, mejillón, mussel
molestar, to upset, disturb
molestia, pain
molesto, uncomfortable
molino, mill
molusco, molusc
monaguillo, altar-boy
moneda, coin, money
monocorde, monotonous, inharmonious
monopolio, monopoly
monstruo, monster
monte, hill
montón, lot, heap
mora, mulberry
morado, purple
morder, to bite
moribundo, dying (person)
mordisquear, to nibble
mordisquito, little bite
moreno, brown
morera, mulberry-bush
morro, headland
Morse, Morse

mostrador, counter
mostrar, to show
mote, nick-name
motín, mutiny
motivo, motive, reason
mover(se), to move, shake
muble, grey mullet
muchacha, girl
muchedumbre, crowd
mucho, (very) much;
  — tiempo, long
muda, change of underclothes
mudar(se), to change
mudo, mute, dumb person
muelle, quay
muerte, death, the dead
muerto, dead, died, idle
  (*hours*)
multiplicar, to multiply
muñeca, wrist, doll
murmullo, murmur
murmurar, to murmur
muro, wall
músculo, muscle
músico, musician
musitar, to mumble, whisper
mutuo, mutual

nacimiento, birth, crib
nada, nothing; sorry; no, not
  in the least; **— más,** only to,
  as soon as; **en —,** in no way;
  de —, of no significance,
  about anything
naturaleza, nature
naufragio, shipwreck
náusea(s), nausea; **entrarle —,**
  to feel sick
navaja, pen-knife

navegar, to sail
Navidad(es), Christmas
navideño, Christmas(-like)
navío, ship
neblina, mist
necesidad, need
necesitado, in need
necesitar, to need
negar(se), to refuse
negrura, blackness
nervio, nerve
nerviosismo, nervousness,
  excitement
nervioso, nervous
neumático, tyre
nevar, to snow
nexo, bond
ni, not even, neither, nor
nido, nest
nieve, snow; **bola de —,**
  snowball
ningún(o), no, any
niñera, children's nurse
niño, boy, child, young
nivel, level
nobleza, nobility
noche, night; **esta —,** tonight;
  de —, by night, night-time
Nochebuena, Christmas eve
Nochevieja, New Year's eve
nombre, (Christian) name
norte, north
nota, note; **sacar —,** to get
  marks
notar, to notice
noticia(s), news
novato, new-comer
novelar, to write as a novel
novia, girl-friend; **— formal,**

fiancée
novio, bridegroom; (*pl.*) boy
　and girl-friend
nubarrón, ugly cloud
nube, cloud
nublar, to cloud
nuca, nape of the neck
nudo, lump
nuevamente, again
nuevo, new; **de —,** again,
　anew
numerado, numbered
número, number

obedecer, to obey
objetivo, lens
obra, work; **— de teatro,** play
obrero, worker
obstaculizar, to obstruct
obús, mortar-piece
ocasión, occasion, opportunity
ocultar, to hide
ocupado, occupied, busy
ocurrente, witty
ocurrencia, idea
ocurrir, to occur
odiar, to hate
odio, hatred
ofendido, offended
oferta, offer
oficial, official, officer
oficinista, office-worker
ofrecer, to offer, show
ofrendar, to offer
oído, ear, hearing
oír, to hear, listen; **oye,** hey!
ojalá, would that
ojeada, look, glance
ojear, to look through

ojo, eye; **irse los ojos tras,**
　to gaze lovingly at
ola, wave
oleaje, wave, swell
oler (a), to smell (of)
olmo, elm
olor (a), smell (of)
olvidado, forgetful
onza, ounce, portion
opacidad, opacity
oponer, to oppose, set against
opinar, to give an opinion
oprimir, to oppress, squeeze
opuesto, opposite
orar, to pray
orden (*m. f.*), order
ordenar, to order
orfanato, orphanage
orfeón, choral group
orgullo, pride
orgulloso, proud
orilla, bank, shore
orillar, to border
orinar(se), to urinate
orno, furnace; **alto —,** blast-
　furnace, foundry
ortografía, spelling
oscilar, to vary
oscurecer, to get dark
oscuridad, dark(ness)
oscuro, dark; **a oscuras,** in the
　dark
otear, to observe
otoño, autumn
otorgar, to grant, award
otro, (an)other, new, different,
　following; **lo —,** that

pabellón, pavilion

pacífico, peaceful
pacto, pact
pachucho, weakish
Padrenuestro, Lord's Prayer
página, page
paisaje, scenery, scene
paisano, civilian, compatriot, fellow-citizen
pajarita, bow-tie
pala, bat
palabra, word; **dirigir la —,** to speak; **coger la —,** start talking
palacio, palace, elegant house
paleto, country yokel
palidecer, to go pale
pálido, pale
palillo, tooth-pick
palma, palm; **batir —s,** to clap hands
palmo, measure, hand's breadth
palo, stick
paloma, pigeon
palpar, to feel
pancarta, placard
pancho, young sea-bream
pandilla, gang
panecillo, roll (bread)
pantalón, trousers, shorts
pañuelo, handkerchief
papel, paper; **— de fumar,** cigarette paper; **hacer un buen —,** to show up well
papelería, stationer's
paquete, parcel
para, for, to; **ir —,** to be going to be
paraguas, umbrella

paragüero, umbrella-mender
paraje, place
paralizar, to paralyze
parar(se), to stop, end up
parchís, pachisi, ludo
parecer (ser), to seem; **al —,** apparently; **—le a uno,** to think
parecido, similar
pareja, couple
parentesco, relationship
pariente, relative
parlotear, to chatter
parpadear, to blink
párpado, eyelid
parque, park
párrafo, paragraph
parte (*m.*), report; **dar —,** to report
parte (*f.*), part, place, side; **en alguna —,** somewhere; **por otra —,** besides; **de — a —,** from top to toe
particular, particular, subject
partida, departure, game
partido, match
partir, to split; **a — de,** from ... on
pasa, raisin
pasado, past; **— por agua,** boiled (egg); **— mañana,** day after tomorrow
pasajero, passenger
pasar, to pass (off), go, happen, spend, be wrong, overtake; **—se,** to go, change; **—lo mal,** to have a bad time
pase, pass
pasear, to stroll

292

paseo, walk; **de —,** for a walk, drive or ride; **mandar a—,** to send away, send packing

pasillo, passage, corridor

pasmado, stupefied

paso, step, passing, wake, way, pace; **dar un —,** to take a step

pasta, cake; **— dentrífica,** toothpaste

pata, leg; **mala —,** bad luck

patada, kick

paterno, parental, parent's

patético, pathetic

patria, one's country

paulatino, gradual

pausado, slow

pautado, lined

pavimentado, paved, surfaced

pavimento, ground, pavement

pavo, turkey

paz, peace; **hacer las paces,** to make one's peace

pecado, sin

peca, freckle, spot; **"Pecas",** "Spotty"

pecho, chest, breast

pedalear, to pedal

pedazo, bit

pedrada, stone-throwing

pega, obstacle

pegada, stroke, hitting-power

pegajoso, sticky

pegar, to beat, hit, stick, place

pego, cheating at cards; **dar el —,** to deceive

peinar, to comb one's hair

peine, comb

pelar, to skin

pelea, fight

película, film

peligro, danger

pelo, hair; **tomar el —,** to pull one's leg

pelota, pelota, ball

pelotari, pelota-player

pena, sorrow; **tener — de,** to feel sorry for; **dar —,** be pitiful

pendiente (de), attentive (to), dependent (on)

penetrar, to penetrate, enter

pensamiento, thought

pensativo, pensive

pensionado, boarding-school

penumbra, shadow

pepita, pip

peral, pear-tree

percatarse (de), to notice

percibir, to perceive, hear

percha, clothes-hanger

perder, to lose; **echar a —,** to ruin

pérdida, loss; **no hay —,** you can't miss it

perdigón, pellet

perdonar, to pardon

pereza, laziness

permanecer, to remain

permiso, permission

permitir, to permit; **¿me permite?,** may I?

perplejo, perplexed

perra chica, 10-cent piece

perro, dog; **— de lanas,** poodle

persiana, (Venetian) blind

persignarse, to make the sign

of the Cross

persona, person, physical appearance; **buena —,** honest person

pertenecer, to belong

perturbar, to disturb

pesadilla, nightmare

pesado, heavy, boring

pesar, to weigh; **a —de,** in spite of

pesca: de —, fishing

pescar, to fish

pescozón, slap on the neck

pese a, in spite of

peso, weight

petaca, tobacco pouch

petulante, insolent

pez, fish

piar, to chirp

picaporte, latch

picar, to itch, pick, bite

pico, peak

picor, itch

picotear, to peck

picudo, pointed

pie, foot; **de —,** standing; **a —,** on foot; **ponerse de —,** to stand up; **en — de guerra,** on a war footing

piedad, pity

piedra, stone

piel (*f.*), skin

pierna, leg

pijama (*m.*), pyjamas

pila, font, battery; **nombre de —,** Christian name

pilotar, to pilot

pillar, to catch

pincelada, brush(-ful)

pinchado, puncture

pinchar, to puncture, prick

pintar, to paint

pintura, painting

pinzas, tongs

pío: sin decir ni —, without saying a word

pipa, pipe

pique: irse a —, to sink

pira: hacer —, to skip a class, play truant

Pirineos, Pyrenees

piropo, compliment

pis: hacer —, to urinate

pisar, to step in *or* on

piso, floor, storey

pisotear, to trample on

pitido, whistle

pitillo, cigarette

pizarra, blackboard

pizarrín, slate-pencil

placer, pleasure

plácido, placid

plana, page

plano, plan

planta, floor; plant; **— baja,** ground floor

plantear, to state (*a problem*)

plata, silver

plateado, silvery

platillo, cymbal

plato, plate; **gorra de —,** flat hat

playa, beach

plaza, square

plazuela, little square

plomo, lead

plumier, pen-and-ink set

plumilla, nib

pocilga, pig-sty
poderoso, pòwerful
podrido, rotted, rotten
poema (*m.*), poem
poesía, poetry, poem
policía (*m.*), policeman
política, politics
político, political
poner, to put (on), impose, give, position, say (*in writing*), set, serve; — **de revés,** to turn upside down; —**se,** to begin, go, become
popa, stern
por, by, along (all) over, through, around, because of, from, in order to, about to, in, on, in place of; — **allí,** over there
porquería, filth
portal, front door
portar, to carry; —**se,** behave
portería, goal-posts
portero, goalkeeper
posado, resting
posar, to rest
poseído, possessed
poste, post, pole
postre, dessert
postrimería, last stage
prácticamente, practically
pradera, meadow
precioso, exquisite
precipitado, hurried
precipitarse, to rush headlong
preciso, necessary; **lo —,** as much as necessary
preferido, favourite
pregonar, to proclaim

premio, prize
prenda: soltar —, to commit oneself
prender, to catch fire
preocupación, worry, consideration
preocupado, worried, concerned
preocuparse, to worry, take trouble
preparativo, preparation
presa, prey
prescindir, to do without
presenciar, to witness
presión, pressure
presentir, to have a presentiment, feel
prestado, lent; **coger —,** to take on loan
presumir, to be conceited, show off
presunción, presumption
presunto, presumed
pretextar, to give as an excuse
prevenir, to warn
previsto, arranged, forecast
prieto, dark, deep
primaveral, of Spring
primer(o), first, early, beforehand
primo, cousin
principio, beginning
prisa: de —, quickly; **darse —,** to hurry; **tener —,** to be in a hurry
proa, prow, bow
probar, to taste, try on
problema (*m.*), problem, exercise
procurar, to try, make sure

prodigioso, prodigious
producir, to produce
profesor(a), teacher
profundo, deep
prologal, for a prologue
promesa, promise
prometer, to promise
pronto, soon, early; **de —,** suddenly
pronunciar, to pronounce, say, make (*a speech*)
propinar, to administer
propio, own, of one's own, -self; **propiamente dicho,** proper
proponer, to propose; **—se,** to set oneself
proporcionar, to supply
proseguir, to go on
prosperar, to prosper, catch on
protector, protective
proteger, to protect
provincia, province
próximo, approaching, near, nearby, next, following
prueba, test
psicóloga, (woman) psychologist
público, crowd
puchero, pot
pueblerino, of villages
pueblo, village, town
puente, bridge; **— colgante,** suspension bridge
puerta, door; **— de casa,** door of a flat
puerto, port
pues, well, then
puesto, stall, place; **llevar —,**

to have on; **— que,** since
pulmón, lung
pulsera, bracelet; **reloj de —,** wrist-watch
punta, tip; **de —,** on edge
punterazo, kick
puntillas, tiptoes
punto, spot, stitch, point; **puntos suspensivos,** leaders, . . .; **poner a —,** to set (*a watch*); **en —,** on the dot
puntilloso, punctilious
puntualizar, to make exact
puñado, fistful
puño, cuff

quebrado, fraction
quedar(se), to remain, be, become, begin, agree, arrange; **— dormido,** fall asleep
queja, complaint
quejarse, to complain
quemado, burning, burned
quemar, to burn
querer, to want, love, like; **— decir,** to mean; **sin —,** accidentally
queso, cheese
quicio: sacar de —, to drive mad
quieto, still
quietud, quiet(ness)
quilla, keel
quima, branch
quincallero, hardware-seller
quirófano, operating-table
quisquilla, shrimp

quisquillero, shrimp-pot
quitar(se), to take off, take
away

rabia, rage, anger
rabiar, to get angry
rabieta, fit of temper
rabillo, corner (of the eye)
racionado, rationed
racionamiento, rationing,
rations
radiador, radiator
radiante, radiant
radio (*f.*), radio
raíl, rail, line
raíz (*f.*), root; **echar raíces,** to
put down roots
rama, branch; **irse por las
ramas,** to digress
ramalazo, spot, gust
rana, frog
raro, strange
ras, level; **a — de,** at . . . level
rasgar, to scratch
rasgo, feature
rato, while; **mucho** *or*
largo —, a long time
raudal, torrent
raya, line, streak, parting;
pasar de la —, to go too far
rayo, ray, lightening
razonamiento, argument
reaccionar, to react
realidad, reality
realmente, really
reanudar, to renew
rebelde, rebellious
rebautizar, to re-baptize
rebeldía, rebellion

rebelión, rebellion
recalentado, over-heated
receta, prescription
recetar, to prescribe
recién, newly; **— llegado,**
newcomer
recobrar, to recover
recodo, bend
recoger, to take, get, collect
recoleto, secluded
recomendación, piece of
advice
reconcentrado, of deep
concentration
reconfortante, reassuring
reconocer, to recognize
recopilar, to copy out
recordar, to remember,
remind
recorrer, to travel (through),
go through
recorrido, trip
recreo, recreation
recto, straight
recuerdo, memory, souvenir;
(*pl.*) regards
rechazado, rejected
red, net, rack
redacción, composition, essay
redoblado, redoubled
reeditado, published again
refinado, refined
reflejo, reflection
refresco, refreshment
refugio, shelter, refuge
refunfuñar, to grumble
regalar, to give as a present
regaliz (*m.*), licorice
regalo, gift

297

regatear, to dribble (*in football*)

regir, to rule

regla, rule, ruler

reglamento: de —, regulation

regresar, to return

regreso, return

reinar, to reign

reintegro, one's money back, consolation prize

reír, to laugh; **—se de,** to laugh at

relacionar, to relate

relatar, to narrate

relato, narration

releer, to re-read

relinchar, to neigh

reloj, clock, watch; **— de pulsera,** wrist-watch

reluciente, shining

remacho, rivet

remedar, to mimic

remedio, remedy; **no tener más —,** to have to; **más —,** any other way

remendado, mended, patched

remolón, reluctant; **hacerse el —,** to dilly-dally

rencilla, grudge

rendija, crack

renovar, to renew

reñir, to scold

reojo: de —, out of the corner of one's eye

renquear, to limp

repantigarse, to loll

repartir, to distribute, give

reparto, distribution

repe, repetido: salir —, to be duplicated

repente: de —, suddenly

repentino, sudden

repetir, to repeat

réplica, rejoinder

reponer, to replace; **—se,** to recover, collect oneself

reprender, to reprehend

representar, to show, be

reproche, reproach

res (*f.*), head of cattle

resbaladizo, slippery

resbalar, to slip

reseco, dried up

resfriado, a cold

resolver, to settle

respaldo, back (*of a seat*)

respecto a, as regards

respetar, to respect

respeto, respect

respetuoso, respectful

respirar, to breathe

respuesta, reply

resquebrajar(se), to split

resta, subtraction, disunity

restante, remaining

resto, remainder, result; (*pl.*) remains

resuelto, settled

resultado, result

resultar, to result, be, become, turn out

resumir, to sum up

retener, to hold back

retintín, sarcastic tone

retirar, to withdraw

retornar, to return

retrasar, to delay

retraso, delay; **llevar —,** to

be late; **de —,** late
retrato, portrait
retrovisor, rear-view (*mirror*)
retumbar, to reverberate
reunión, meeting
reunirse, to meet, gather
revelar, to reveal
revés: de —, upside down;
  al —, the other way round
revestir, to vest
revisar, to revise, examine
revista, magazine
revolotear, to fly about
revolver, to rummage
revuelto, troubled
rezar, to pray
ría, estuary, river-mouth
riachuelo, stream
ribera, riverside
rico, rich, tasty
richi, roll (*Bilbao pop.*)
ridículo, ridicule; **dejar en —,**
  to cause humiliation; **hacer**
  el —, to make a fool of
  oneself
riel, rail, line
rifar, to raffle
rígido, stiff
rima, rhyme
rítmico, rhythmic
ritmo, rhythm
rito, rite
rivalidad, rivalry
rizado, curled
robaperas, pear-stealer
roble, oak
roca, rock
rocío, dew
rodar, to roll on, go, function

rodear, to surround, enclose
rojiblanco, red and white
rojizo, redish
rompeolas, jetty
romper, to break, burst out,
  tear (up)
roncar, to snore
ronco, hoarse
ropa, clothes, washing;
  — interior, underclothes
rosa, pink
rostro, face; **en pleno —,**
  right in the face
roto, torn
rotundo, rotund; clear
rubio, blond
ruborizarse, to blush
rucio, donkey
ruido, noise
ruidoso, noisy
rumbo, route, direction; **— a,**
  bound for
rumor, talking, rumour, sound
runruneo, purring
ruptura, rupture, break

sábana, sheet
saber, to know, learn, be able
sabiduría, wisdom
Sabino, Sabine (*name*)
sabor (a), taste (of)
saborear, to relish
sacar, to take out, put out, get
  (*tickets*), take (*photographs*),
  make, serve (*in games*)
saco, bag
sacrificarse, to make sacrifice
sacristía, sacristy
sacudir, to shake

sal (*f.*), salt

sala, room; — de estar, sitting-room

salida, outing, way out; día de —, day out

salir, to go, come or set out, appear, come from, come out well; — el mal genio, to lose one's temper; — airoso, to acquit oneself well

salón, drawing-room

saltar(se), to jump (over), bounce, pour out

salto, leap

salud, health

saludar, to salute, meet

saludo, greeting

Salvador, Saviour

salvamento: bote de —, life-boat

salvarse, to be cured

salvavidas, life-buoy, life-jacket

san, saint

sanatorio, sanatorium

sangrar, to bleed

sangre, blood

sanseacabó, that's the end of it

santanderino, (person) from Santander

Santi (*dim. of* Santiago), Jimmy

santo, saint, blessed

sardana, *Catalonian dance*

Sarita (*dim. of* Sara), Sally

sastrería, tailor's shop

satisfecho, satisfied

savia, sap

sebo, fat, grease

secar, to dry

secas: a —, simply

sé, *imperative of* ser, *pres. of* saber; no sé qué, an inexpressable feeling

secretaria, secretary

secundar, to support

sed, thirst; tener —, to be thirsty

seda, silk; papel —, tissue paper

segadora, mower

seguida: en —, at once, quickly, soon

seguir, to continue, follow, still be, learn

según, as

segundero, second-hand

seleccionador, selector

sello, stamp

semáforo, traffic-light

sembrado, sown

semejante, similar

semejar, to seem

semilla, seed

Sena (*m.*), Seine

sencillez, simplicity

sencillo, simple

sensibilizar, to make an object of the senses

sentado, seated

sentar, to fit, suit; —se, sit down

sentenciar, to pronounce formally

sentido, sense, meaning

sentir(se), to feel

seña, sign

señal, signal

señalar, to point to, show
señas, address
sepultado, buried
sepulturero, grave-digger
sequedad, dryness
ser, to be, being
serenarse, to become serene
serenidad, serenity
seriedad, seriousness
serio, serious; **ir en —,** to be
  serious
serpiente (*f.*), serpent
servicio militar, military
  service
servilleta, serviette
servicio: de —, on duty
servir, to serve, be used, act;
  —se de, use
severo, severe
sexto, VI, sixth
siempre, always, whenever,
  ever
sierra, mountain range
siesta, siesta; **dormir la —,** to
  take an afternoon nap
sigilo, secrecy
siglo, century
siguiente, following
sílaba, syllable
silbar, to whistle
silbato, whistle
silbido, whistle, whine
silencioso, silent
silueta, silhouette
silla, chair; **— tijera,** folding
  stool
sillón, seat
simbolizar, to symbolize
simpático, likeable, pleasant

singularidad, singularness,
  distinction
siniestro, sinister; left
sinsorgo, inane, spineless
sinvergüenza, shameless
  hooligan
siquiera: ni —, not even
sirena, siren
sirimiri, drizzle
sitio, room, place
sobaco, armpit
sobrar, to be excessive
sobre, over, envelope;
  — todo, above all
sobreponerse, to get over
  something
sobresaltarse, to be startled
sobriedad, sobriety
sobrio, sober
socorro, help
sol, sun, G (*in music*); **al —,** in
  the sun
solapa, lapel
solas: a —, alone
soleado, sunny
soledad, loneliness
soler, usually (*with infinitive*)
solfeo, tonic-solfa
solitario, solitary, lonely, on
  one's own
soltar, to let go, let out, give;
  —se, come loose; **— prenda,**
  commit oneself
soltera, unmarried woman
solterona, old maid
soltura, fluency
solucionar, to resolve
sollozar, to sob
sollozo, sob

sombra, shadow, shade
sombreado, shady
sombrero, hat; **— de copa,** top hat
son: sin ton ni —, for no reason
sonámbulo, sleep-walker
sonar, to sound, play, be heard; **—se,** blow one's nose
sonido, sound
sonoro, sonorous, of sound
sonreír, to smile
sonriente, smiling
sonrisa, smile
sonrosado, rosey
soñar, to dream
soñoliento, sleepy
soplar, to blow
soplo, breath
soportal, porch, portico
sorbo, sip
sordera, deafness
sordo, dull, deaf, silent
sorna, sarcasm
sospechar, to suspect
sorprendido, surprised
sortear, to evade
sostener, to hold
sótano, basement
suave, gentle, soft
subir(se), to go *or* send up, get on, raise
súbito, sudden; **de —,** suddenly
subrayar, to underline, emphasize
subterráneo, underground passage
suceder, to happen

suceso, event
sudor, sweat
sudoroso, sweating
suela, sole
suelo, ground, floor; **poner por el —,** to run down, criticize
sueño, sleep, sleepiness, dream; **tener —,** to be sleepy; **en —,** in one's sleep
suerte, (good) luck
sufrir, to suffer; **— un disgusto,** be upset, be grieved
sugerir, to suggest
sujetar, to fasten, support
sujeto, kept on
suma, addition, unity
sumar, to number
sumido, immersed
superficie, surface
superior, upper
súplica, supplication
surgir, to arise
suspirar, to sigh
suspiro, sigh
sustancial, substancial, part of the substance
sustituir, to substitute (for)
susto, fear
sutil, subtle
suyo, his, hers, etc., one's relatives, one's own, one's point

tabaco, tobacco
taberna, bar
tablero, board
tacto, touch

tachar, to cross out
tajante, sharp
tal, such (a); **— vez,** perhaps;
 ¿qué —?, how are things?,
 how . . . ?; **— y cual,** etc., etc.,
 this or that; **— o cual,** this
 or that
taladrar, to pierce
talar, to fell
taller, workshop, factory
tamboril, tabor, drum played
 with one stick
tan, so, quite
tanda, batch
tangencial, tangential
tanto, so much, score; **un —,**
 a bit; **al —,** informed;
 — . . . como, both . . . and;
 por lo —, therefore
tapar, to cover, block
taparrabo, loin-cloth
tapia, wall
tararear, to hum
tardar, to take (time), delay
tarde, afternoon, evening, late;
 hacerse —, to get late;
 de — en —, now and again
tarjeta, card
tarro, jar
tartaja, stutterer
tartamudear, to stammer
tazón, large cup
tebeo, comic
teclear, to play (*on a keyboard*)
techado, cover; **bajo —,**
 indoor
techo, roof, ceiling; **bajo —,**
 indoors
teja, roof-tile

tejado, roof
tejer, to weave
tela, cloth
telegrafista (*m.*), telegraph
 operator
telefonear, to telephone
tema (*m.*), subject
temblar, to tremble
temblor, shudder
tembloroso, trembling
temer, to fear
temeroso, afraid
temido, dreaded
temor, fear
temporada, period, some time
tenaz, tenacious
tender(se), to cast, hold,
 stretch *or* hang out
tendero, shopkeeper
tenis, tennis
tentación, temptation
tentado, tempted
terminante, absolute
terminar, to end
término, term
termo, thermos flask
ternura, tenderness
terreno, ground
tesis, thesis
tesoro, treasure
testigo, witness
testimonial, which gives
 testimony
tía, aunt, woman
tibio, tepid
Tiburcio, Tiburtius (name)
tic, tic
tiempo, time, weather; **a —,**
 on time; **mucho —,** long;

a un —, at one and the same time; **hacer —,** to put down time

tierra, ground, land, earth, country; **— adentro,** inland

tieso, stiff

timbre, bell

timidez, shyness

tímido, shy, timid

tinta, ink; **— china,** Indian ink

tintinear, to tinkle

tintura, tincture

tío, uncle, Old

tío-vivo, merry-go-round

tiragomas, catapult

tirando, only fair

tirar (de), to pull, throw (out), kick

tirita, band

tiritar, to shiver

tirón, lurch, pull

titular, headline

título, title

tiza, chalk

tobillo, ankle

tocar, to happen to be, be the turn of, fall to one's lot; to play, touch, pat, sound, ring; put on headgear

todo, every; **del —,** completely

toldo, window-shade

tomar, to take, eat *or* drink; **—se a mal,** to take badly

tomate, tomato

tomo, volume

ton: sin — ni son, for no reason

tono, tone

tontería, stupidity

tonto, silly

torero, bull-fighter

tormenta, storm

tornar, *see* **volver**

tornero, turner, lathe-operator

torno: en — a, around

torpe, torpón, awkward

tortazo, blow

tortilla, omelette

tortura, torture

toser, to cough

traer, to bring

tragar, to swallow

trago, gulp

tragón, glutton

traición, treason, betrayal

traje, suit

tramitar, to negotiate

trampa, trick

tranquilizar, to calm, reassure

tranquilo, tranquil, quiet

transbordador, *a mechanical ferry in Bilbao*

transferir, to transfer

tránsito, traffic

transitorio, transitory

tranvía (*m.*), tram

tranviario, tramway worker

trapero, rag-and-bone man

trapo, rag, cloth

traqueteo, rattle

tras, behind, beyond, after

trascendencia, transcendence, importance

trascender, to become apparent

trasero, back, rear

trasluz: al —, against the light

trastada, mischievous thing
traste: dar al —, to destroy
trasto, (piece of) lumber
tratamiento, mode of address
tratar, to treat, try, speak to, address; **—se de,** be a matter of
través: a —, through
travesura, prank
trayecto, journey
trazar, to draw
tremendo, tremendous
trepar, to creep up
trinchera, trench
tripa, bowels, stomach
tristeza, sorrow
tronco, trunk
trombón, trombone
trompa, humming top
trompicón, stumble; **a —es,** stumbling
tropezar, to stumble
trozo, bit, piece
tubo, tube
tumba, tomb
tumbarse, to lie down
túnel, tunnel
tupido, close-woven
turbado, disturbed, embarrassed
turbarse, to be upset
turno, por turnos, in turn, in shifts
turrón, nougat
tutear, to use the *tu* form
tutor, guardian

ufano, haughty
último, last; **a última hora,** last period
ulular, to wail
umbral, threshold
unido, united
unir(se), to unite, join
uno, one; **de — en —,** one by one; **a una,** together; (*pl.*) a few, some, about
untar, to rub, grease
utilizar, to use
uva, grape

vacaciones, holidays
vaciar(se), to empty
vacío, empty, empty space
vadear, to ford
vago, vague
vagón, coach
vagoneta, wagon, trolley
vaina (*m. f.*), idiot
valenciano, (person) from Valencia
valer, to be of use, be worth
valiente, brave
valorar, to evaluate
valle, valley
vanidoso, vain
vano, vain
varios, several
vasco, Basque
vascongado, Basque
vascuence, the Basque language
vaso, glass
vaya, well, well
vecindad, vecinity
vecino, neighbour, neighbouring
vejiga, bladder

vela, candle; sail
velamen, (set of) sails
vena, vein
vencer, to overcome, conquer
vendar, to bandage
venir, to come, be given
venta, inn
ventanal, large window
ventanilla, window, ticket-
window
ventero, inn-keeper
ventilador, fan
ver, to see; **(vamos) a —,** let's
see, come on; **tener que —,**
to have to do
verano, summer
veras: de —, in earnest
verbena, festival (*on eve of a
feast-day*)
verdad, truth, true; **de —,**
genuine, honestly; **a la hora
de la —,** when it came to
the point; **¿—?,** isn't that
true?
verdadero, true, genuine
verdiazul, blue-green
verdoso, verdant, greenish
vergonzoso, shameful
vergüenza, shame
verídico, authentic
vertiginoso, dizzy
vestido (de), dressed (in),
dress
vestir, to wear, be dressed;
—se, dress
vez, time; **una —,** once;
de — en cuando, alguna —,
now and then; **tal —,**
perhaps; **en —,** instead;

cada — más, more and more;
otra —, again; **a la —,** at a
time; **de una —,** at once, at
last, once for all
vía, way; **— férrea,** railway;
Gran Vía, main street;
— muerta, siding
viaje, journey; **de —,** on a
journey
viajero, passenger
viático, viaticum (*Holy
Communion for the dying*)
vibrante, vibrating
Vicente, Vincent
vida, life, living
vidriosa, glassy
viejo, old
vientecillo, breeze
viento, wind
vigilar, to supervise
villa, town, borough
vino, wine; *pret. of* **venir**
Virgen, (statue of) the blessed
Virgin
virginidad, virginity, newness
virtud, virtue
visera, peak, eyeshade
visillo, net window-curtain
visita, visit, visitor
visitar, to visit, look around
víspera, eve
vista, sight, eyes; **perder de —,**
to lose sight of; **hacer la —
gorda,** to turn a blind eye
vivificar, to give life; **—se,** to
come to life
vivir, to live
vivo, living
Vizcaya, Biscay

vizcaíno, Biscayan
vizcaitarra (*m. f.*), Biscayan
  separatist
vocear, to shout
vocerío, sound of voices
volar, to fly
volatinero, itinerant acrobat
volver(se), to come back, be
  back, turn, turn away, turn
  back, do something again
votación, vote
voz, voice, cry; **en — alta,**
  aloud
vuelco, turn, somersault
vuelta, return; **ida y —,**
  return (journey), **media —,**
  about turn; **dar (la) —(s),**
  to go around, turn over,
  spin; **—a Francia,** tour de
  France

water, W.C.

ya, already, now; any more,
  yes
yerba, grass
yerto, rigid
yodo, iodine
yunta, team

zagal, servant
zángano, drone, idler
zapato, shoe
zarandear, to sway
zona, zone
zortziko, Zortziko, *Basque*
  dance-tune
zumbar, to whiz
zumbido, buzzing
zurdo, left-hander

vizcaíno, Biscayan
vizcaitarra (en V.), Biscayan
  separatist
vocear, to shout
vocerío, sound of voices
volar, to fly
volatinero, itinerant acrobat
volver(se), to come back, be
  back, turn, turn away, turn
  back, do something again
volición, voli...
voz, voice, cry; en — alta,
  aloud
vuelco, turn, somersault
vuelta, return, ida y —,
  return (journey); media —;
  about turn; dar (la) — (s),
  to go around, turn over,
  spin; — a Francia, tour de
  France

water, W. C...

ya, already; now; any more
ya
verba, grass...
verto, right
yodo, iodine
yunta, team

zagal, serván
zángano, drone, idler
zapato, shoe
zarandear, to sway
zona, zone
zortziko, Zortziko, Basque
  dance-air
zumbar, to whiz
zumbido, buzzing
zurdo, left-hander